To Tim Parker

with best wishes

from the author

[illegible]

5/79

Klassische Wagen III

Michael Sedgwick

# Klassische Wagen III

England
Amerika

Hallwag Verlag
Bern und Stuttgart

**Bildnachweis**

| | |
|---|---|
| Al: | Alvis Ltd. Coventry, GB |
| AR: | Automobil Revue Collection, Bern, CH |
| Bu: | Carl W. Burst III, St. Louis, Missouri, USA |
| Cr: | Crestline Press, Glen Ellyn, Illinois, USA |
| Ge: | G. N. Georgano, Ringwood, Hampshire, GB |
| Gl: | Roger Gloor, Bern, CH |
| GM: | General Motors Corporation, Detroit, Michigan, USA |
| Ha: | Anthony Harding, Midhurst, Sussex, GB |
| He: | Ferdinand Hediger, Lenzburg, CH |
| Ja: | Lytton P. Jarmann, Rugby, Warwickshire, GB |
| La: | Richard M. Langworth, Hopewell, New Jersey, USA |
| Ma: | Keith Marvin, Pomfret Center, Connecticut, USA |
| NMM: | National Motor Museum, Beaulieu, Hampshire, GB |
| Or: | Robert D. Ortenburger, Tulsa, Oklahoma, USA |
| Sch: | Dr. Scheuchzer, Zürich, CH |
| Se: | Michael Sedgwick, Collection, Midhurst, GB |
| St: | Kenneth M. Stauffer, Pottsdown, Pennsylvania, USA |
| We: | Don E. Weber, Corpus Christi, Texas, USA |
| Wr: | Nicky Wrigth, LSS, Hampshire, GB |

Übersetzung aus dem Englischen:
Ferdinand Hediger
Umschlagbild: Siegfried Eigstler


Gesamtherstellung: Hallwag AG Bern
ISBN 3 444 10212 7

**Auburn** 1,2,4,6,8:NMM 3,5,9,10:AR 7:Gl
**Cadillac und La Salle** 1,2,3,5,6,12:AR 4:Wr 7,8:Se 9,10,11,14:NMM 13,15,16:GM 17:Ge
**Chrysler** 1,8:AR 3,4,6,7,9,10:NMM 2,5:WR
**Cord** 1,3,6:NMM 2:AR 4,7:Wr 5:He
**Cunningham** 1:NMM 2,3:Ma 4,5:Cr
**Duesenberg** 1,2,4,5,7,8, 9:NMM 3:Wr 6,10:AR
**Franklin** 1,2,4,5,6:NMM 3:AR
**Lincoln** 1,3,8,9,10,12,13:NMM 2,5,6,11:Se 4:Ha 7,14:AR
**Locomobil** 1:Wr 2,4:NMM 3:Se
**Marmon** 1:Ha 2:NMM 3,5:AR 4:Gl
**Packard** 1,7,13,15:NMM 2,8,12:Wr 3:Ma 4:Gl 5:He 6,11:AR 9:Or 10:Se 14,16:La
**Pierce-Arrow** 1,2,3,8:NMM 4,6:Ma 5:AR 7:Sch 9:Gl
**Reo** 1:AR 2,4:NMM 3:Cr
**Ruxton** 1:NMM 2:La 3,5:Bu 4:Ge
**Stutz** 1,4,5:NMM 2,3:Wr 6:St
**Alvis** 1,2,3,5,6,7:NMM 4:Al 8,9:Se
**Bentley** 1:AR 2,5,6,7,8,11,12,13,14,15:NMM 3,4:Gl 9:We 10:He
**Daimler** 1,2,3,6,8:NMM 4:AR 5:Ha 7,9,10,11:Se
**Invicta** 1,2,3,4,5,6:NMM 7:AR
**Lagonda** 1,3,8,11,12,13:NMM 2:Se 4,7,10:AR 5,6:Gl 9:He
**Lanchester** 1,6:Se 2,3,4,5:NMM
**MG** 1:Ja 2,11:NMM 3,4,5,6,7,8,12,14:Se 9:Ha 10,13:Gl
**Railton** 1,2,4:NMM 3:Ha
**Rolls-Royce** 1,3,5,6,7,9,10,13,14,16,17:NMM 2,8,12:AR 4,11:Wr 15:Gl
**SS** 1,4,5:Se 2:AR 3,6,7,8:NMM
**Sunbeam** 1,6:Se 2:Ha 3,4,5:NMM
**Talbot** 1,2,3,5,6,7,8:NMM 4,9:Se
**Vauxhall** 1,3,4,5,6:NMM 2:Ha 7:Gl

Die hier benutzten Abkürzungen (NMM, AR usw.) bezeichnen die Bildautoren und sind auf dieser Seite erklärt.

# *Inhaltsübersicht*

# Einführung

*Was ist ein «klassischer Wagen»?*

In Amerika ist der Begriff klar umrissen: jene zwischen 1925 und 1942 gebauten Automobile (einige Nachkriegsmodelle sind kürzlich noch dazugekommen), die es nach Meinung des Classic Car Club of America verdienen, erhalten zu bleiben.
In der Umgangssprache wird der Amerikaner einen Klassiker als «ein Automobil, das in der Länge wenigstens zur Hälfte aus Motorhaube besteht» umschreiben. Nun sind in der Tat der Cord L 29 oder der Rolls-Royce Phantom II Continental für die meisten von uns der Inbegriff klassischer Wagen. Ohne Zweifel ist die Wagengröße ein gewichtiges Kriterium, obgleich ein Brite die Leistungsfähigkeit als fast ebenso bedeutungsvoll bewerten wird. Er wird einem Aston Martin Mark II oder einem 1½-Liter-Squire im Vergleich zu allen Daimler-Modellen mit Schiebermotoren, außer den mächtigsten, den Vorrang einräumen. Auf dem europäischen Festland schließlich ist die Eleganz genauso wichtig. Hier wird einem Roadster der späten zwanziger Jahre auf einem Buick- oder einem der geringeren Chrysler-Fahrgestelle eine Hochachtung gezollt, die ihm in den englischsprachigen Ländern versagt bliebe.
Tatsache ist, daß in Wirklichkeit nur die gemeinsame Sprache die amerikanischen und die britischen klassischen Wagen verbindet. Sie wurden nach völlig unterschiedlichen Gesichtspunkten konstruiert. Man denke nur an die Straßenbedingungen und -zustände, an das Klima, die Wirtschaftsverhältnisse und nicht zuletzt an die Steuerpolitik. Amerika konstruierte für die ganze Welt. Abgesehen von Ländern, wo die protektionistische Politik eine extreme Form angenommen hatte (z. B. in Italien unter Mussolini), konnte man in den zwanziger und dreißiger Jahren die Modelle von Cadillac, Lincoln und Packard überall antreffen. Oft waren sie günstiger oder preiswerter zu haben als ihre europäischen Gegenstücke. Die Franzosen prägten dafür den Begriff «voitures d'apparat», also etwa «glanzvolle, pompöse Wagen».
Großbritannien, mit einem gesunden, aufnahmefähigen Inlandmarkt und, in jenen Tagen, einer stabilen Wirtschaft, konstruierte für seine eigenen Straßen und seinen eigenen Bedarf. Sollte ein Fremder Geschmack an einem Bentley oder MG finden (was dank ausgeprägter Individualität recht oft der Fall war), konnte man das nachsichtig hinnehmen. Der Kunde durfte indessen keinesfalls auf eine Linkslenkung oder eine echte Exportausführung hoffen. Schließlich gab es für jeden Bürger von Bern, der sich gegen einen Lagonda und für einen Delahaye entschied, zwei Kunden in Birmingham, die genau konträr dachten und wählten.
Von der Konstruktion her begannen die amerikanischen Wagen bereits 1925 eine stereotype Gleichförmigkeit anzunehmen. Der Hauptunterschied zwischen einem klassischen Chrysler Imperial und einem nichtklassischen Typ 72 oder 77 bestand vornehmlich in der

Größe, obgleich die Handwerksarbeit, das luxuriöse Interieur und der relative Seltenheitswert des Prestigemodells ebenfalls mitspielten. Amerika konnte mit einer Spezialkarosserie-Industrie aufwarten, die allem, was Europa zu bieten hatte, ebenbürtig war. Brewster, Cunningham und Judkins – wenn auch nicht Le Baron und Murphy – reichten mit ihren Anfängen bis in die Tage der Pferdefahrzeuge zurück. Ihr Ausstoß war indessen sehr gering, und nur zu oft bedeutete der Besitz eines «Custom»-Modells nichts anderes, als daß es das einzige seiner Art in einem Umkreis von, sagen wir, vierzig Kilometern war.
Im übrigen stellten seitliche, stehende Ventile, Halbelliptikfedern und Dreiganggetriebe die Norm dar. Nach 1925 konnte man Vierradbremsen erwarten, und Anfang der dreißiger Jahre bestanden berechtigte Hoffnungen auf hydraulische Bremsen und Servounterstützung. Um 1933 waren Synchrongetriebe nahezu überall anzutreffen, obgleich einige der alten, traditionellen Marken, wie Duesenberg, noch genügend Getriebe auf Lager hatten, um unsynchronisierte Kraftübertragungen bis zum Schluß beizuhalten. Der hypoidverzahnte Antrieb der Hinterachse wurde 1927 entdeckt und fand rasch Eingang als ein Mittel, die Schwerpunktlage niedriger zu gestalten. Ein Abweichen von der Norm zahlte sich ganz einfach nicht aus. Die durchschnittliche Reparaturwerkstätte kam mit solchen Erzeugnissen nicht zurecht. Daher auch der Verzicht auf den Weiterbau der Luftkühlung bei Franklin, des Vorderradantriebs bei Cord und Ruxton, der obenliegenden Nockenwellen bei Stutz und Duesenberg und des Zentrifugalkompressors bei Auburn.
Vielleicht war Amerikas großartiger Beitrag zur klassischen Periode eine natürliche Folge, war es doch ein Land mit niedrigen Fahrzeugsteuern und billigem Benzin. Die Amerikaner hatten schon immer etwas gegen das Schalten – sie mögen Leistung und Geschmeidigkeit ohne eigene Anstrengung. In den Tagen der Starrachsen und handgeschalteten Getriebe hieß der kürzeste Weg zu diesem Ziel: mehr und mehr Zylinder. Um 1921 waren der Reihenachtzylinder-, der V8-Zylinder- und sogar der V12-Zylinder-Motor erprobt, und so kam der Multizylinderrausch der Jahre 1931/32 nicht unerwartet. Es gab mindestens sechs Zwölfzylindermodelle (Auburn, Cadillac, Franklin, Lincoln, Packard & Pierce-Arrow) und zwei Sechzehnzylinder (Cadillac & Marmon) auf dem Markt. Fast hätte es noch einen dritten V16-Zylinder-Wagen gegeben, wenn Peerless nicht 1931 bankrott gegangen wäre, nachdem man dort einen wunderschönen Sedan-Prototyp gebaut hatte.
Das also waren die Bestandteile und Zutaten des Klassizismus: lange Motorhauben mit den stilistischen Einflüssen von Harley Earls La Salle und C. W. van Ransts Cord und darin komplexe Maschinen; Radstände von 350 cm und mehr; turbinenähnliche Motoren, die imstande waren, Zweitonnenwagen im direkten Gang in Bewegung zu setzen und zu beschleunigen. Aber auch ein entsetzlicher Durst nach Benzin, der sich schlecht mit den um Brot anstehenden Menschenschlangen des Jahres 1932 vereinbaren ließ. Natürlich sollte es bald einfachere Wege geben, um die gleichen Ziele zu erreichen. Der Abgang des Cadillac V16 fiel zeitlich mit der Einführung des Hydramaticgetriebes im bescheideneren V8 zusammen – aber solange es ihn gab, war er großartig!
Der Stilist verhalf den klassischen Wagen in den Jahren 1931–1933 auf ihren höchsten Gipfel, aber er läutete auch ihr Ende ein, da einige der späteren Schöpfungen, sagen wir bei Cadillac, bald Nachahmung bei weniger hochkarätigen Automobilen fanden. Ungeachtet seines wenig schönen Kühlergrills war der Cadillac Sixty Spezial von 1938 mit seiner begeisternden Interpretation des europäischen Sports-Saloon-Themas fraglos ein Klassiker. Doch als 1941 eine sehr ähnliche Form für den Buick und gar für den Chevrolet Fleetline – bei diesem zum Schlagerpreis von 877 Dollar – gewählt wurde, verlor sich der Aspekt klassischer Exklusivität. Die zeitgenössischen Packard Clipper sind hauptsächlich deshalb so attraktiv, weil Amerikas Eintritt in den Krieg die sofortige Entwicklung billiger Nachahmungen verhinderte. Leider verschandelte Packard jedoch seine perfekte Form unmittelbar nach der Rückkehr zur Friedensproduktion. Die Engländer waren Stilisten in einem anderen Sinn, nämlich in punkto Maßarbeit. Das normale, serienmäßige englische Automobil war äußerst langweilig anzusehen, außer für einen chauvinistischen Briten. Doch gerade in diesem Land, in dem eine Jahresproduktion von 1000 Fahrzeugen einem

ernsthaften Hersteller immer noch ein Auskommen bot, warteten die kleineren Firmen und die spezialisierten Karosserieunternehmen mit einigen der glücklichsten und trefflichsten Lösungen auf. Während die Formgebung bei Pullmannlimousinen häufig durch die Vorliebe für Zylinderhüte und die dadurch bedingte übertrieben große Kopffreiheit beeinträchtigt wurde, sind die Bentley-Vanden-Plas-Tourenwagen der zwanziger Jahre und die späteren Stahlblechkarosserien der gleichen Firma auf Alvis-, Bentley- und Talbot-Fahrgestellen schlechthin Glanzleistungen.
Ebenso vorzüglich waren die «Messerkanten»-Karosserien von Freestone & Webb und anderen Firmen, eine neue Form, die um 1938 große Mode war. (In der Massenproduktion war die «Messerkanten»-Variante weniger erfolgreich: Mit Grauen erinnert man sich des Triumph-Mayflower von 1950 und auch einiger späterer Spezialkarosserien, bei denen die Dachpartie zwar «Messerkanten» erhielt, unterhalb jedoch die moderne Stromlinienform verwendet wurde!)
Was aber noch wichtiger war, die Briten verstanden es, ihre Technik auch bei preisgünstigen Wagen einzusetzen. Alles andere weit überragend war natürlich die Arbeit William Lyons', dem es gelang, eine untadelige Linie mit einem erschwinglichen Verkaufspreis zu verbinden. Wurde 1932 der SS 1 als eine Spur zu extravagant empfunden, so war der 2,5-Liter-Jaguar-Saloon – und übrigens auch sein Rivale, der MG SA – genauso zeitlos schön wie Gordon Buehrigs sensationeller Cord 810, ein Zeitgenosse von jenseits des Atlantiks.
Die ungerechte PS-Steuer, die in ihrer extremen Form von 1921 bis 1946 in Kraft war und damit fast genau mit dem klassischen Zeitabschnitt zusammenfiel, war für die britischen Konstrukteure stets ein Hemmnis. Ähnliches galt allerdings auch für die schmalen Straßen Großbritanniens mit ihrem ausgezeichneten Belag. Die in England gewählten Radaufhängungen waren einfach. Von den echten Klassikern besaßen 1939 lediglich Alvis, Lagonda und Rolls-Royce unabhängige Vorderradaufhängungen. Eine Einzelradaufhängung der Hinterräder war praktisch unbekannt. Dagegen hatten englische Wagen oft bessere Bremsen als ihre Konkurrenten vom Festland, und die Getriebe waren sehr fortschrittlich und aufwendig. Daimler hatte bereits 1930 ein Vorwählgetriebe, Alvis offerierte 1934 ein bis zum ersten Gang hinunter synchronisiertes Getriebe, und Talbot brachte 1935 ein gebrauchstüchtiges Halbautomatikgetriebe heraus. Es ist bedauerlich, daß die hohen Herstellungs- und Unterhaltskosten in den fünfziger Jahren zur Aufgabe der Wilson- und ähnlicher Getriebetypen führten. Sie wurden zugunsten der amerikanischen automatischen Getriebe mit Drehmomentwandlern fallengelassen.
Die klassischen britischen Wagen zeigen einen deutlichen Trend zum Sportlichen. Zwar baute Daimler – und in geringerem Maße auch Rolls-Royce – Automobile, in denen man sich chauffieren ließ. Die Talbot, Lagonda und Alvis jedoch waren Wagen für den Herrenfahrer, und ihre Handlichkeit war – abgesehen vom Sonderfall Invicta – ein Zufallsprodukt. Diese sportlichen Klassiker mußten auch gar nicht teuer sein. Ein MG TA kostete 1939 etwa genausoviel wie der neue Fiat 1100 in Italien. Fairerweise und aus meinen persönlichen Erfahrungen mit beiden Wagen heraus muß ich jedoch zugeben, daß über eine 80 Kilometer lange kurvenreiche Straße der Fiat wahrscheinlich als Erster ans Ziel gelangt wäre. Trotz allem ist es undenkbar, daß ein 4½-Liter-Bentley oder ein Lagonda M 45 in einem anderen Land als in England hätte gebaut werden können. Noch weniger kann man sich vorstellen, daß bis auf die letzten sechs Monate der Bauzeit der großen Bentley-4-Zylinder-Modelle die allgemeine Geschwindigkeitsbeschränkung in Großbritannien offiziell 32 Stundenkilometer betrug.
Während auf dem europäischen Festland nur verhältnismäßig wenige Firmen klassische Wagen bauten, gab es in Amerika und England eine reiche Auswahl. Was ist von den amerikanischen Doble, Kissel, Stearns und Wills Sainte-Claire oder von den britischen Marken Aston Martin, Napier und Squire zu halten? Was sollte hier übernommen, was sollte fallengelassen werden? Nach amerikanischer Betrachtungsweise beginnt der klassische Zeitabschnitt mit dem Jahr 1925, während für einen deutschsprachigen Leser bereits ein Mercedes 28/95 PS von 1920 ohne Zweifel als Klassiker gilt.
Sollte man eine Hubraum-Untergrenze von 3 Litern ansetzen und damit viele der aufregenden Sportwagen ausklammern? Wäre es vielleicht klüger, ein Preislimit

von, sagen wir, 500 Pfund – nach damaligem Umrechnungskurs 2500 Dollar – zu wählen und damit die SS von William Lyons und auch die Auburn samt und sonders zu eliminieren? Die SS, MG und Auburn haben einen so großen internationalen Namen, daß es einfach nicht möglich ist, sie beiseite zu lassen.
Das Ergebnis muß also ein Kompromiß sein. Die Auswahl, die ich hier getroffen habe, umfaßt repräsentative klassische Wagen beider Nationen, und zwar bis zu einem gewissen Grad ohne Rücksicht auf ihren Rang, den sie zu ihrer Bauzeit einnahmen. Einige verhältnismäßig unbekannte Marken, wie z. B. Railton, wurden aufgenommen, weil ihnen aus historischer Sicht eine große Bedeutung als Wegbereiter zukommt. Aber auch Ruxton verdiente einen Platz, und wäre es nur wegen der Wechselwirkung von Verhandlungen und Intrigen, die schließlich zum Bau von sage und schreibe 500 Wagen führte. Was den Wendepunkt von 1925 anbelangt, so verfuhr ich hier recht großzügig. Die früher entstandenen Modelle wurden dort beschrieben, wo ihre Konstruktion oder ihr Einfluß Licht auf die Wagen wirft, die während des klassischen Zeitabschnitts angeboten wurden. Was die Entwicklung nach 1945 anbelangt, so muß ich den Leser um Nachsicht bitten. Die Analyse der umfangreichen und verwirrenden Programme von Cadillac oder Daimler zum Beispiel würde viel zusätzlichen Raum erfordern. Während jede Beschreibung der «Grand Routières» Frankreichs den tragischen Niedergang in den Nachkriegsjahren enthalten müßte, hatten die britischen Klassiker 1946 noch gut zehn Jahre vor sich, in denen es zu dramatischen Richtungsänderungen bei Jaguar und einigen bedeutsamen Neuerungen bei Rolls-Royce kam.
Die klassischen Wagen sind heute nahezu ausgestorben. Daß verschiedene der von mir beschriebenen Modelle als Basis für kürzlich entstandene «Replicas» dienten, sollte zu denken geben, auch dann, wenn sie nur Ausdruck einer Nostalgiewelle sind.

Midhurst, 1978 M.C.S.

# Auburn *Die großen Speedster von Connersville*

Als Errett Lobban Cord 1925 die Aktienmehrheit der Auburn Automobile Company aus Indianapolis erwarb, hatte er schon während mehr als zwanzig Jahren Automobile hergestellt. Ungeachtet des zügigen Slogans «Once an Owner, Always a Friend» (Einmal ein Besitzer, immer ein Freund) war das Endprodukt ein uninteressanter, zusammengebauter Sechszylinder-Tourenwagen. So kam es, daß nur etwa 4000 «Freunde» in den Bestellbüchern von 1923 zu finden waren, und ein Jahr später waren es noch weniger.

Cords Aufstieg zum Industriemagnaten ist eine recht bunte Geschichte. Er begann als Gebrauchtwagenhändler speziell für Ford-Automobile, wechselte dann zum Betrieb von Fernbussen zwischen Kalifornien und Arizona über und hatte um diese Zeit bereits drei 50 000-Dollar-Vermögen zusammengetragen und sie wieder verloren. Das Blatt wendete sich, als er anfing, Moon-Automobile in Kommission für den Fabrikvertreter in Chicago zu verkaufen. Dank einiger kluger Anpassungen der Wagen an Kundenwünsche baute er das Geschäft aus und brachte es rasch hoch. Damit zog er die Aufmerksamkeit eines dort ansässigen Geschäftssyndikats auf sich, das die Auburn-Fabrik vom ursprünglichen Besitzer, der Familie Eckhardt, gekauft hatte. Als Generaldirektor der Firma eingesetzt, zögerte er nicht, Aktien günstig zu erwerben. Im Alter von 32 Jahren wurde er Verwaltungsratspräsident.

Vorerst sah er sich einem wenig begeisternden Sechszylindermodell mit einem seitengesteuerten Continental-Motor gegenüber. Schlimmer noch, auf dem Fabrikgelände standen 700 unverkaufte Wagen. Unverzüglich leitete Cord verschiedene Anpassungen bei diesen Wagen, ähnlich wie vorher bei den Moon-Modellen, ein. Sie erhielten niedrigere Motorhauben und vernickelte Seitenbänder. Die folgenden Jahre waren dem Ausbau seines Reichs gewidmet. Seine Cord-Gesellschaft sollte schon bald nicht nur ihre Motorenlieferanten Lycoming – nach Continental die zweitgrößte Motorenfabrik für Automobilhersteller ohne eigene Motorwerke –, sondern auch Duesenberg aus Indianapolis, die Hersteller von Hochleistungs-Touren- und Rennwagen, und die Stinson Aircraft Corporation umfassen. Auf dem Höhepunkt seines Imperiums gehörten ihm ferner Checker (Taxiwagen), Columbia (Achsen), Vultee (ebenfalls Flugzeuge), Central Manufacturing, Union City, Limousine Body (wo alle Aufbauten für die Firmengruppe hergestellt wurden) und Ansted, ein weiteres Motorenwerk. Die letztgenannte Firma brachte die Fabriken der in Konkurs gegangenen Lexington Automobile Company in Connersville, Indiana, mit ein. Cord begann aus dieser kleinen Stadt ein blühendes Industriegebiet zu schaffen.

Einmalig unter den großen amerikanischen Klassikern, war der Auburn wie der britische SS ein Wagen der mittleren Preisklasse, den Cord vor allem aufgrund seines Aussehens verkaufte. Die schnittigen Formen der Marke kontrastierten mit dem langweiligen Äußeren der direkten Konkurrenten. Da war die neuartige

Federspitzen-Farbtrennung «pen nib», die 1926 eingeführt wurde, dann, ab 1928, die Bootsheck-Speedster und die lange, niedrige Form, die 1929 mit dem Vorderradantrieb-Cord, einem weiteren Erzeugnis der Gruppe, lanciert wurde. Von 1931 an gab es zwei Reihen von Auburn-Automobilen, die Standardtypen mit wenig oder keinem Zubehör (sogar die Reserveräder tendierten in Richtung Extrazubehör!) und die «Salon»-Modelle, bei denen alles eingeschlossen war. Die letzteren wurden natürlich in allen Ausstellungsräumen der Händler zuvorderst gezeigt, um die Kunden mit billigeren Angeboten, die übrigens fast alle gleich aussahen, anzulocken. Einige von Cords wirklich sensationellen Angeboten, wie sein 1932-Auburn-V12-Coupé zu 975 Dollar, wurden allerdings durch niedrige Händlerrabatte und geringe Eintauschangebote ausgeglichen. Der erste von Cords Auburn-Wagen, von James Crawford konstruiert, erschien 1925. Die Spezifikationen waren orthodox: Rahmen aus U-förmigen Längsträgern, Dreiganggetriebe, halbelliptische Federn, spiralverzahnter Hinterachsantrieb und mechanische Vierradbremsen. Allerdings zeichneten die attraktiven Linien und eine neue, gerundete Kühlereinfassung den letzten 8-63 gegenüber dem alten «Beauty Six» aus. Als Triebwerk diente ein $4^{1}/_{2}$-Liter-Lycoming-Achtzylinder-Reihenmotor mit stehenden Ventilen und fünf Kurbelwellenlagern, der 65 PS bei 2700 U/min leistete. Die ansprechenden Proportionen wurden bei den ersten

1

2

1 Ein Auburn Roadster 1927 mit geschwungener Zierleiste. Der Kühler hat jedoch noch keinen Mittelstab.

2 Auburn Speedster Modell 8-90 aus dem Jahre 1929 im Wintereinsatz mit Schneeketten.

Wagen etwas durch die lastwagenähnlichen Stahlspeichenräder mit abnehmbaren Felgen, die den modernen British-Leyland-Rädern im Ro-Stil gleichen, beeinträchtigt.
Der 8-63 hatte sich 1926 in das Modell 8-88 mit 4,9-Liter-Motor und 3,28 m Radstand verwandelt, das in einer Vielzahl von Karosserieausführungen, vom Roadster bis zu einer siebensitzigen Limousine, angeboten wurde. Es gab sogar einige Coupés mit gewebeüberzogenem Aufbau. Zwar zeigte Auburn, im Gegensatz zu Stutz, für diese Konstruktionen kein dauerhaftes Interesse. Es gab auch noch billigere Modelle, so einen Sechszylinder mit einem Radstand von 3,075 m zu 1695 Dollar und einen Vierzylinder zu 1195 Dollar. Beide besaßen Lycoming-Motoren, und das kleinere Modell hatte interessanterweise hydraulische Außenbandbremsen. Mit nur 42 PS und einem Gewicht von 1270 kg war dieser Wagen allerdings stark untermotorisiert und verschwand, nachdem nur 1500 Exemplare gebaut worden waren, bereits 1927. Die Sechs- und Achtzylindermodelle dagegen gediehen, die Jahresverkäufe beliefen sich auf 8500 Wagen, wovon 1189 exportiert wurden.
Der grundsätzlich gleiche Karosseriestil hielt sich bis 1930. Die Sedankarosserien hatten vier oder sechs Seitenfenster, die Wanderer-Ausführung erhielt Liegesitze. Neu hinzu kam im Jahr 1928 der Phaeton, ein viertüriges Cabriolet, das vom Karossier William M. Murphy aus Pasadena entworfen worden war. Es wurde bis Ende 1936 in den Katalogen von Auburn aufgeführt. 1927 kam ein kleiner Achtzylinder, der 3,7-Liter-8-77 mit 3,07 m Radstand, heraus, während der Motor des 8-88, nun mit einem Kurbelwellen-Vibrationsdämpfer versehen, auf eine Leistung von 72 PS gebracht wurde. Gleichzeitig wurden die Reibungsstoßdämpfer durch hydraulische Modelle ersetzt. Einer dieser Auburn 8-88 gewann die Penrose-Trophäe für den schnellsten Serienwagen im Pikes-Peak-Bergrennen, während ein anderer eine Reihe von Serienwagen-Schnelligkeitsrekorden aufstellte, wobei über 23 000 km ein Durchschnitt von 100 km/h gemessen wurde.

3

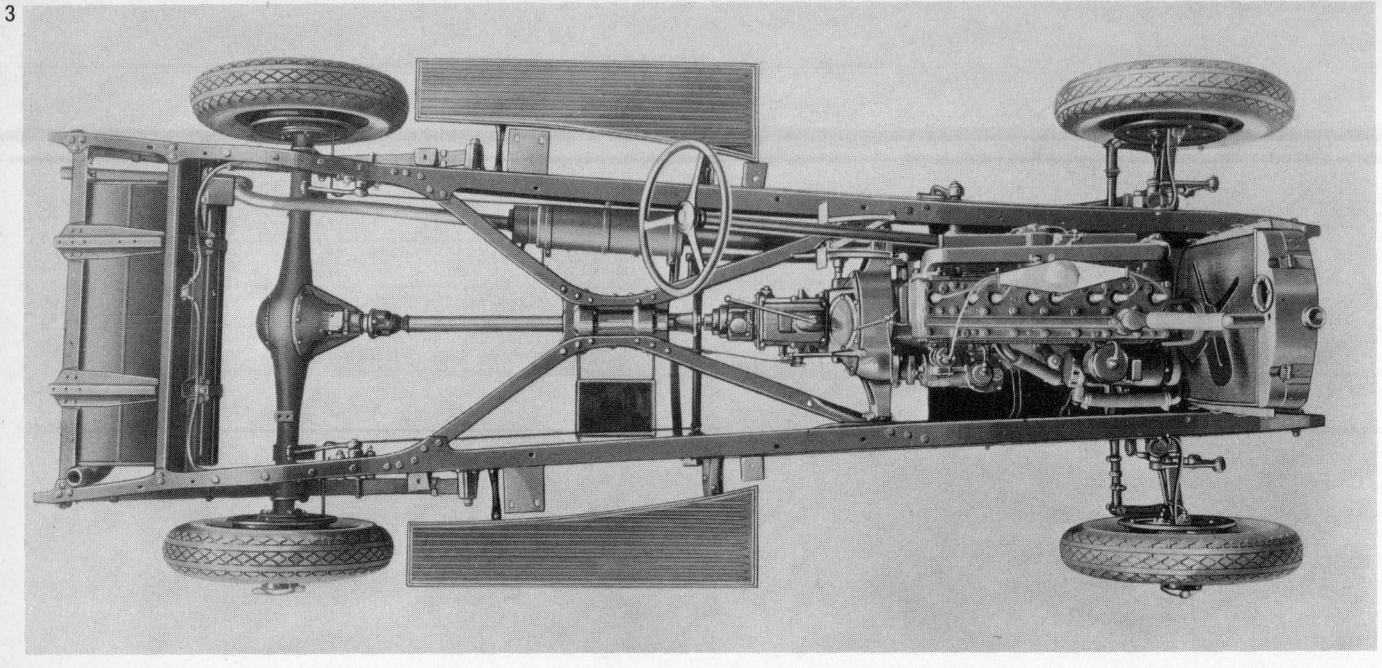

Beide Achtzylindertypen erhielten 1928 mehr Leistung; der große wurde zum 8-115 (4,9 Liter, 115 PS). Hydraulische Bremsen wurden eingeführt, und der Kühler erhielt eine verchromte Mittelrippe. Die große Neuheit aber stellte der erste der legendären Bootsheck-Speedster mit V-förmiger Windschutzscheibe, vollversenkbarem Verdeck, rohrförmigen Stoßstangen und doppelten Schlußlichtern auf Trägern dar. Obgleich er mit 3,30 m den gleichen Radstand besaß wie der normale 8-115, war er 180 kg leichter als der Sedan und erreichte dank erhöhter Hinterachsuntersetzung 160 km/h. Einer dieser Speedster legte während 24 Stunden im Durchschnitt 135 km/h zurück.

Speedster gab es in beiden Achtzylinderreihen. Auf dem Sechszylinder-Fahrgestell war er allerdings nicht erhältlich. Noch aufregender war im Jahre 1929 der Cabin Speedster: ein Fließheckcoupé mit Motorradkotflügeln, Korbschalensitzen wie in Flugzeugen und einem im langen Schwanz versteckten Reserverad. Die Kombination des 4,9-Liter-Motors mit dem kurzen Fahrgestell mit 3,048 m Radstand verringerte das Gewicht auf 1350 kg. Leider wurde dieses Modell aber nie in Produktion genommen.

Die Verkaufszahlen kletterten stetig: auf 14 000 im Jahre 1928 und auf die Rekordhöhe von 22 000 ein Jahr später, als die Montage in den Connersville-Werken zusammengelegt und dort mehr als 5000 Mitarbeiter beschäftigt wurden. Cords Duesenberg-Abteilung lancierte das fabelhafte 6,9-Liter-Modell J, und im gleichen Jahr folgte der erste Wagen, der seinen Namen trug, der Frontantrieb-Cord L29 mit einer verbesserten

3 Das kreuzverstrebte Chassis des Auburn 8-98 (1931-32).

4 Auburn 8-98 mit Convertible-Sedan-Karosserie aus dem Jahre 1931. Obgleich als Standardausrüstung angeboten, waren die Holzspeichenräder um diese Zeit bereits seltener anzutreffen als die Drahtspeichenräder.

5 Auburn 8-98 mit viertüriger Sedankarosserie. Drahtspeichenräder und seitlich montiertes Reserverad waren gegen Mehrpreis erhältlich (1931).

6 Später Auburn-Boattail-Speedster. Diese 1932 entstandene Karosserie wurde sowohl auf 8- als auch auf 12-Zylinder-Fahrgestelle aufgebaut.

7 Verchromte Auspuffrohrschläuche beim Auburn 851 Speedster (1935).

8 Garantiert 160 km/h schnell! Der Auburn 851 Boattail Speedster mit Kompressormotor aus dem National Motor Museum, Beaulieu, England (1935).

9 Kompressorloser Achtzylinder-Auburn-Sedan (1935).

4

5

6

7

8

9

10

Ausführung des großen Lycoming-Achtzylinder-Motors. 1930 machte sich dann die Depression deutlich spürbar, es wurden nur noch 13 700 Auburn verkauft. Auf diesen Einbruch fand Cord jedoch mit seiner Einmodellpolitik, basierend auf der 8-98-Serie, schnell eine Antwort.

Die Mechanik erfuhr keine umwälzenden Änderungen. Der Motor, immer noch ein seitengesteuerter Achtzylinder, leistete im Durchschnitt 98 PS bei einem Hubraum von 4,4 Litern. Das Getriebe besaß nun eine Synchronisation der beiden oberen Gänge, und die «Salon»-Modelle konnten gegen einen Mehrpreis von 250 Dollar mit einem Freilauf ausgerüstet werden, der mit einem zweiten, am Wagenboden angebrachten Hebel geschaltet wurde. Der Radstand fiel mit 3,20 m etwas kürzer aus als bei den überholten Modellen 8-115 und 8-120. Was aber die neuen Auburn leicht verkaufen ließ, war das lange, niedrige Aussehen, das man bereits vom Cord her kannte, dazu der Spitzkühler und die durch eine ungeheuer lange Motorhaube von diesem getrennte Doppelwindschutzscheibe.

Der neue Rahmen war wie beim Cord in Kreuzform verstrebt, und die vorderen Federn waren unterhalb der Achse befestigt. Doppeltwirkende hydraulische Stoßdämpfer wurden serienmäßig eingebaut, aber es erfolgte eine Rückkehr zu den mechanischen Bremsen, wobei die Handbremse – übrigens bis 1932 – auf alle vier Räder wirkte. Eine automatische Chassisschmierung wurde eingebaut. Die Auburn-Automobile sahen schneller aus, als sie in Wahrheit waren. Mit 1892 kg war der Sedan kein Leichtgewichter, und seine Spitzengeschwindigkeit betrug im Durchschnitt 118 km/h. Dessenungeachtet war der Grundpreis von 945 Dollar wirklich so attraktiv, wie er tönte: Chrysler schrieb ihren billigen CD-Achtzylinder, stilistisch übrigens ein Plagiat des Cord, mit 1495 Dollar an. Sportwagenliebhaber mußten dann aber mit großem Bedauern feststellen, daß im 1931er Katalog kein Speedster mehr enthalten war.

10 Der nichtklassische, aber vom Klassiker nicht zu unterscheidende Auburn Six Phaeton (1936).

Das Hasardspiel ging auf. In einem Jahr, in dem sogar Chevrolet einen Verkaufseinbruch von 950 000 auf etwa 683 000 Wagen hinnehmen mußte, produzierte Auburn die Rekordzahl von 30 951 Automobilen. In der Spitzenzeit verließen jeden Monat 5000 Wagen die Werke in Connersville.

Doch dieser Erfolg konnte nicht von Dauer sein. Die 1932er Modelle wiesen bereits verschiedene Verbesserungen auf. Der Speedster wurde wieder in die Produktion aufgenommen, und als Neuheit kam die Hinterachse mit unterdruckgeschalteter doppelter Untersetzung von Columbia, die allerdings nur in der «Salon»-Ausführung erhältlich war und sechs Vorwärtsgänge ergab. Im Gebrauch funktionierte die Einrichtung wie ein dreifacher Schnellgang. Bei Verwendung aller zur Verfügung stehenden Gänge wurde zwar eine schlechtere Beschleunigung erzielt, aber dieses Zusatzgetriebe war ruckärmer als viele der frühen «automatischen» Schnellgänge.

Die eigentliche Attraktion der Saison war natürlich der zu einem Spottpreis angebotene neue V12. Wahrscheinlich war dies der billigste Zwölfzylinderwagen aller Zeiten, er kostete weniger als ein Drittel des Preises zeitgenössischer Konkurrenten. Der von George Kublin entworfene und von Lycoming gebaute Motor hatte einen Hubraum von 6,4 Litern (79,4 × 108 mm) und eine spezielle Form des Brennraums, der in einem Winkel von 45° zur Zylinderachse angeordnet war. Die waagrechten Ventile wurden durch eine einzelne zentrale Nockenwelle über dazwischenliegende Schwinghebel betätigt. Technisch war der Motor seitengesteuert. Jeder Block erhielt eine separate 6-Volt-Spule, und es gelangten zwei Stromberg-Fallstromvergaser zum Einbau. Einmal mehr war die doppelt untersetzte Hinterachse, mit einem Verhältnis von 3,04:1 im langen obersten Gang und einem solchen von 4,55:1 in der kurzen Stellung, nur in der teureren Modellreihe erhältlich. Das Fahrgestell entsprach jenem der Reihenachtzylinder, abgesehen von einer A-förmigen Verstärkung vor der mittleren Kreuzverstrebung.

Mit der zur Verfügung stehenden Leistung von 160 PS offerierte Auburn mit dem 12-160-Speedster einmal mehr einen schnellen Wagen. Er legte in einer Stunde 147,52 km zurück und übertraf die magische Geschwindigkeit von 160 km/h über einen Kilometer mit fliegendem Start. Obgleich während drei Jahren unverändert gebaut, verkaufte sich das Modell schlecht. Nur 11 646 Kunden kauften im Jahre 1932 Auburn-Wagen. Ein Jahr später waren es nur noch 5038, und 1934 gingen lediglich 4800 Neubestellungen ein. Überraschenderweise sollte Kublins Zwölfzylindermotor allerdings eine viel längere Karriere haben. Nach dem Zusammenbruch der Cord Corporation im Jahre 1937 wurden die Konstruktionsrechte für dieses Triebwerk von der Firma American-La France aus Elmira, New York, erworben. Sie entwickelte den Motor weiter und verwendete ihn in ihren Feuerwehrfahrzeugen bis in die frühen sechziger Jahre.

Einzig hydraulische Bremsen, steifere Rahmen und die keilförmige Windschutzscheibe kennzeichneten die 8-105-Reihe im Jahre 1933. Bedeutendere Änderungen gab es 1934: Vakuumunterstützung für Kupplung und Bremsen, Wegfall der Zentralchassisschmierung und einen größeren und kräftigeren 4,6-Liter-Motor, der mit dem wahlweise erhältlichen Leichtmetallkopf 115 PS abgab. Gleichzeitig wurde ein Sechszylindermodell mit 3,4 Liter Hubraum, 85 PS Leistung und einem Radstand von 3,023 m in das Sortiment aufgenommen, um auch die bescheideneren Kunden anzuziehen. Preise zwischen 695 und 945 Dollar sollten dies zusätzlich ermöglichen, um so mehr als der neue Wagen nicht viel langsamer war als die Reihenachtzylinder. Er erreichte 104 km/h im direkten Gang und 131 km/h im Schnellgang. Sowohl die Sechs- als auch die Achtzylindermodelle wurden stilistisch von Al Leamy überarbeitet. Sie erhielten seitlich heruntergezogene vordere Kotflügel, und die V-förmigen Kühlergrills stimmten mit den Miniaturjalousien, die beidseits davon angebracht waren, überein. Die einfache flache Windschutzscheibe kehrte zurück, wobei sie bei den Cabriolets und Phaetons heruntergeklappt werden konnte. Bedauerlicherweise konnten sich die Kunden dafür nicht begeistern, so daß bessere Ideen gesucht werden mußten. Diese wurden dann von Gordon Buehrig geliefert und betrafen vor allem eine neue Motorhaube und einen neuen Kühlergrill. Im übrigen wurde nicht viel geändert. (Die Blechteile der Wagenfront aus dem Jahre 1934 wurden lustigerweise später angepaßt und für die in kleinen Stückzahlen gebauten Corbitt-Lastwagen verwendet.)

Es wurden aber auch neue Karosserieausführungen angeboten: ein attraktives zweiplätziges Coupé und, weit bedeutungsvoller, Auburns letzter Speedster – eine Improvisation, die durch Überarbeiten der unverkauften Bestände an V12-Speedster-Karosserien erzielt wurde. Nachdem jedoch hiefür nicht weniger als 22 einzelne Teile zusammengebaut werden mußten, konnte damit kaum Geld verdient werden, und es blieb mehr bei einer Attraktion für die Ausstellungsräume. Die verchromten Auspuffrohrhüllen hatten tatsächlich eine gewisse Bedeutung, waren doch alle Speedster mit einem Schwitzer-Cummins-Zentrifugalkompressor ausgerüstet, der mit sechsfacher Motordrehzahl lief und auch für die anderen Achtzylindermodelle bestellt werden konnte. In der Kompressorausführung leistete der Motor 148 PS, und es hieß, jeder Speedster sei persönlich vom Rennfahrer Ab Jenkins mit 160 km/h getestet worden. Und mehr noch: Jeder Speedster trug auf dem Armaturenbrett eine Plakette, auf welcher die tatsächlich erzielte Geschwindigkeit in Meilen pro Stunde eingraviert war, und dies mit zwei Dezimalstellen! (Alte Auburn-Angestellte haben allerdings in der Zwischenzeit das Spiel verdorben, indem sie verrieten, daß in einigen Fällen die Plakette befestigt worden war, bevor man überhaupt die Karosserie auf das Fahrgestell montiert hatte!) Wie dem auch immer sei, der Speedster war sicher gut für ehrliche 155 km/h, und der Lycoming-Motor lief sehr geschmeidig. Das Kurvenverhalten dagegen war weniger befriedigend und die Bremsen, gemessen an der Leistung auf gerader Strecke, ungenügend. Es war ein Promenadensportwagen, allerdings ein sehr schöner.

Die Preise waren wie immer sehr konkurrenzfähig – 795 Dollar für den Sechszylinder, 1045 Dollar für einen Achtzylinder ohne Kompressor und 1545 Dollar für einen Wagen in Standardausführung mit Kompressor. Für den Speedster mußten noch weitere 700 Dollar zugelegt werden. Die Verkäufe waren aber ungenügend und betrugen nur einige hundert Wagen mehr als 1934. Bei Auburn wollte einfach nichts mehr gelingen. Pläne, die verfügbaren Zwölfzylindermotoren für einen neuen Duesenberg zu verwenden, zerschlugen sich. Versuche mit Cummins-Dieselmotoren in Auburn-Fahrgestellen, mit der Absicht, neunsitzige Flugplatzlimousinen zu bauen, schlugen fehl. In der Tat wurden in der Firma einige Standard-Achtzylinder verlängert und komplett mit Leichenwagenaufbau zum günstigen Preis von 1895 Dollar angeboten. Aber alles, was die Firma damit erreichte, war der Verkauf von 4830 Wagen, also praktisch gleich wenig wie im Jahre 1935. Während Cord und (wenigstens auf dem Papier) Duesenberg noch ins Jahr 1937 hinübertaumelten, traf dies für Auburn nicht mehr zu. Prototypen mit dem Cord ähnlichem Sedanaufbau wurden aufgegeben.

1968 erschien dann allerdings ein getreuer Nachbau des Auburn Speedster, ein Werk Glenn Prays, der bereits für seinen Cord-Nachbau berühmt war. In maßstabgerechten Proportionen ausgeführt, war diese Replika schwer vom Original aus dem Jahre 1935 zu unterscheiden, obgleich sie einige Zentimeter niedriger war. Die Instrumente waren im authentischen Stil der dreißiger Jahre gefertigt, unter der Oberfläche schlummerte aber eine Leistung, von der der alte 851 wohl nur geträumt hatte. Durch die Verwendung eines 7-Liter-Ford-Thunderbird-V8-Motors mit 365 PS und eines vollsynchronisierten Vierganggetriebes wurde eine Spitzengeschwindigkeit von weit über 200 km/h und eine Beschleunigung von 0 auf 100 km/h in rund 7 Sekunden erzielt. 1977 fertigte Prays Firma diese Nachbauten des Auburn Speedster immer noch, nun allerdings mit gedrosselten Motoren, um den Vorschriften zum Umweltschutz zu genügen. Daneben sind mindestens zwei weitere Firmen im gleichen Geschäft tätig. Im Verkaufssortiment findet sich auch eine Ausführung, die in Connersville nie gebaut wurde – ein Bootsheck-Phaeton mit zwei Windschutzscheiben für vier Passagiere.

# Cadillac und La Salle *Sie waren Pioniere des Anlassers und des Synchrongetriebes*

Die gegenwärtige Stellung der Marke Cadillac als internationales Symbol für Reichtum wurde bis zu einem gewissen Grad durch das Fehlen der Massenproduktion erkauft. Heute allerdings ist ein Ausstoß von über 200 000 Wagen im Jahr üblich, und schon in der klassischen Periode erreichten die Ablieferungen große Stückzahlen: 40 000 im Jahre 1928 und – ein Rekordumsatz – 59 572 Automobile im Jahre 1941. Trotz des langjährigen Rufes als «The Standard of the World» (Der Maßstab der Welt) besteht eine zu große Versuchung, die Prestigereihe von General Motors als «nichts als ein großer Chevrolet» beiseite zu schieben. Dies allerdings ist eine völlig ungerechte Einschätzung der Marke.

Die Beherrschung des Luxusmarktes durch Cadillac ist verhältnismäßig jung. Wenn wir als amerikanische Auslegung der klassischen Periode die Jahre 1925 bis 1942 annehmen, werden wir feststellen, daß Cadillac die festetablierte Marke Packard erst 1932 mit den Verkäufen überflügelte. Dann verlor man die Führung wieder an Packard, bis diese ihren langen und langsamen Niedergang in den ausgehenden vierziger Jahren begann. Es ist natürlich nur gerecht zu sagen, daß Packard von 1935 an eine sich gut verkaufende billige Modellreihe, die Typen 120, besaß. Hier konnte das billigere Schwestermodell von Cadillac, der La Salle, nie gleichziehen. Es ist aber auch angebracht, darauf hinzuweisen, daß es bis 1936 nie einen billigen Cadillac gab und daß selbst dann die Fahrgestelle und Motoren – wenn auch nicht die Karosserien – nach höchsten Qualitätsnormen gebaut wurden. Der berühmte Automobilhistoriker Maurice D. Hendry hat die Geschichte der klassischen Cadillac in zwei Zeitabschnitte eingeteilt: die «kosmetische» Epoche bis 1933 und die «nichtkosmetische» in den späteren Jahren. Die Unterschiede betreffen hauptsächlich das Styling, und es bedeutete eine wirtschaftliche Katastrophe, auf dem konventionellen amerikanischen Markt einen Wagen entgegen der nationalen Norm lancieren zu wollen. Von jenen Firmen, die bis in die Mitte der dreißiger Jahre hinein wirklich andersgeartete Automobile bauten – Auburn, Cord, Stutz –, gab es keine Überlebende.

Die von Henry M. Leland im Jahre 1902 gegründete Firma Cadillac brachte 1903 ihren ersten Einzylinderwagen heraus, und 1905 folgte der erste Vierzylindertyp. Als frühes Mitglied der General-Motors-Gruppe von William C. Durant (ab 1909) war die Marke die erste der Welt, die 1912 einen elektrischen Anlasser als Standardausrüstung anbot. Drei Jahre später folgte der erste kommerziell wirklich erfolgreiche V8-Motor. Trotz seiner 13jährigen Produktion konnte der De-Dion-Motor, der Leland inspiriert hatte, nicht gerade als Triumph gewertet werden. Der erste Cadillac-Achtzylinder Serie 51 besaß zwei Vierzylinderblöcke, die in einem Winkel von 90° zueinander standen, nebeneinanderstehende Ventile und feste Köpfe. Die Kurbelwelle war dreifach gelagert, die Zündung erfolgte mittels 6-Volt-Spule, die Kühlung durch zwei

Zentrifugalpumpen, und für die Kraftübertragung dienten eine trockene Mehrscheibenkupplung und das übliche angeflanschte Dreiganggetriebe mit Mittelschalthebel. Das Fahrgestell war konventionell, abgesehen von der Hinterachsaufhängung mit zwei Halbelliptikfedern und einer hinten angebrachten Querblattfeder. Beide Bremsen wirkten auf die Hinterräder. Die Räder selber waren, wie anzunehmen, mit festen Holzspeichensternen und demontablen Felgen versehen. Die Motorenleistung von 70 PS übertraf bemerkenswerterweise jene des «kleinen» Pierce-Arrow-Triebwerks, ungeachtet des um 1,7 Liter kleineren Hubraums. Der Cadillac war auch in bezug auf die Bergsteigefähigkeit, den Benzin- und Ölverbrauch und die Beschleunigung im direkten Gang überlegen. Wichtiger war, daß der Cadillac-Tourenwagen gegenüber dem Preis von 4300 Dollar für den Pierce nur 1975 Dollar kostete.

Ungeachtet des Einbezugs der Vereinigten Staaten in den Ersten Weltkrieg stieg die Produktion stetig: von 13 002 Wagen im Jahre 1915 auf 20 678 im Jahre 1919. Etwa 1500 Cadillac dienten als Stabswagen in der amerikanischen Armee. 1921 leistete der Motor der verbesserten Serie 59 bereits 79 PS.

Die klassische Periode begann bei Cadillac mit einem überarbeiteten Modell, der Serie V-63, im Jahre 1924. Dieser von Ernest W. Seaholm konstruierte Wagen erhielt einen Motor mit neuer Kurbelwelle, wobei die Kröpfungen auf eine Ebene gelegt wurden. Damit konnte auch ein schon lange bemängelter Fehler ausgemerzt werden: bei etwa 2000 U/min oder 80 km/h im direkten Gang war eine lästige Schwingung aufgetreten. Der Hubraum des neuen Triebwerks betrug 5157 $cm^3$, es besaß die 1918 eingeführten abnehmbaren Zylinderköpfe. Eine weitere wichtige Verbesserung betraf die Bremsen: stangen- und kabelbetätigte Vierradbremsen vom Typ Perrot wurden eingebaut, wobei die Handbremse über ein separates Gestänge nur auf die Hinterräder wirkte. Der Rahmen wurde verstärkt und erhielt zwei zusätzliche Querstreben. Mit der Einführung der neuen Duco-Nitrozellulose-Lackierung von DuPont vollbrachte General Motors eine weitere Pionierleistung. Dieser neue Lack war viel leichter aufzutragen und auch viel haltbarer als die alten Farben und Firnisse. Der neue, attraktive Kühler bekam eine vernikkelte Einfassung, und gegen Mehrpreis konnten Drahtspeichenräder montiert werden. Alle neun Standardaufbauten kamen auf das Fahrgestell mit einem Radstand von 3,35 m, und in zwei Jahren wurden über 36 000 Cadillac V-63 hergestellt. Die wichtigste Verbes-

1 Vor der Styling-Epoche! Ein Cadillac mit fünfsitziger Coupékarosserie (1927).

2

serung im Jahr 1925 bestand darin, daß auf Wunsch für Spezialkarosserien ein Fahrgestell mit einem Radstand von 3,50 m bezogen werden konnte.

Cadillac war bereits auf der Jagd nach Packard: 1926 kam die Serie 314 mit einer kürzeren Kurbelwelle, einem Leichtmetall-Kurbelgehäuse, einem vereinfachten Kühlsystem mit nur einer Wasserpumpe und thermostatisch kontrollierter Jalousie heraus. Diese Verfeinerungen ließen nicht nur die Leistung von 83 auf 85,5 PS leicht ansteigen, sondern vereinfachten den Unterhalt ganz beträchtlich. Gleichzeitig wurde das Chassis leichter und niedriger, indem man auf die Querblattfeder verzichtete und auf orthodoxe Halbelliptikfederung wechselte. Niederdruck-Balloon-Reifen und die tonnenförmigen Scheinwerfer gehörten zur Normalausrüstung. Durch die Verwendung von Fisher-Karosserien konnte der Preis der billigeren Modelle günstig gehalten werden. Ein fünfsitziger Sedan kostete nur 3195 Dollar und konnte aus drei verschiedenen Farben ausgewählt werden. (Es ist wichtig zu unterscheiden zwischen den billigeren Cadillac, deren Fisher-Karosserien manchmal, aber beileibe nicht immer auch auf andere General-Motors-Modelle aufgebaut

3

4

5

6

wurden, und den teuren Ausführungen mit Fleetwood-Aufbauten. Diese wurden durch einen Karossier gefertigt, dessen Betrieb zwar kapitalmäßig der General Motors gehörte, der jedoch nach den gleichen Normen arbeitete wie ein unabhängiges Unternehmen.) Das Jahr 1926 brachte auch die offizielle Einführung des «Commercial»- oder extralangen Fahrgestells mit einem Radstand von 3,815 statt 3,50 m. Diese Ausführung war vor allem für den Aufbau von Ambulanz- oder Leichenwagenkarosserien gedacht – ein Spezialgebiet, um welches sich Cadillac seither immer bemüht hat. Ebenfalls im Sortiment waren «Livery»-Limousinen mit sehr einfachem und strengem Interieur als Wagen für die Trauergäste.

Die hervorragende Mechanik des Cadillac war unbestritten. Er hatte eine mehr als ausreichende Leistung – ein geschlossener Typ 314 erreichte etwa 115 km/h, und offene Wagen brachten es auf mindestens 120 km/h. Es wurde eine große Zahl von Karosserievarianten angeboten, nicht weniger als 50 an der Zahl, und für die 314-A-Reihe von 1927 standen 500 verschiedene Farbkombinationsmöglichkeiten offen. Was dem damaligen Cadillac fehlte, war die Eleganz der Packard-Wagen, ein Vermächtnis von Henry Lelands Geringschätzung des Stils. Mit dem Eintritt von Harley Earl machte General Motors seinen ersten Versuch mit Styling, indem eine Abteilung geschaffen wurde, die schon nach kurzer Zeit eine überragende Bedeutung erhalten sollte.

Earl war von Lawrence P. Fisher, der damals an der Spitze von Cadillac stand, aus der berühmten Karossierfamilie entdeckt worden. Er arbeitete an Spezialkarosserien für die Filmkolonie bei den Don-Lee-Studios in Los Angeles. Als Teil der Reorganisation bei Cadillac, welche auch eine Neubelebung des Händlernetzes durch den früheren Kampfflieger und Automobilhersteller Eddie Rickenbacker umfaßte, bestand der erste Auftrag für Earl darin, das Styling für einen neuen Wagen zu übernehmen. An diesem Parallelmodell zum Cadillac arbeitete O. W. Nacker unter Aufsicht von Seaholm. Mit dem La Salle der Serie 303 (von Anfang an eine unabhängige Marke) hielt das gute Aussehen Einzug, das erforderlich war, um die Vormachtstellung von Packard zu erschüttern. Noch besser war aber, daß der La Salle nicht nur ein «hübsches Gesicht» hatte: ein Prototyp hatte einen Versuchslauf über 50 000 km mit einem Durchschnitt von 150 km/h überstanden, obschon die Spitzengeschwindigkeit für den normalen Serienwagen in Straßenausführung bei bloß 130 km/h lag. Dieses Resultat hatte ohne Zweifel einen engen Bezug zu Hispano-Suiza. Der neue Wagen war in der Tat eine verkleinerte Ausführung des Cadillac, sein Motor leistete mit weniger als 5 Liter Hubraum 75 PS. Der hauptsächlichste Unterschied im mechanischen Bereich bestand darin, daß der La Salle statt der beim Cadillac verwendeten gabelförmigen Ausführung gewöhnliche Pleuelstangen erhielt. Die beim La Salle eingebaute Brennstofförderung mittels Unterdruck wurde 1928

**2** Ein ungewöhnliches Stadtcabriolet von Gangloff, Genf, auf dem La-Salle-Fahrgestell (1929).

**3** La Salle Modell 345 Phaeton aus dem Jahre 1930. Der Einfluß von Harley Earl macht sich bemerkbar.

**4** Cadillac V16 der Serie 452 mit Roadster-Karosserie (1931).

**5** Graber-Cabriolet auf einem Cadillac-V12-Fahrgestell (1931).

**6** Sechzehnzylinder-Cadillac mit prachtvoller «Town Brougham»-Karosserie von Fleetwood mit Rohrgeflecht, der um die 9000 Dollar gekostet haben mag (1931).

auch von Cadillac übernommen, wo seit 1915 ein System mit Überdruck gewählt worden war. Der La Salle wurde mit zwei Radstandlängen, nämlich 3,17 und 3,40 m, und in elf verschiedenen Karosserievarianten angeboten. Die Verkäufe im Jahre 1927 waren vielversprechend, wurden doch 10 767 La Salle gegenüber 36 369 Cadillac ausgeliefert.

Die Cadillac-Modelle des Jahres 1928 erbten das Styling von La Salle, und die von Earl in den nächsten paar Jahren kreierten Karosserien verkörperten die «kosmetische» Epoche im Zenit. Die Grundform wurde nur wenig verändert, beide Wagen wurden aber laufend verbessert. Der Cadillac Typ 341 erhielt einen größeren und kräftigeren Motor mit 5,6 Liter Hubraum und 90 PS, der mit einem Kurbelgehäuse aus einer Kupfer/Aluminium-Legierung ausgerüstet war. Der überarbeitete Rahmen wies vier U-förmige und drei Rohrverstrebungen auf. Die starre Hinterachse war an den unter der Achse geführten Halbelliptikfedern aufgehängt, und hydraulische Stoßdämpfer gehörten zur Serienausrüstung. Bei den 1929er Modellen wurden beide Bremsen als Innenbackenbremsen ausgeführt,

7

8

9

Sicherheitsglas fand Eingang, Kühler und Zierleisten wurden verchromt, und, das Wichtigste von allem, das erste Synchrongetriebe für kratz- und lärmfreies Schalten des 2. und 3. Ganges wurde eingebaut. (Bei amerikanischen Wagen der Vorkriegszeit war der 1. Gang nie synchronisiert, da er praktisch nicht verwendet wurde. Man überließ es den Deutschen und Engländern, der Welt diese Feinheit zu bescheren.) Die Wagen des Jahres 1930 erhielten kleinere Räder, der Motor besaß nun 5,8 Liter Hubraum und wurde noch immer konservativ mit einer Leistung von nur 95 PS bedacht. Die geschlossenen Wagen wurden komplett mit Radioantenne ausgeliefert. Die Änderungen im Jahre 1931 waren im wesentlichen kosmetischer Natur: Klappen statt Schlitze in der Motorhaube (Packard hatte solche bereits 1929), Doppelfanfaren und Steinschlag-Schutzgitter vor dem Kühler. 1932 folgten noch einige weitere Modezutaten: 17- statt 19-Zoll-Räder, spiralverzahnter erster Gang, wahlweise schaltbarer Freilauf, den Verhältnissen anpaßbare Stoßdämpfer, vor dem Fahrer angeordnete Instrumente und eine mechanische Benzinpumpe. Der V8-Motor verfügte nun über eine Leistung von 115 PS. Die Wirtschaftskrise forderte jedoch ihren Tribut – es konnten in diesem Jahr lediglich 2693 Cadillac verkauft werden. 1930 waren es noch über 11 000 Wagen gewesen.

Inzwischen, nämlich im Jahre 1930, hatte Ernest Seaholm ein Superautomobil entwickelt. Während die britischen Firmen die Perfektion durch größeren Hubraum und schwerere Fahrgestelle zu verwirklichen suchten, wählten die Amerikaner für ihre Motoren eine größere Anzahl Zylinder. Pierce-Arrow und Thomas waren 1907 mit ihren Sechszylindern führend, 1915 kam Cadillac mit dem V8, und Duesenberg brachte 1920, also vier Jahre nachdem Packard mit dem Zwölf-

**7** Cadillac V16 der Serie 452-B mit siebensitziger Limousinenkarosserie (1932).

**8** Neuer Stil mit Spitzkühler. Der Cadillac in seiner Ausführung von 1933.

**9** Cadillac V12 mit Coupé-de-Ville-Karosserie von Fleetwood. Ältere Kinobesucher werden in der Besitzerin die «Blonde Bombe» der dreißiger Jahre, Jean Harlow, erkennen (1934).

**10** Als die Mode der Bullaugen in den Motorhauben begann: der Reihenachtzylinder La Salle mit Convertible-Coupé-Karosserie (1934).

10

zylinder-Twin-Six eine Pionierleistung vollbracht hatte, den Achtzylinder-Reihenmotor. Nun aber hatte Cadillac mit dem neuen V16 Modell 452 die Spitze erklommen. Im Interesse einer besseren Zugänglichkeit zum Motor hatte Nacker hängende Ventile, die über Stoßstangen und Kipphebel betätigt wurden, eingeführt. Das neue 7,4-Liter-Triebwerk mit 76,2 mm Bohrung und 101,6 mm Hub leistete 160 PS.

Cadillac folgte der von Packard vorgezeichneten Linie, indem der neue Motor in Wirklichkeit ein doppelter Reihenachtzylinder war. Die beiden Gußeisen-Motorblöcke standen in einem engen Gabelwinkel von 45° zueinander. Wie beim Daimler Double-Six wurde jede Motorhälfte durch einen eigenen Steigstromvergaser gespeist, besaß ein eigenes Unterdrucksystem, Spulenzündung und separate Ansaug- und Auspuffleitungen. Der Motor wies hydraulische Ventilstößel auf. Die doppelte Ausführung der Nebenaggregate war fast unvermeidlich, weil die Verwendung von kombinierten Baugruppen jegliche Unterhaltsarbeiten enorm kompliziert hätte.

Abgesehen vom Motor konnte der neue Wagen am besten als eine verstärkte Ausführung des Achtzylindermodells beschrieben werden. Er erhielt ein Synchrongetriebe, eine durch den Radstand von 3,76 m erforderliche längere Kardanwelle, steifere Federn, Bremsen mit Vakuum-Servounterstützung und Bremstrommeln mit 419 mm Durchmesser gegenüber solchen mit nur 361 mm beim Achtzylinder. Das Gewicht des Sedan betrug für den V16 2632 kg, während der V8 2097 kg wog. Mit der längsten Hinterachsuntersetzung, die verfügbar war (3,47:1, üblicherweise nur in Fahrgestellen mit Roadster-Aufbauten), konnte die Geschwindigkeit von 160 km/h überschritten werden. Mit dem Standardverhältnis von 4,09:1 betrug die Spitzengeschwindigkeit 146 km/h. Daneben gab es noch weitere Untersetzungen zur Wahl.

Krise hin, Krise her, der Cadillac 452 hatte einen ausgezeichneten Start. In den ersten zwölf Monaten wurden 2000 Wagen verkauft, und im ersten Modelljahr, das bis ins Jahr 1931 hineinragte, wurden 3250 V16 ausgeliefert. Dann aber brach die Nachfrage nach dem größten Cadillac bekanntlich ab: 1932 waren es nur noch 296 Wagen, 1933, als Cadillac die Produktion bewußt auf 400 Wagen beschränkte, fanden davon bloß 126 ihren Käufer, 1934 noch 56, und 1935 wurden ganze 50 Cadillac V16 ausgeliefert.

Im Jahre 1931 wurde auch ein neuer V12-Cadillac eingeführt. Der Motor war ähnlich aufgebaut, wobei der Gabelwinkel 60° betrug und mit einem Hubraum von 6 Litern eine Leistung von 135 PS erzielt wurde. Der Radstand betrug 3,56 oder 3,63 m. Dieses Modell wurde parallel zum großen V16 bis ins Jahr 1937 angeboten. Auch hier waren im Sortiment die sogenannten «Commercial»-Ausführungen enthalten. Obgleich recht beliebt und weniger durstig als der Sechzehnzylinder, war der V12 immer ein Stück weit improvisiert, mußte er doch das Fahrgestell mit dem Achtzylinder teilen. Die verbesserten V8-Motoren von 1936 bedeuteten das Ende für dieses Modell, das, obgleich besser verkauft als der V16 (5725 im Jahre 1931, 1709 im Jahre 1932), nie richtig zum Zuge kam.

Ein weiteres Krisenopfer war der La Salle. Der ursprüngliche Typ 303 war ein echter Miniatur-Cadillac, aber mit der Zeit ähnelten sich die zwei Modelle immer mehr. Der Hubraum des La Salle kletterte auf 5,6 Liter im Jahre 1930, und der Unterschied im Radstand betrug noch ganze 15 cm. Alle Verbesserungen beim Cadillac, wie zum Beispiel das Synchrongetriebe, wurden übernommen, und 1931 kamen sogar die gleichen Motoren zum Einbau. Ein Jahr später hatten beide Marken für den Sedan das Fahrgestell mit 3,40 m Radstand, und die Verkäufe des La Salle lagen bei nur noch 3000 Wagen. In der Mitte der Saison 1933 wurde die Produktion eingestellt, und als sie 1934 wieder aufgenommen wurde, war der La Salle weder teuer noch ein Klassiker.

Das «kosmetische» Element war im Verschwinden begriffen. Zwar passierte auf der mechanischen Seite im Jahre 1933 nichts Dramatisches, weder beim Cadillac noch beim La Salle: Wegfall des Freilaufs, Unterdruckkupplung als Sonderausrüstung und Vakuum-Servobremsen auch beim V8-Modell waren die wichtigsten Änderungen. Das allgemeine Bild der Wagen paßte jedoch mehr und mehr in die bei GM vorherrschende Linie. Zugespitztes Kühlergrill, seitlich heruntergezogene Kotflügel und die zugfreie Fisher-Ventilation. Der Radstand schwankte zwischen 3,40 m für die kurzen Cadil-

12

13

11 Das neue «Panzerturm»-Styling beim Cadillac V16 Sedan des Jahres 1936. Dahinter ein älterer Achtzylinder-Cadillac.

12 Cadillac V8 mit Fleetwood-Town-Sedan-Karosserie (1936).

13 Cadillac 60 Special, der berühmte Wegbereiter eines modernen Stils. Die europäische Form ist bei diesem Sport Sedan leicht zu erkennen (1938).

lac- und La-Salle-V8-Modelle und 3,78 m für den langen Cadillac V16. Die Preise beliefen sich auf 2695 Dollar bis etwas über 4000 Dollar für die Achtzylinder, und der V16, jetzt nur noch auf Bestellung lieferbar, kostete von 6500 Dollar an aufwärts.
Im Jahre 1934 erfolgte eine vollständige Überarbeitung. Was den Motor betraf, so beschränkten sich die Änderungen auf eine massivere Kurbelwelle, Fallstromvergaser und Aluminiumkolben. Das Triebwerk wurde allerdings in dem nun mit Kreuzverstrebung versehenen Rahmen weiter nach vorne verschoben eingebaut. Noch bedeutungsvoller war die neue, unabhängige Vorderradaufhängung mit Spiralfedern und ungleich langen Doppelquerlenkern. Das System war zwar verwandt mit der unbefriedigenden Dubonnet-Knie-Aufhängung, welche die Besitzer von Chevrolet-, Opel- und Vauxhall-Wagen zu ertragen hatten, aber bedeutend besser. Eingeführt wurde auch der Hinterachsantrieb im Schubrohr, System Hotchkiss, und die Hinterachse erhielt zur besseren Kontrolle der Seitenneigung einen Torsionsstab. Styling-Launen zuzuschreiben waren die häßlichen «Doppeldecker»-Stoßstangen, die bauchigen Kotflügel und die Verlegung der Handbremse unter das Armaturenbrett. Der Radstand wurde verlängert, und wahlweise stand ein solcher von 3,70 m für die V8-Modelle zur Verfügung. Beim V12 betrug er 3,70 und beim V16 gar 3,91 m. Die Motorenleistung wurde mit 130, 150 und 180 PS für die drei Triebwerke angegeben. Auf dem V16-Chassis wurde erstmals ein schönes Stromliniencoupé für vier Passagiere angeboten. Es war dies ein Vorläufer der Fließheckcoupés von General Motors, die in den Jahren 1941/42 herauskamen.
Der zurückgesetzte La Salle wurde nun auf Buick und Chrysler angesetzt. Die Preise lagen unter 1600 Dollar. Der Radstand war auf 3,02 m reduziert worden, und als größte aller Ketzereien wurde tatsächlich ein Reihen-Achtzylinder-Motor (im Gegensatz zum Buick-Motor mit stehenden Ventilen) mit dem bescheidenen Hubraum von 3,8 Litern und einer Leistung von 90 PS eingebaut. Grundsätzlich handelte es sich um den Oldsmobile-Motor, der allerdings anstelle der Gußeisenkolben solche aus Aluminium erhielt. Bedauerlicherweise paßten aber die Oldsmobile-Ersatzteile nicht! Obgleich er

sich mit der neuen Spiralfeder-Vorderradaufhängung brüsten konnte, war der La Salle kein sich besonders auszeichnender Wagen. Trotzdem hat er seinen Platz in der Geschichte: als erster GM-Wagen mit hydraulischen Bremsen (das Vauxhall-System im Jahre 1926 war ja schlußendlich nur ererbt worden) und ebenfalls als Pioniermarke für modernes Styling. Da waren einmal die «Bullaugen» an der Seitenflanke der Motorhaube, die nach dem Weltkrieg zum unverwechselbaren Markensymbol von Buick wurden. Das schmale Kühlergrill, die geschoßförmigen Scheinwerfer, die am Kühler befestigt waren, und das im Kofferraum versteckte Reserverad würden manche Kreation der Jahre 1935 und 1936 deutlich inspirieren. Das La-Salle-Modell beeinflußte die Karosserieentwicklung weit nachhaltiger als der Chrysler Airflow, der nur im Ausland nachgeahmt wurde (Singer, Toyota, Volvo). Indessen werden, wie Studebaker 1953 zu ihrem Leidwesen einsehen mußten, durch modernes Styling allein noch keine Wagen verkauft. 1937 wurde der La Salle wieder mit einem V8-Motor versehen, der bei 5,3 Liter Hubraum 125 PS leistete. In seiner endgültigen Form war es ein ausgezeichneter Reisewagen. Durch das Beibehalten der Halbelliptikfedern für die Hinterachse war der La Salle von 1938 ein bedeutend angenehmerer Wagen als der zeitgenössische Hochleistungs-Century von Buick mit seinen hinteren Spiralfedern. Unter günstigen Bedingungen konnten mit ihm 145 km/h überschritten werden, doch waren die Amerikaner leider an guter Straßenhaltung wenig interessiert. Um diese Zeit paßte der La Salle in eine in Wirklichkeit kaum existente Preiskategorie zwischen dem teuersten Buick und dem billigsten Cadillac. 1940 wurde der letzte La Salle ausgeliefert.

Die billigeren Cadillac mit Fisher-Karosserien erhielten 1935 von La Salle das «Geschützturm»-Styling, und 1936 wurde für die Marke ein Spitzenjahr. Gleichzeitig entstand ein Modell, das nicht nur den La Salle verschwinden ließ, sondern auch eine sehr nützliche Waffe im Wettbewerb gegen den neuen Lincoln Zephyr darstellte.

Vom Aussehen her war der neue Cadillac 60 kein Klassiker. Die angebotene «B»-Reihe von General-Motors-Karosserien war auch für den Buick üblich, und der

14

**14** Der letzte der Cadillac V16. Dieser formelle Sedan besitzt ein lederbezogenes Dach. Von 1938 bis 1940 wurde der Karosseriestil nicht mehr verändert.

**15** Der nichtklassische Cadillac 60 erinnert stark an einen Buick. Nur der Kühlergrill unterscheidet die beiden (1938).

**16** La Salle Sedan aus dem Jahre 1939.

**17** Cadillac Serie 62 als viertüriger Convertible Sedan (1941).

15

16

17

neue Motor aus Gußeisen mit seinem Einblockaufbau und Kurbelgehäuse hatte lediglich einen porzellanüberzogenen Auspuffkollektor, um die Einfachheit zu mildern. Die Verwendung von Gußeisen vergrößerte das Gewicht des Triebwerks um nur 9 kg, und dieses erreichte die respektable Leistung von 125 PS bei einem Hubraum von 5,3 Litern. Es wurde ein Doppel-Fallstromvergaser verwendet. Dieser Motor sollte bis 1948 als Basis für alle Achtzylinder-Cadillac-Motoren dienen. Auf dem kurzen Fahrgestell mit 3,073 m Radstand aufgebaut, besaß der neue Wagen verschiedene Verbesserungen, wie hydraulische Bremsen und einen hypoidverzahnten Hinterachsantrieb. Er beschleunigte von 15 auf 100 km/h im direkten Gang in 17,6 Sekunden und erbrachte eine Spitzengeschwindigkeit von 155 km/h. Zum Jahresumsatz von 11 297 Achtzylinder-Cadillac trug das Modell 60 mit 6700 Wagen bei.

Ein gleicher Motor, jedoch mit einer Bohrung von 88,9 mm und einem Hubraum von 5,7 Litern fand für die teureren Modelle 70 und 75 Verwendung. Diese erhielten Fisher-Karosserien mit Fleetwood-Inneneinrichtung. Die Veränderungen wurden auch bei den Zwölf- und Sechzehnzylindermodellen angewandt, wobei nur das erstere hydraulische Bremsen aufwies. Keilförmige zweigeteilte Windschutzscheiben und ebenfalls geteilte Heckscheiben waren die stilistischen Änderungen. Die Tage der Vielzylindergiganten waren nahezu gezählt. Zusammengenommen wurden nur 852 Wagen verkauft. 1937 waren es nur noch 532 Fahrzeuge, wobei zu erwähnen ist, daß nun auch der V16 hydraulische Bremsen erhielt.

Die Achtzylindermodelle des Jahres 1937 wurden einheitlich mit dem 5,7-Liter-Motor ausgerüstet, während ein Jahr später neue Kühlergitter und Lenkradschaltung Einzug hielten. Zwei Radstandlängen, 3,14 und 3,58 m, standen zur Wahl. Wegweisend für das Styling der Marke und eigentlich aller amerikanischen Wagen des Jahres war der Sixty Special. Dieses Modell wurde fast so oft nachgeahmt wie der Cord 1929 und der La Salle 1934. Der mechanische Teil entsprach mit einem Radstand von 3,226 m typischer Cadillac-Manier, aber die Karosserie zeigte große Ähnlichkeit mit dem traditionellen europäischen viertürigen Sports-Saloon mit vier Seitenfenstern. Der Stil des Aufbaus war aus einem Guß. Der Kofferraum war nicht mehr länger ein Anhängsel, die Trittbretter waren verschwunden, und das Ganze schmeichelte trotz des mit Chrom überladenen Kühlergrills dem Auge.

Ungeachtet einiger Bezeichnungswechsel blieb die Reihe der Cadillac-Achtzylinder-Modelle bis 1942 unverändert: die einfache Ausführung Modell 61 mit Buick/La Salle-ähnlichen Aufbauten auf dem kurzen Fahrgestell, der individuelle Typ 60 Special und der große, siebensitzige Typ 75. Kugelumlauflenkung erschien bei den Modellen 1940, und ein Jahr später war die neue, vollautomatische Kraftübertragung mit vier Gängen verfügbar, wie sie 1940 von Oldsmobile erstmals angeboten worden war. Durch das Fallenlassen des La Salle erfolgte eine Reduktion der Preise bei den billigeren Modellen, und ein Typ 61 Sedan, der 1829 kg wog, konnte für rund 1500 Dollar erworben werden. Dessenungeachtet besaß dieser Wagen eine ausgezeichnete Leistung, erreichte mit seinen 150 PS eine Spitzengeschwindigkeit von 160 km/h und beschleunigte aus dem Stillstand auf 100 km/h in 14 Sekunden.

1937 war zwar das letzte Jahr für den V12, Cadillac war aber durch die sinkenden Verkäufe der Zylindergiganten eigener Herstellung sowie von Lincoln und Packard keineswegs entmutigt. Der Sechzehnzylinder sollte nochmals ein neues Leben erhalten. Für das neue Modell von 1938 kehrte das Team von Seaholm zu stehenden Ventilen zurück. Der neue Motor wies nun einen großen Gabelwinkel von 135° auf, und die quadratischen Abmessungen von 82,55 × 82,55 mm ergaben einen Hubraum von 7,1 Litern. Die Leistung von 185 PS entsprach jener der letzten OHV-Motoren, und das neue Triebwerk war deutlich leichter als die alten V16 und V12. Die Anordnung der Nebenaggregate wurde von den früheren Motoren übernommen, und es gelangten zwei Carter-Doppelvergaser und zwei Wasserpumpen zum Einbau. Das Fahrgestell entsprach einer verstärkten Ausführung des Modells 75 mit langem Radstand. Der Sedan des neuen Modells 90 wog 2385 kg, und der neue Cadillac V16 wurde während der dreijährigen Produktionszeit sowohl bezüglich der technischen Spezifikationen wie auch des Stylings unverändert gebaut.

# Chrysler *Sogar die geringeren Modelle waren fast Klassiker*

Walter Percy Chrysler übernahm im Jahre 1922 die Aktienmehrheit der Firma Maxwell. Im Dezember 1923 hatte er ein aufregendes neues Automobil mit Sechszylindermotor lanciert, das seinen Namen trug. Fünf Jahre später hatte er Dodge aufgekauft, zwei neue Marken begründet (Plymouth und De Soto) und war auf dem besten Weg, General Motors und Ford, die an der Spitze der Automobilindustrie der Vereinigten Staaten standen, herauszufordern. 1929 lieferte die Chrysler-Gruppe mehr als 375 000 Personenwagen aus.

In Amerika war das festgeprägte Image von Chrysler jenes der Mittelklasse. Als Konkurrenten waren Buick, Hudson und die größeren Modelle von Nash und Studebaker auf dem Markt. Diese Situation wurde sogar noch 1955 sehr deutlich sichtbar, als die Unternehmung den ungewöhnlichen Schritt unternahm, ihr Prestigemodell Chrysler Imperial in eine eigenständige Marke umzuwandeln.

Interessanterweise konnte sich Chrysler in Europa schon seit jeher der Stellung eines Fast-Klassikers erfreuen. Dies geht bis in die Tage zurück, als nahezu serienmäßige Roadster in Le Mans den Bentley-Fahrern den Schrecken ihres Lebens einjagten. Diese bescheidenen Wagen, vom ursprünglichen Modell 70 des Jahres 1924 bis zum viergängigen Modell 77 von 1930, wurden sogar von den Briten, mit ihrem «eingebauten» Widerwillen für amerikanische Automobile, als «Bentley des armen Mannes» betrachtet. Die Marke war denn auch eine der verhältnismäßig wenigen, die sich in Großbritannien ständiger und lebhafter Verkäufe in den Krisenjahren rühmen konnte. Eine vergleichbar gute Anhängerschaft konnte die Marke auch in Frankreich, in Deutschland vor der Nazizeit und in der Schweiz nachweisen. Eine ganze Anzahl Chrysler (bei weitem nicht alles klassische Modelle) wurden mit attraktiven Spezialkarosserien von Firmen in Deutschland, Frankreich, Belgien, Großbritannien und der Schweiz versehen. Der erste Chrysler Modell 70 von 1924 war natürlich so etwas wie eine Sensation. Dies nicht nur wegen seiner hydraulischen Vierradbremsen (eine Weltneuheit bei einem Großserienwagen der mittleren Preisklasse), sondern auch zufolge seines Motors mit dem hohen Krompressionsverhältnis von 4,7:1, das damals noch als recht «heiß» betrachtet wurde. Die höchste Leistung erbrachte der Motor bei 3000 U/min, womit er wenn auch nicht nach europäischen, so doch nach amerikanischen Normen als Schnelläufer galt. Die Höchstgeschwindigkeit von 115 km/h war weit über dem Maß, mit dem bei einem durchschnittlichen Automobil der Drei- bis Vierliterklasse ohne sportlichen Einschlag gerechnet wurde.

Mit dem Modell 70 erzielte Chrysler 1925 einen Umsatz von über 76 000 Wagen, womit die Marke bestens eingeführt war. Nun wandte man sich dem Prestigemarkt zu und lancierte den Imperial (Serie E80). Der neue Wagen war nicht besonders groß (Hubraum 4,7 Liter, Radstand 3,048 und 3,226 m) und auch nicht speziell schwer (der Sedan wog 1840 kg). Wichtiger noch, er war nicht teuer, kostete doch ein Tourenwagen nur 2645 Dollar verglichen mit den 3250 Dollar für einen entsprechenden Cadillac, 3650 Dollar für einen Achtzylinder-Packard und 4500 Dollar für einen Lincoln. Der Motor jedoch verfügte mit 93 PS über eine ausgezeichnete Leistung. Das war mehr, als die teureren Konkurrenten von Chrysler beanspruchen konnten, ja sogar mehr, als Fred Moskovics und G. R. Greuther bis dahin ihrem Reihenachtzylinder Stutz mit obenliegender Nockenwelle, der 1926 ebenfalls neu auf den Markt kam, zu entlocken vermochten. Der Imperial erreichte eine Spitzen-Reisegeschwindigkeit von 118 km/h.

Der mechanische Aufbau war typisch amerikanisch: stehende Ventile, abnehmbarer Zylinderkopf, 6-Volt-Spulenzündung, Wasserpumpe, Ventilatorkühlung und vakuumgespeister Stromberg-Vergaser. Die siebenfach gelagerte und mit Ausgleichsgewichten versehene Kurbelwelle wurde vom Modell 70 übernommen. Die Kraftübertragung war ganz konventionell: Einplattenkupplung, Dreiganggetriebe mit Mittelschalthebel, spiralverzahnter Hinterachsantrieb. Die Halbelliptikfedern wurden durch Watson-Reibungsstabilisatoren gedämpft, und die Bremsen waren nach Chrysler-Manier hydraulische Außenband-Vierradbremsen. Die Handbremse wirkte auf das Getriebe, eine Lösung, die von Chrysler (wie auch von Fiat) bis in die sechziger Jahre angewendet werden sollte. Serienmäßig wurden Holzspeichenräder und Balloon-Reifen montiert sowie einiges Zubehör, für welches der Kunde bei geringeren amerikanischen Wagen extra zur Kasse gebeten wurde, wie etwa Stoßstangen, Rückfahrlampe, Uhr und Zigarettenanzünder. Obgleich die Linien unverwechselbar dem Chrysler-Stil entsprachen, erhielt der Imperial zwei ihn deutlich auszeichnende Elemente, nämlich geschoßförmige statt zylindrische Scheinwerfer und die bei Vauxhall ausgelehnten Kerben, die sich auf beiden Seiten der Motorhaube von der Spritzwand bis zum Kühler hinzogen. Was immer Vauxhall von der Sache hielt, sie verzichteten auf eine Klage, und der Imperial behielt seine Kerben bis zur Einstellung der Produktion des Modells 80 im Jahre 1930 bei. Das Verschwinden der Kerben an den Scheinwerfern beim Modell 1928 mag eine kleine Konzession an die Empfindlichkeit von General Motors gewesen sein.

Vom Stil her wurde der Imperial in den ersten drei Jahren wenig verändert. 1927 wurde die Reihe allerdings sowohl nach oben wie nach unten erweitert. Kunden, die zu einem geringeren Preis die Leistung des Imperials wünschten, konnten ein einfacheres Standardmodell bestellen. Anderseits produzierte Le Baron eine beschränkte Anzahl Spezialkarosserien, die recht elegant waren. 1928 umfaßte dieses Sortiment einen Phaeton mit zwei Windschutzscheiben, ein viertüriges Cabriolet sowie Roadster und Coupés. Die Leistungsfähigkeit des Imperial war beachtlich. Eine Rundreise über 10 760 km (San Francisco–Los Angeles–New York) wurde mit einem aufsehenerregenden Durchschnitt von 64 km/h bewältigt. Die Modelle des Jahres 1928, mit vergrößertem Motor (5080 cm³, 100 PS) und Vierrad-Innenbackenbremsen, waren noch schneller. Mit dem wahlweise erhältlichen Hochkompressionskopf entwikkelte dieses Triebwerk 112 PS und wurde als stärkster Serienmotor der USA angegeben – bis natürlich der neue Duesenberg J ein Jahr später auftauchte. Der Jahresausstoß an Imperial-Wagen betrug 2082 aus einem Total von 76 857 Chrysler-Automobilen.

1929 und 1930 erhielten die Wagen die modischen schmalen Kühlerrahmen und thermostatisch betätigte Kühlerlamellen-Jalousien. Am mechanischen Teil änderte sich nicht viel Wesentliches. Die attraktivste Spezialkarosserie war der Roadster von Locke. In den zwei Jahren wurde die respektable Zahl von 3560 Imperial verkauft.

Wenn diese letzten der Sechszylinder-Imperial mit Fabrikkarosserien das den Leistungen entsprechende Aussehen vermissen ließen, konnte dies von den neuen 1931er Modellen nicht mehr gesagt werden. Chrysler hatte sich in der Tat entschlossen, das lange, niedrige Aussehen des Cord L29 zu kopieren. Sogar der billige CM-Sechszylinder, der mit seiner kurzen Motorhaube etwas verkümmert schien, erhielt diese Überarbeitung. Zwei zusätzliche Zylinder verschafften indessen dem CD-Achtzylinder mittlerer Preislage ein flottes Aussehen, speziell in der Roadster-Ausführung. Der Klassi-

1 Die Engländer nannten ihn «den Bentley des armen Mannes» – Chrysler 75 Roadster. Offiziell zwar kein Klassiker, aber zweifellos einer der besseren, schnellen Tourenwagen des Jahres (1929).

ker schließlich, der Typ CG Imperial, war mindestens ebenso schön wie jeder Cord aus Connersville.
Wie der Cord besaß auch der Chrysler CG einen Achtzylinder-Reihenmotor. Dieser war aber mit den Abmessungen von 88,9 × 127 mm, einem Hubraum von 6318 $cm^3$ entsprechend, wirklich groß. Während sich das Lycoming-Triebwerk (und auch die kleineren Chrysler-Motoren) mit fünf Kurbelwellenlagern zufriedengaben, wies der «King-size»-Motor deren neun auf. Eingebaut wurden ein Stromberg-Fallstromvergaser, eine mechanische Benzinpumpe und ein angeblocktes Vierganggetriebe mit geräuschlosem dritten und doppeltem vierten Gang, wie es bei den letzten Sechszylindermodellen schon verwendet wurde. Im übrigen war der neue Achtzylinder-Imperial ein viel größerer Wagen als das Sechszylindermodell, das ersetzt wurde. Der Radstand betrug 3,683 m, die Gesamtlänge 5,353 m. Die Karosserien erhielten im Gegensatz zu den kleineren Chrysler eine zweiteilige V-förmige Windschutzscheibe, die gut zum neuen Spitzkühler paßte. Das Armaturenbrett wurde mit sechs runden Instrumenten bestückt, was gegenüber den Ausführungen 1929/30 eine große Verbesserung bedeutete. Das Gewicht war auf 2160 kg gestiegen, aber der CG war mit einer Spitzengeschwindigkeit von 153 km/h und einer mühelosen Reisegeschwindigkeit von 115 bis 120 km/h ein schneller Wagen. Obgleich das Vierganggetriebe angeblich etwas schwach war (einige Besitzer ersetzten es später mit dem Dreiganggetriebe mit Schnellgang aus der Airflow-Periode), reichte der 3. Gang bis 117 km/h, und sowohl die Bremsen wie auch die Lenkung wurden sehr gelobt. Der gröbste Fehler war der schreckliche

1

Durst der Maschine – sie verbrauchte etwa 25 Liter pro 100 km. Neben den serienmäßigen Chrysler-Karosserien gab es einige wunderschöne Coupés, Phaeton, Roadster und Cabriolets von Le Baron, die in kleinen Losen von 10 oder 20 Stück gebaut wurden. Ungeachtet der Krise wurden 1931 nicht weniger als 3209 Imperial, eingeschlossen über 300 Le-Baron-Ausführungen, verkauft.

Drahtspeichenräder, wie sie fast ohne Ausnahme bei den größten Chrysler im Jahre 1931 verwendet wurden, kamen bei den 1932er Modellen (Serien CH und CL) serienmäßig zur Anwendung. Diese Wagen erhielten einen neuen Rahmen mit doppelter Kröpfung, kreuzförmiger Verstrebung und «Floating-Power»-Gummilagerung für ihre Motoren. Das Getriebe wurde mit einem Freilauf ausgerüstet, und die Bremsen hatten nun sowohl neue Trommeln aus Stahl mit Gußeisenfutter als auch Vakuum-Servounterstützung. Der Radstand des größeren Typs CL war leicht verlängert, und der Typ CH bekam ein kürzeres Chassis mit 3,42 m Radstand. Das letztgenannte Modell erhielt ausschließlich von Chrysler entworfene Karosserien. 1932 wurden 1402 Wagen des Typs CH aus einem Total von 1622 Imperial verkauft.

Die Kombination des Gaspedals mit dem Anlasser war der einzige Unterschied beim Typ CL im Jahre 1933. Zum ersten-, wenn auch bei weitem nicht zum letztenmal gab Chrysler den Namen Imperial einem Wagen, der in keiner Weise ein klassisches Konzept hatte. Das Ersatzmodell für den CH wurde als CQ auf den Markt gebracht und konnte am besten als eine «De-Luxe»-Version des normalen Chrysler-Achtzylinders bezeichnet werden. Eingebaut wurde der 4,9-Liter-Motor mit fünf Kurbelwellenlagern und einer Leistung von 100 oder 108 PS, je nach Kompressionsverhältnis. Einige der Karosserien, vor allem das Victoria und das viertürige Cabriolet, waren recht ansprechend, aber Chrysler, genau wie Cadillac, bewegte sich aus der «kosmetischen» Epoche hinaus.

1934 war bekanntlich das Jahr des tapferen Fehlschlags von Carl Breer mit seinem aerodynamischen Airflow, der eine halbwegs selbsttragende Karosserie mit einem geschweißten Stahlkäfigaufbau und eine echte Tropfenform erhielt. Breer sprach von der «Überholung der eigentlichen Grundsätze des Automobilbaus». Aber obgleich er in gewisser Weise den Wagen der Zukunft erträumt und entwickelt hatte, schien niemand die neue Form wirklich zu würdigen und zu schätzen. Wie gräßlich der Airflow auch erschienen sein mag (und immer noch wirkt), darf doch nicht vergessen werden, daß einige seiner Eigenheiten verewigt worden sind. Darunter zum Beispiel der nach vorne gerückte Einbau des Motors (zwei Drittel des Motorblocks standen über die Vorderachse hinaus), die Alligator-Motorhaube, die in die Karosserie einbezogenen Scheinwerfer, der innenliegende Kofferraum, der automatische Schnellgang, der «Schirmgriff» für die unter dem Armaturenbrett liegende Handbremse (allerdings gab es diese Einrichtung im gleichen Jahr auch bei Cadillac) und der Stahlrohrrahmen für die Sitze. Anderes konnte sich nicht halten: Die späteren «Wasserfall»-Kühlergrills waren weniger grob, der Gaspedalanlasser kannte nur eine kurzlebige Mode, und sogar beim Airflow wurde schließlich ein Zugang von außen zum Gepäck geschaffen.

Das Endergebnis war zweifellos robust. Ein Sedan überlebte einen stark publizierten (und vorsätzlichen) Sturz über eine 30 Meter hohe Klippe. Aber Breers dramatische neue Form brachte Chrysler schwere Verluste und De Soto nahe an den Bankrott, da diese Marke 1934 nichts anderes als Airflow-Modelle anzubieten hatte. Ringsherum war die Sicht schlecht, und obgleich die Beibehaltung der orthodoxen Starrachsen eine starke Seitenneigung verhinderte, nickten die Wagen furchterregend. Eigenheiten wie seitliche Kühlwassertanks, um die Motorhaube niedrig halten zu können, waren einfachen Unterhaltsarbeiten nicht gerade förderlich. Das Armaturenbrett hatte merkwürdigerweise tadellose Rundinstrumente. Bei Wagen, die nach Europa verkauft wurden, war ein Geschwindigkeitsmesser, optimistisch bis 200 km/h reichend, eingebaut.

2 Oberste Spitze der Chrysler-Klassiker: eine Baron Sport Phaeton auf dem 6,3-Liter-Fahrgestell der Serie CL (1933).

3 Sechszylinder-Chrysler Imperial der Serien 1929-30. Die dem Vauxhall ähnlichen Kerben auf der Motorhaube sind auf diesem Bild kaum sichtbar.

4 Chrysler CG Imperial Sedan mit Rechtslenkung für den englischen Markt (1931).

2

3

4

5 Armaturenbrett und Bedienungsorgane dieses Chrysler-CD-Sport-Coupés sind typisch für die amerikanischen Wagen dieser Periode (1931).

6 Aus den Büchern der Londoner Karosseriefirma Barker ist zu entnehmen, daß dieser Chrysler Custom Imperial der Serie CL (Fahrgestell-Nr. 7803693) speziell für Major Maxwell aufgebaut wurde (1933).

7 Vielleicht der einzige Chrysler CW Custom Imperial des Jahres 1935, der in England verkauft wurde. Später fiel er in die Hände einer Popgruppe und wurde glücklicherweise gerettet.

8 Chrysler CZ mit Achtzylindermotor als viertüriges Cabriolet nach Kellner-Vorlage von Langenthal aufgebaut (1935).

9 Chrysler Imperial mit englischer «Super Power»-Stromlinien-Sports-Saloon-Karosserie, die von Capt. George Eyston entworfen und von Carlton Carriage Co., London, gebaut wurde (1937).

10 Traumwagen Jahrgang 1941. Einer der sechs Chrysler 1940 Newport Phaeton mit doppelter Windschutzscheibe.

5

6

7

8

9

Nicht daß der Airflow etwa ein langsamer Wagen gewesen wäre, sogar der gewöhnliche, nichtklassische Typ CU mit Achtzylindermotor war über 145 km/h schnell.
Es wurden sowohl klassische wie auch nichtklassische Airflow-Imperial-Wagen angeboten, und alle besaßen Servobremsen und Schnellgang in den beiden oberen Gängen. Die billigeren Modelle CV und CX erhielten den 5,3-Liter-Motor mit 130 PS, eine Weiterentwicklung des CQ-Triebwerks von 1933. Der Typ CW oder Custom Imperial jedoch war ein wirklich riesiger Achtplätzer, der durch die 150-PS-Version des gigantischen Motors mit neun Kurbelwellenlagern angetrieben wurde. Der Radstand betrug 3,71 m, das Gewicht rund 2600 kg, und die Preise beliefen sich gegen 5000 Dollar. Anders als die normalen Airflow-Wagen war er als eines der ersten Autos der Welt mit einer einteiligen gebogenen Windschutzscheibe versehen. Wie seine kleineren Schwestermodelle mußte auch er die anschließenden Änderungen an Front und Motorhaube erdulden. Nacheinander erhielt er 1935 den neuen, leicht keilförmigen Grill (widow's peak), dann die neue Front mit feinen Stäbchen und 1936 die leicht vorstehenden Scheinwerfer. Die Produktion war äußerst gering: 1934 = 39, 1935 = 32 und 1936, dem letzten Produktionsjahr, 10 Wagen. Mindestens einer dieser Imperial CW kam nach England und hat bis heute überlebt, weitere Wagen dieses Typs sind jedoch diesseits des Atlantiks nicht bekannt.
Nach 1936 verwendete man den 6,3-Liter-Motor nur noch für die Marine, obgleich natürlich der Name Imperial beibehalten wurde. Die Wagen, die ihn trugen, waren allerdings in ihren technischen Spezifikationen recht gewöhnlich. Sie erhielten den 5,3-Liter-Motor mit fünf Kurbelwellenlagern, und nur die auf dem langen Fahrgestell (Radstand 3,658 m) aufgebauten Limousinen waren wirklich luxuriös. 1937 hielt die unabhängige Vorderradaufhängung mit Schraubenfedern Einzug, und 1939 kam die neue, halbautomatische Fluidrive-Kraftübertragung. Auf diesem Fahrgestell wurden einige ansprechende Spezialkarosserien von Derham in den USA aufgebaut, während die schwei-

10

zerischen Karossiers ihre Spezialcabriolets am letzten Vorkriegssalon in Genf zeigten. Chrysler Motors in England versuchten gar aus dem Modell 1937 einen Konkurrenten gegen den Railton zu schaffen.
Der Rennfahrer G. E. T. Eyston schuf die Entwürfe, und Carlton baute die Karosserie dieses «Super-Power»-Sports-Saloon, der an der London Show im Jahre 1936 gezeigt wurde. Verwendet wurde der 5,3-Liter-Motor im kurzen C-14-Fahrgestell mit 3,07 m Radstand. Das Getriebe besaß einen Schnellgang, und die elektrische Anlage war, britischen Normen entsprechend, auf 12 Volt geändert. Ein gefedertes Lenkrad mit ausgeschnittenen Speichen wurde montiert. Das Gewicht war mit 1759 kg nur unwesentlich geringer als jenes des normalen Sedan. Mit der langen Hinterachsuntersetzung (3,11:1) wurde eine Höchstgeschwindigkeit von 160 km/h genannt. Unglücklicherweise war der «Super Power» mit seiner geteilten keilförmigen Windschutzscheibe und den hinteren Radschürzen genauso häßlich wie irgendein Airflow, und mit einem Preis von 825 Pfund war er um 30 Prozent teurer als der Railton. Es wurden nur wenige Exemplare gebaut, darunter allerdings mindestens ein Cabriolet.
1940 baute Chrysler ein rundes Dutzend Traumwagen, welche wie einige ihrer aufregenden Schöpfungen in den fünfziger Jahren in der Öffentlichkeit verkauft wurden. Die beiden Varianten basierten auf dem serienmäßigen Imperial Crown Eight mit dem Fluidrive-Vierganggetriebe und einer Motorleistung von 143 PS.
Die eine Version des Paares, der «Newport», wurde auf dem normalen Fahrgestell mit 3,68 m Radstand aufgebaut. Man könnte diesen Wagen als futuristische Parodie auf die so beliebten Phaeton mit zwei Windschutzscheiben von Duesenberg, Packard, Lincoln und anderen Marken der vorhergehenden Dekade bezeichnen. Die Kotflügel zogen sich über die ganze Länge des Wagens, die Hinterräder waren mit Schürzen abgedeckt, und versenkbare Scheinwerfer wurden eingebaut. Sowohl die vordere wie auch die hintere Windschutzscheibe konnte heruntergeklappt werden. Das ganze Interieur und die Türsimse waren gepolstert und mit Leder bezogen, aber das vorgesehene motorbetätigte Verdeck wurde nie verwirklicht. Der «Newport» war ein stattliches «Biest», wog 2250 kg, war 5,71 m lang und erreichte eine eher gemächliche Spitzengeschwindigkeit von 145 km/h. Einer dieser Wagen wurde als Schrittmacherwagen für das 500-Meilen-Rennen von Indianapolis im Jahre 1940 eingesetzt. Dies war übrigens das einzige Mal, daß diese Ehre einem nicht serienmäßigen Automobil zufiel. Ein weiterer wurde dem «Pullovermädchen» von Hollywood, Lana Turner, verkauft.
Der «Thunderbolt» war dank des kürzeren Radstandes von 3,226 m und seines zweisitzigen Aufbaus ein handlicheres Gefährt. Obgleich nach dem erfolgreichen Weltgeschwindigkeits-Rekordwagen von George Eyston benannt, war der Wagen nicht wesentlich schneller als der Newport. Der Zweisitzer hatte aber eine vollständige Pontonkarosserie ohne Anzeichen einer Kotflügelform. Das Aufrichten und Versenken der Scheinwerfer und des einteiligen Metalldachs sowie das Öffnen und Schließen der Seitenfenster und des Kofferraumdeckels erfolgten mit Motorunterstützung. Vier der sechs Newport und zwei Thunderbolt sind erhalten geblieben.
Merkwürdigerweise war es eine sicherlich nichtklassische Neuheit von 1941, die zu einem der gesuchtesten Chrysler-Wagen aller Zeiten werden sollte: das Royal-Six-Town-and-Country-Modell, ein viertüriger Stationswagen mit teilweiser Holzkarosserie, das seinerseits in den ersten beiden Friedensjahren die berühmten Town-and-Country-Serien von Sedan und Cabrioletausführungen nach sich ziehen sollte. Obgleich keine Klassiker, wurden dafür in ihrem Heimatland bereits phantastische Preise bezahlt.

# **Cord** *Sargnasen und die langgestreckte, niedrige Linie*

Das Museum für moderne Kunst in New York erkürte das Auto, welches den Namen von Errett Lobban Cord trug, in seiner späteren Form zu einem von zehn Meisterwerken der Welt des modernen Industriedesigns. Es erfreute sich also eines Ruhmes, der in einem klaren Mißverhältnis zu den nur 6749 Wagen stand, die zwischen 1929 und 1937 in Amerika Käufer fanden. Die späteren Modelle 810 und 812 sollten im weiteren in den sechziger und siebziger Jahren die Replikahersteller und -händler beschäftigen.
Bis zum Jahre 1929 hatte E. L. Cord die Marke Auburn gewinnabwerfend gemacht, hatte Connersville, Indiana, in eine gewaltig aufstrebende Autostadt verwandelt und hatte der Welt ihren stärksten Tourenwagen, den Duesenberg Modell J mit 265 PS, beschert. Beeindruckt durch die Erfolge von Harry Millers Rennwagen, wendete er nun seine Aufmerksamkeit dem Vorderradantrieb zu. Schon 1927 hatte er sich die Rechte für das Miller-System gesichert.
Dieser abenteuerliche Schritt führte ihn zwar zu einem kostspieligen Reinfall, aber dabei schuf er einen Markstein für modernes Styling. Sein Einfluß machte sich bei so wichtigen Wagen wie dem Chrysler Imperial, dem Franklin Twelve und – auf der andern Seite des Atlantiks – dem sensationellen SS 1 von William Lyons deutlich bemerkbar.
Die technische Konstruktion des ersten Cord L29 war hauptsächlich das Werk von C. W. van Ranst, doch das Styling der Karosserie war eine Gemeinschaftsleistung. Der Spitzkühler wurde rein von Miller übernommen, Gesicht und Vorderwagen schuf der Auburn-Stylist Al Leamy. Daneben waren noch zwei Konstrukteure der berühmten Karosseriewerke Murphy, nämlich Phil Wright und Franklin Hershey, beteiligt.
Schon oft wurde behauptet, der große Reihenachtzylinder des Auburn sei einfach verkehrt herum in das neue Vorderradantriebs-Fahrgestell eingebaut worden. Dies trifft soweit zu, als im neuen Wagen ein seitengesteuerter 4,9-Liter-Lycoming-Motor Verwendung fand. Der Umbau war jedoch keinesfalls einfach, das Umkehren des Triebwerks bedeutete auch ein Wechseln der Kühlwasseranschlüsse. Die Motorlagerung wurde umgekehrt, was eine Überarbeitung des Kurbelgehäuses und eine neue Form für die Ölwanne erforderlich machte. Die Kurbelwelle mußte nun im Gegenuhrzeigersinn drehen. All diese Änderungen verlangten den Einbau von 70 nicht austauschbaren Einzelteilen. Die 6-Volt-Spulenzündung, der Schebler-Saugvergaser und die mechanische Benzinpumpe jedoch wurden ohne Änderung übernommen.
Die gewählte Form der Kraftübertragung bedingte den Einbau des Dreiganggetriebes zwischen die Einscheiben-Trockenkupplung und das hypoidverzahnte Differential mit seinen Gelenken mit konstanter Geschwindigkeit. Diese Anordnung war eher geeignet, die Behauptung der Werbeleute Lügen zu strafen, wonach der Vorderradantrieb kompakter sei als die orthodoxen Methoden der Kraftübertragung. Die brillante Issigo-

1 Wie das «lange, niedrige Aussehen» seinen Anfang nahm! Ein Cord L29 Convertible Coupé, komplett mit Suchscheinwerfer, lederähnlichen Schutzdecken für die Reserveräder und Seitenflügeln an der Windschutzscheibe (1930).

2 Cord L29 mit prachtvoller Convertible-Sedan-Karosserie (1930).

3 Ein bekanntes Bild eines seltenen Wagens: Luxusstadtwagen von Murphy auf einem verlängerten Cord-L29-Fahrgestell (1931).

nis-Idee, das Getriebe innerhalb der Motorölwanne unterzubringen, lag noch vierzig Jahre entfernt. Die Gänge wurden mittels eines aus dem Armaturenbrett herausragenden Hebels gewählt. Glücklicherweise war es keine der von so vielen Konstrukteuren von Fronttriebwagen bevorzugten unbeholfenen Zieh-und-Stoß-Ausführungen. In einem englischen Pressebericht wurde gar die «schnelle und leichte» Betätigung des Ganghebels gepriesen. Hydraulische Innenbackenbremsen, vorne innerhalb des Rahmens wie bereits beim Alvis 12/75, wurden verwendet. Die starre Vorderachse war an doppelten Viertelelliptikfedern aufgehängt, und für die Hinterachse kamen konventionelle Halbelliptikfedern zum Einbau. Der Rahmen war völlig gerade und sehr robust mit 17,8 cm tiefen Längsträgern, die durch eine der ersten wirklichen Kreuzverstrebungen verbunden waren. Der Radstand betrug 349 cm, und der Wagen maß von Bug bis Heck 5,20 m, also 30,5 cm mehr als der Auburn V12 1932. Von dieser eindrücklichen Länge entfielen nicht weniger als 137,5 cm auf die Motorhaube! Mit einem Gewicht von 2020 kg in fahrbereitem Zustand war der Sedan um einiges schwerer als der vergleichbare Auburn. Auf der Guthabenseite stand allerdings die niedrige Bauweise – seine Höhe belief sich, ab Boden gemessen, auf nur 150 cm.

Vier serienmäßige Karosserieausführungen wurden angeboten: ein viertüriger Sedan mit sechs Seitenfenstern, ein viertüriger Brougham mit vier Seitenfenstern, ein Convertible Coupé (Cabriolet) und ein Convertible Sedan entsprechend den Phaeton von Auburn. Wie im Falle der britischen SS besaßen diese eine Eleganz, die von den wirklichen Spezialkarosserien nicht immer wiedergegeben werden konnte. Von den Karossiers trug Murphy einen Stadtwagen und einige Phaeton mit doppelter Windschutzscheibe, Speedster und Cabriolet bei. American Weymann schuf ein Coupé mit Gewebebespannung und Proux in Frankreich ein elegantes Coupé-de-Ville. Dann gab es auch noch ein furchterregendes Touring-Coupé von Freestone and Webb aus London, mit riesigem Gepäckkasten und Behältern für die Batterie und das Chauffeurgepäck in den hinuntergezogenen vorderen Kotflügeln. Unter den Kunden fanden sich die Filmstars John Barrymore und Dolores del Rio. Trotzdem wurden merkwürdigerweise die L29-Verkäufe von 458 Wagen in Kalifornien durch jene in New York (894) und Illinois (654) übertroffen. Für die späteren V8-Modelle allerdings würde Kalifornien die Liste anführen.

Der Cord sah – selbstverständlich – schneller aus, als er in Wirklichkeit war. Der amerikanische Autor Beverly Rae Kimes hat die Leistung mit «von einer angenehmen Lauheit» zusammengefaßt. Die Höchstgeschwindigkeit war mit 124 km/h etwa gleich wie jene des Auburn. Berücksichtigte man die übermäßige Länge, so ließ sich der Wendekreis von 12,8 m günstig mit jenem der späteren Citroën Traction 15 CV vergleichen. Die gröbsten Fehler waren die lärmigen indirekten Gänge (selten verwendet), die unerfreulichen Stöße und Schwingungen bei schneller Kurvenfahrt und eine gele-

2

3

gentliche Tendenz, an wirklich steilen Steigungen zu «scheuen», das heißt, steckenzubleiben. Im britischen «Autocar» wurde zwar die Steigfähigkeit als ausreichend bezeichnet.
Bedauerlicherweise war die Krisenzeit nicht gerade der richtige Moment, eine solche Entwicklung zu lancieren. Die Verkäufe – nur 1879 Wagen im ersten Jahr – fielen auf 1416 im Jahre 1931 und 335 im Jahre 1932, als der Hubraum, anscheinend ohne eine entsprechende Leistungszunahme, auf 5,3 Liter vergrößert wurde. Die Exportverkäufe bewegten sich dem Vernehmen nach in der Größenordnung von 800 Wagen, und Cord errang verschiedene wichtige Siege in Schönheitswettbewerben (Concours d'Elégance). Trotzdem wurde 1933 kein neues Modell angeboten.
Die ersten Schritte zur Entwicklung des 810er Programms wurden erst 1934 unternommen. Die Karosserieform war in Wirklichkeit vom Stylisten Gordon Miller Buehrig als Projekt für einen neuen Baby-Duesenberg entworfen worden. Der Prototyp wurde auf ein normal angetriebenes Auburn-Chassis aufgebaut. Im Aussehen war er dem Endprodukt sehr ähnlich. Die Hauptunterschiede bestanden darin, daß die Scheinwerfer nur halbwegs eingebaut waren und daß, ähnlich wie bei Flugzeugen, Kühlerstreben die Kotflügel mit dem Wagenkörper verbanden. Inzwischen wurde Buehrig mit einer dringenderen Aufgabe betraut, nämlich dem Überarbeiten der katastrophal schlecht verkauften Auburn-1934-Modelle. Nach Beendigung dieser Arbeit war die Schaffung des Programms 1936 für Cord zu einer vordringlichen Sache geworden.
Es ist inzwischen in die Geschichte eingegangen, daß der Typ 810 rechtzeitig für die New Yorker Automobilausstellung im Januar 1936 fertig wurde und dort den anderen Firmen die Schau stahl. Was man allerdings seither als eine stilistische Bravourleistung betrachtet, war weitgehend eine Frage der Zweckmäßigkeit – und eines sehr knappen Budgets. Die gleichen Preßformen wurden für die Vorder- und Hintertüre des Sedan verwendet, und die saubere Metallverkleidung des Vorderrad-Antriebsblocks war die einfachste Lösung des Problems. Das reizende Armaturenbrett mit seinen klaren Rundinstrumenten bestand aus serienmäßigen Einzelteilen, was indessen für die vielbewunderten flugzeugähnlichen Kippschalter nicht zutraf. Was die attraktiven Lochscheibenräder anbelangt, so war dies die billigste Methode, die Bremsen zu kühlen!
Das Ergebnis war trotzdem ein Wahrzeichen des Stils, wenngleich es ein näheres Studium durch die anderen Hersteller verdient hätte, als ihm zuteil wurde. Die nach dem europäischen Vorbild des «Sports-Saloon» geformte Karosserie wurde allerdings erfolgreich beim wegweisenden Cadillac Sixty Special von 1938 wiederholt, wobei jedoch das Gesicht übermäßig verziert wurde. Es ist ein leichtes, in die anschließenden Rhapsodien des Museums für moderne Kunst einzustimmen, wenn man die klare, saubere Linienführung betrachtet: rundum gezogenes Kühlergrill ohne ein Zeichen des Kühlerkerns, nach oben zu öffnende Motorhaube, Fehlen von Trittbrettern, in der Mitte liegende und beleuchtete Nummernschildhalterung, versteckter Benzintank-Einfüllstutzen und vollversenkbare Scheinwerfer in den Kotflügeln (auch wenn sie noch von Hand aufgestellt und versenkt werden mußten).
Die Form war perfekt, speziell beim zweisitzigen Cabriolet und beim Phaeton. Ebenso interessant aber war die Mechanik: Um Platz zu sparen, verwendete Cord nun einen speziell entwickelten seitengesteuerten Lycoming-V8-Motor mit den Abmessungen $88{,}9 \times 95{,}2$ mm und einem Hubraum von 4730 $cm^3$. Block und Kurbelgehäuse bildeten eine Einheit. Die Kurbelwelle wies Gegengewichte und drei Lager auf. Sowohl die Kolben wie auch die Köpfe bestanden aus einer Aluminiumlegierung. Diese – o Schreck – war jedoch korrosionsgefährdet, was erklärt, warum einige sehr merkwürdige Motoren den Weg unter die «Sargnasen» der 810er gefunden haben. In Frankreich war ein beliebter, wenn auch wenig potenter Wechselmotor jener des Citroën 11 CV! Der Brennstoff wurde durch eine mechanische Pumpe vom 68-Liter-Tank zum Doppel-Fallstromvergaser befördert. Die Kraftübertragung war sehr unamerikanisch, was nicht nur für den Vorderradantrieb galt. Der Cord erhielt ein Vierganggetriebe mit Synchronisation, bei dem alle Gänge indirekt waren, ganz zu schweigen von der Elektro-Vakuumunterstützung des eigentlichen Schaltvorgangs, der durch einen kleinen Hebel in einer winzigen Schaltkulisse am Lenkstock in der Art des französischen Cotal-Systems eingeleitet

4 Cord 810 Westchester Sedan mit voll ausgefahrenen Scheinwerfern (1936).

5 Cord 812 mit Kompressormotor und «Phaeton»-Karosserie — eigentlich ein viersitziges Cabriolet (1937).

wurde. Bei Cord gab es allerdings keinen separaten Wählhebel für Vorwärts- oder Rückwärtsfahrt auf dem Wagenboden. Die Vorderräder waren unabhängig mittels Querblattfeder und Längslenkern aufgehängt, und die Bremsen waren natürlich wiederum hydraulisch. Der Wagen war mit ziemlich genau 5 m Länge spürbar kürzer als der L29, und der fahrbereite Sedan wog nur noch 1760 kg.

Das Fahrverhalten des Cord war so unamerikanisch wie seine Spezifikationen. Ein guter Fahrer konnte mit ihm die Kurven sehr schnell fahren. Die Lenkung war mit 3¹/₄ Umdrehungen von Anschlag zu Anschlag recht direkt. Sowohl im 4. Gang (Schnellgang 3,88:1) wie auch im indirekten 3. Gang (5,88:1) konnte der Wagen 145 km/h erreichen. Für so viel Individualität schien der Preis von 2000 Dollar nicht übersetzt. Sogar in England war der Cord 810 mit seinem Preis von 850 Pfund konkurrenzfähig, kosteten doch die billigeren Cadillac und Senior Packard etwa gleich viel.

Bedauerlicherweise stellten sich Kinderkrankheiten ein. Verzögerungen in der Getriebeherstellung verbunden mit der Bendix-Schaltung bedeuteten, daß die ersten

6

hundert Ausstellwagen nicht völlig fertiggestellt ausgeliefert werden mußten. Cord begegnete diesen Problemen, indem einige wunderschöne, maßstabgetreue Modellautos 1:32 an die ungeduldigen Kunden versandt wurden. Die Gangschaltung war immer ein kritischer Punkt, indem Gänge heraussprangen. Ein weiteres Sorgenkind war das Überhitzen des Motors. Der englische Cord-Importeur soll bemerkt haben, daß der Cord 810 jene Leute ansprach, die etwas wirklich Verzwicktes zu meistern suchten. Etwa 1200 Wagen wurden im Laufe des Jahres 1936 auf dem amerikanischen Markt abgesetzt. Es gab drei Standardkarosserien: den Sedan, das 2/3sitzige Cabriolet und den zweitürigen, 4/5sitzigen Phaeton. Einige wenige zweisitzige Hardtopcoupés wurden gebaut, doch erschien diese Ausführung nie in den Katalogen.

1937 passierte etwas noch Dramatischeres: der Schwitzer-Cummins-Zentrifugalkompressor des Auburn-Achtzylinders wurde dem Cord-Motor verpaßt. Äußerlich unterschied sich die Ausführung 812 (wie auch der Auburn mit Kompressor) nur durch die verchromten

7

**6** Replikas im Entstehen begriffen: Mit Corvair-Motoren versehene 8/10-Cabriolets im Betrieb von Glenn Pray im Jahre 1966. Nur von hinten ist der Wagen sofort als Replika zu erkennen, und zwar wegen des steiler abfallenden Hecks.

**7** Graham aus dem Jahre 1941 mit von Cord übernommener Sedankarosserie. Die Wagenfront enthüllt den falschen Ursprung.

außenliegenden Auspuffrohre. Die Motorleistung stieg von 125 auf angegebene 170 PS und erreichte schließlich etwa 195 PS. Als Spitzengeschwindigkeit des 812 wurden 180 km/h genannt oder 195 km/h mit Rennreifen. Unabhängige Versuche ergaben eine leicht zu erreichende Geschwindigkeit von 163 km mit einer Beschleunigung von 0 auf 80 km/h in 10,5 Sekunden. Neu im Programm 1937 fand sich die Reihe der geschlossenen Spezialkarosserien mit einem auf 3,36 m verlängerten Radstand. Die Ausrüstung der Berline umfaßte eine Trennscheibe, Radiolautsprecher und ein Bordtelefon, doch zerstörte der angehängte Kofferraum die klare Linie der ursprünglichen Form.

Im Sommer 1937 brach die Cord Corporation zusammen, auch wenn in diesem Jahr an der Londoner Autoausstellung im Oktober der Typ 812 noch gezeigt wurde. Es war vorgesehen gewesen, die Reihe mit kleinen stilistischen Änderungen an der Front ins Jahr 1938 hineinzuziehen.

Allein, die Geschichte war bei weitem nicht abgeschlossen. Nach der Schließung der Fabrik wurden die Stanz- und Preßformen an Hubmobil verkauft, wo die Karosserie ihrem normal angetriebenen Sechszylinder-Fahrgestell, dem Skylark, angepaßt wurde. Eine Übereinkunft mit Graham fügte einen sehr ähnlichen Wagen hinzu, für welchen der mit Zentrifugalkompressor ausgerüstete Sechszylinder-Graham beigezogen wurde. Keiner der beiden Wagen wurde in größerer Stückzahl hergestellt, und Ende 1940 war alles vorbei.

Seit 1960 gab es weitere Versuche, den Cord zu neuem Leben zu erwecken. Der vielversprechendste war der 8/10-Sportsman von Glenn Pray, ein Cabriolet, das ziemlich genau acht Zehnteln der Größe des Modells von 1936 entsprach. Die Proportionen wurden beibehalten, indem die Karosserie hinten stärker gestutzt wurde als die Motorhaube. Der Radstand betrug 254 cm, und ein luftgekühlter 2,7-Liter-Sechszylinder-Boxermotor des Chevrolet Corvair diente als Triebwerk. Mit dem wahlweise erhältlichen Turbocharger-Kompressor betrug die Leistung, wie in der Werbung angekündigt, bis zu 180 PS. Es wurde ein vollsynchronisiertes Vierganggetriebe mit Schalthebel im Armaturenbrett wie beim L29, ohne die störungsanfällige Elektrohydraulik, eingebaut. Die Höchstgeschwindigkeit mit normalem Saugmotor betrug 145 km/h und lag damit ganz nahe bei jener des ursprünglichen Typs 810 – wenn auch nicht des Typs 812.

Nachdem die mechanischen Probleme gelöst waren, stellten sich den Herstellern indessen noch größere Schwierigkeiten mit der Karosserie in den Weg. Diese war aus einem neuen Kunststoff, dem «Expanded Royalex», hergestellt, der nur ein Drittel soviel wog wie konventionelles Plastik, nicht brennbar war und angeblich auch keine Beulen bekommen konnte. Die Presseyertreter wurden eingeladen, mit Hämmern Versuche zu machen. Ungeschickterweise war die «Expansion» (Dehnung) des neuen Materials so stark, daß kein Lack während längerer Zeit haftenblieb. Dieser Umstand und die wacklige finanzielle Basis führten im Juli 1966 zum Untergang des 8/10. 97 Wagen waren hergestellt worden, 13 wurden im Laufe des Jahres 1967 unter neuem Management noch fertiggestellt.

Die neue Geschäftsleitung konnte sich weder für Vorderradantrieb noch für den Corvair-Motor erwärmen. Ihre letzte Idee war es schließlich, einen «sportlichen Wagen, der ausschaute wie ein Cord», zu bauen, und das taten sie denn auch bis 1971. Diese späteren Modelle hatten festmontierte Scheinwerfer, Hinterradantrieb, Ford-Fahrwerk und wahlweise den Ford-302- oder den Chrysler-440-V8-Motor.

# Cunningham *Die Kranken und die Toten kannten sie am besten*

Ohne Verbindung zu den Sportwagen, die in den fünfziger Jahren von Briggs S. Cunningham gebaut und in Rennen gefahren wurden, waren die Cunningham aus Rochester, New York, außerhalb ihres Heimatlandes wenig bekannt. Allerdings wurde vor einigen Jahren ein Tourenwagen von 1919 in Schweden ausgegraben. Das Unternehmen hatte keine Vertragshändler und machte nur spärlich Reklame. Dazu kam, daß ein großer Teil der Cunningham-Passagiere nicht wußte oder sich nicht darum kümmerte, in welchem Wagen sie fuhren: Die Firma hatte sich unter anderem auf eine Reihe von Kranken- und Leichenwagen spezialisiert. Von den 375 im Jahre 1923 ausgelieferten Wagen waren nicht weniger als 190 als «Berufsfahrzeuge» klassifiziert.

James Cunningham Sons & Co. hatte mit dem Bau von pferdegezogenen Wagen (und Leichenwagen) im Jahre 1838 begonnen und produzierte diese bis 1915 weiter. Dem Herstellungsprogramm wurden im Jahre 1909 Automobile beigefügt, und bereits ein Jahr später bauten sie ihren eigenen, von Volney Lacey konstruierten Vierzylindermotor mit hängenden Ventilen ein. Der klassische V8-Motor erschien 1916 und sollte zum Haupterzeugnis von Cunningham werden. Fast alles, was zu einem Automobil gehört, wurde im eigenen Betrieb hergestellt: die Motoren, die Karosserien (Aluminium-Blech-Verkleidungen über Eschenholzrahmen), die Windschutzscheiben, die Holzarbeiten des Interieurs, ja sogar die Außenspiegel wurden in eigener Regie gefertigt.

Der Motor des ersten Modells V1 bestand aus zwei Blöcken, die in einem Winkel von 90° zueinander standen, und besaß abnehmbare Zylinderköpfe. Die Kurbelwelle drehte in drei Lagern. Kurbelgehäuse und Kolben waren aus Aluminium, der Kühlwasserumlauf erfolgte mittels Pumpe, während für die Schmierung das vollständige Druckumlaufprinzip gewählt wurde. Bei einer Bohrung von 95,2 und einem Hub von 127 mm betrug der Zylinderinhalt 7244 cm$^3$ oder genau doppelt soviel wie jener des ersten Ford-V8-Motors von 1932. Eine trockene Mehrscheibenkupplung und ein Dreiganggetriebe dienten der Kraftübertragung. Das Fahrgestell mit seinen orthodoxen U-förmigen Stahllängsträgern war mit einem Radstand von 3,46 oder 3,616 m erhältlich. Fuß- und Handbremse wirkten beide auf die Hinterräder. Für die Vorderachse wurden halbellyptische, für die Hinterachse dreiviertelellyptische Federn verwendet. Überraschend war die wahlweise Ausrüstung mit Drahtspeichenrädern mit Zentralverschluß. Im übrigen enthielt die Ausrüstung ein ausschwingbares Lenkrad für «fette Männer» und eine motorgetriebene Kellogg-Reifenpumpe.

Die Motorleistung betrug 90 PS bei 2000 U/min, und obgleich meistens steife und formelle Karosserien aufgebaut wurden, gab es in den frühen Jahren einige Cunningham-Speedster von sehr ansprechendem Aussehen. Mit einem von diesen griff der Rennfahrer Ralph de Palma erfolgreich die amerikanischen Rekorde für Serienwagen an, wobei er 6 Meilen (9,5 km)

**1** Der gepanzerte Cunningham Sedan aus dem Jahre 1922, komplett mit Radio und Langstreckentanks. Wie immer wurde auch dieser Aufbau im Werk selber ausgeführt.

**2** 1926 hatte der Cunningham Vierradbremsen und eine oberflächliche Ähnlichkeit mit dem Hispano-Suiza (Kühler) erhalten.

1

2

in knapp unter vier Minuten zurücklegte. Es gab natürlich nie einen jährlichen Modellwechsel im eigentlichen Sinne, aber der V1 wich 1918 dem V2, und die nachfolgenden Mitglieder der Familie waren die V3 (1920), V4 (1921), V5 (1923), V6 (1925), V7 (1927), V8 (1929) und schließlich V9 (1930).
In den frühen zwanziger Jahren gab es bei den Wagen nur sehr geringfügige Änderungen und Wechsel. Diese Modelle besaßen breite Kühler, sehr ähnlich jenen der zeitgenössischen Mercer-Wagen. Ab 1924 wurden Vierganggetriebe sowohl mit direktem wie auch als Schnellgang ausgelegtem 4. Gang angeboten. Bendix-Vierradbremsen fanden 1926 Eingang.
Viele Cunningham erhielten natürlich sehr reich verzierte und mit Schnitzereien versehene Leichenwagenaufbauten. Die reicheren Bestattungsunternehmer hielten sich ganze Flotten von übereinstimmenden schweren V8-Cunningham, wobei darin eingeschlossen auch die streng und einfach ausgestatteten Limousinen für die Trauernden waren. Aber auch Persönlichkeiten des Theaters gehörten zur Kundschaft, wie zum Beispiel Cecil B. de Mille, Hoot Gibson und Lewis Stone. «Sonderausführungen» umfaßten im Jahre 1922 unter anderem eine kugelsichere Limousine auf einem verlängerten Fahrgestell mit 3,76 m Radstand. Dieser Wagen verfügte über einen Stromberg-Carlson-Radio mit einer Empfangsreichweite von 1600 km, einen 250-Liter-Benzintank, 42 Instrumente und eine Schmierölkapazität für Reisen bis zu 8000 km. 1927 stellte Cunningham einen gepanzerten Krankenwagen auf einem V7-Fahrgestell fertig, der 13 000 Dollar kostete.
1928 wurden die Ablieferungen mit 310 Fahrgestellen genannt, und ein Jahr später war es immer noch möglich, einen «Special Speed Roadster» zum Preis von 7750 Dollar in Auftrag zu geben. Das letzte der Cunningham-Modelle war der V9 im Jahre 1930. In dieser Serie war die Bohrung auf 98,4 mm vergrößert worden, was einem Hubraum von 7,7 Litern entsprach. Die Leistung stieg gleichzeitig auf 140 PS. Die Wagen erhielten einen moderneren Kühler sowie Zentralchassisschmierung, eine elektrische Benzinpumpe und halbelliptische Federn hinten.

3

1932 enthielten die veröffentlichten Spezifikationen eine Long-Doppelscheibenkupplung und ein 3-Gang-Synchrongetriebe von der Detroit-Gear-Fabrik, aber um jene Zeit war die Herstellung von Privatwagen bereits eingestellt worden. Es dauerte allerdings noch einige Monate, bis die vorhandenen Lager ausverkauft waren.

Die sogenannten «Berufsfahrzeuge», also Ambulanzen und Leichenwagen, wurden noch einige weitere Jahre hergestellt. 1933 wurde dafür das neue Modell W-10 eingeführt, wobei die alte Tradition, eigene Motoren zu verwenden, erstmals verlassen wurde. Es gelangte ein Continental-Reihenachtzylinder-Triebwerk mit stehenden Ventilen und 5,3 Liter Hubraum zum Einbau. Der Wagen war sowohl mit dem vorhandenen Cunningham-Kühler als auch wahlweise mit einem Spitzkühler, der etwas an die Ford-Ausführung erinnerte, erhältlich. Weniger als ein Dutzend W-10-Cunningham-Wagen wurden gebaut, aber zumindest von einem weiß man, daß er überlebte. Von 1935 an baute Cunningham seine Kranken- und Leichenwagen auf fremde Fahrgestelle, hauptsächlich von Packard und Cadillac, auf. Es wurde auch ein Spezialstadtwagen auf dem Modell-48-Ford-V8-Chassis angekündigt. Im Gegensatz zum zeitgenössischen Brewster «Heart Front Ford» (Ford mit Herzgesicht) wurden dabei allerdings die normale Radstandlänge und das serienmäßige Blech an der Wagenfront belassen.

Andere Produktionszweige von Cunningham waren: Flugzeuge, Panzerwagen, aus Lastwagen umgebaute Halbkettenfahrzeuge sowie Ballonwinden, die durch eine zahmere Version ihres V8-Motors angetrieben wurden. Die Firma ist als Hersteller von elektrischen Schalteinrichtungen immer noch im Geschäft.

4

5

**3** Cunningham-V9-Stadtwagen (1929).

**4** Cunningham-Krankenwagen (1931).

**5** Cunningham-Cathedral-Leichenwagen aus dem Jahre 1934. Einer der letzten echten Cunningham auf dem W10-Fahrgestell mit Reihen Achtzylindermotor von Continental.

# Duesenberg *Der Mächtigste von allen*

Der Duesenberg – ein Wagen, der gebaut wurde, um jeden anderen Wagen auf der Straße an Klasse zu übertreffen, an Schnelligkeit zu übertrumpfen und an Langlebigkeit in den Schatten zu stellen. Wahrscheinlich wurde über ihn mehr Unsinn geschrieben als über irgendeine andere Marke. Der Duesenberg hat eine Aufmerksamkeit auf sich gezogen, die in keinem Verhältnis zu der kleinen Stückzahl – vielleicht 1250 Wagen – steht, die zwischen 1920 und 1937 gebaut worden ist. Während des klassischen Zeitabschnitts produzierten Cadillac, Marmon, Packard und Pierce-Arrow Modelle mit Triebwerken größeren Hubraums. Auch in Europa konnte man solche Monster antreffen: z. B. den 9,1-Liter-Renault 40 CV, den Zwölfzylinder-Hispano-Suiza mit 9,4 Liter Hubraum und den Bugatti Royale. Indessen, der Duesenberg verbleibt auf seinem Denkmalsokkel.

Die beiden Brüder Fred und August Duesenberg waren Söhne eines deutschen Einwanderers aus Lippe, der sich in den achtziger Jahren in Rockford, Iowa, niederließ. Im Jahre 1894 baute Fred Fahrräder, und zehn Jahre später veranlaßten seine Versuche mit Automobilen einen ortsansässigen Anwalt namens Mason, ihn mit Geld zu unterstützen. Die Mason-Anteile wurden dann 1910 vom bekannten Waschmaschinenfabrikanten Maytag erworben, und die Gebrüder Duesenberg widmeten sich den Hochleistungsmotoren. Ihr berühmter Vierzylindermotor mit horizontalen Ventilen war 1916 das kräftigste Triebwerk, welches von Automobilherstellern ohne eigene Motorenfabrikation erworben werden konnte. Unter den Kunden befanden sich die Firmen Biddle, Revere und Roamer. Um diese Zeit war auch C.W. van Ranst, der später für den L29 Cord verantwortlich zeichnete, mit der gewagten Unternehmung verbunden.

Einmal mehr verkauften die Gebrüder Duesenberg ihren Betrieb, und im Jahre 1919 fand man sie in Elizabeth, New Jersey, wo sie am Prototyp des ersten Tourenwagens, der ihren Namen tragen sollte, arbeiteten. Das Modell A ging allerdings nicht in Produktion, bevor sie ihren letzten Umzug, nach Indianapolis, machten. Dort trieben sie ein energisches Rennwagenprogramm voran, dessen Früchte ihren nachfolgenden Personenwagen zugute kommen sollte.

Man kann daran zweifeln, ob das Modell A wirklich der erste serienmäßig hergestellte Wagen mit Reihen-Achtzylinder-Motor der Welt war – diese Ehre gebührt wahrscheinlich der Marke Isotta-Fraschini aus Italien. Sicher aber ist, daß dieser Motor völlig neu war. Nach Versuchen mit horizontalen Ventilen beschlossen die Gebrüder, den Einblockmotor mit einer obenliegenden Nockenwelle, die an der Stirnseite des Triebwerks mittels Königswelle angetrieben wurde, zu versehen. Drei Hauptlager genügten für die druckumlaufgeschmierte Kurbelwelle. Die Kolben waren aus Aluminiumlegierung, und der Motor besaß ein Leichtmetall-Kurbelgehäuse und einen abnehmbaren gußeisernen Zylinderkopf. Die Bohrung von 73 mm bei einem Hub von

127 mm ergab einen Zylinderinhalt von 4260 cm$^3$, der Motor leistete 88 PS bei 3600 U/min.
Im übrigen entsprach der neue Wagen der erprobten amerikanischen Norm – der unvermeidliche Saugvergaser (es wurden sowohl Stromberg- als auch Schebler-Modelle eingebaut), Pumpen- und Ventilatorkühlung, Unterdruck-Benzinförderung und 6-Volt-Spulenzündung. Das angeblockte Getriebe wies drei Vorwärtsgänge und einen Mittelschalthebel auf, und die Kraftübertragung führte mittels Kardanwelle durch das Schubrohr zum spiralverzahnten Hinterachsantrieb. Die Halbelliptikfedern (hinten außen am Rahmen montiert) wurden durch Watson-Reibungsstabilisatoren unterstützt, und der Rahmen besaß fünf Querstreben. Der Wagen war mit einem Radstand von 3,40 oder 3,58 m erhältlich, Drahtspeichenräder mit Zentralverschluß gehörten zur Standardausrüstung.
Das Modell A unterschied sich jedoch von seinen amerikanischen und europäischen Konkurrenten durch das im Katalog als «speziell verbesserte Vierrad-Ölbremsen» bezeichnete Bremssystem. Mit anderen Worten waren es nichts anderes als hydraulische Vierradbremsen, deren Trommeln einen Durchmesser von 406 mm aufwiesen – und das im Jahre 1920! Dazu kam noch, daß diese Einrichtung gut funktionierte, wobei zwar anfänglich einige Probleme mit den Schläuchen auftraten, die sich unter Bremsdruck ausdehnten. Diese Schwierigkeiten wurden aber behoben, indem die Schläuche zuerst mit Draht sehr eng umwickelt wurden und später speziell verstärkte Gummischläuche durch die Titeflex-Werke in Newark, New Jersey, entwickelt wurden.
Das Modell A war nie ein großer Erfolg. Es war sehr teuer. Im Jahre 1923 kostete ein offener Tourenwagen 6250 Dollar und ein geschlossener Wagen etwa 8000 Dollar. Diese Preise lagen weit über jenen der anerkannten Luxusmodelle von Marmon, Packard und Pierce-Arrow. Die Karosserien waren etwas schwerfällig und nicht besonders elegant, und die Wagen waren bekannt für starken Ölverbrauch. Sie waren allerdings für die damalige Zeit recht schnell. Offene Modelle waren gut für 120 km/h und zeichneten sich bei Ausdauerprüfungen auf der nahe liegenden Indianapolis-Rennpiste aus. Mit einem Fahrgestell wurden in 21 Tagen 28 000 km zurückgelegt, und ein voll ausgerüsteter Tourenwagen lief 5000 km nonstop (sogar während der Reifenwechsel ließ man den Motor laufen) mit Hilfe eines zweiten Duesenberg Modell A, der als Benzintanker diente. Die Durchschnittsgeschwindigkeit betrug bei dieser Demonstrationsfahrt ziemlich genau 100 km/h. Sogar als das Modell A veraltet war, erfreuten sich die Motoren eines neuen Lebens für die sogenannte «Junk Formula» (Abbruchformel), nach der das 500-Meilen-Rennen von Indianapolis während einiger Jahre ausgetragen wurde. Ein Duesenberg Special kam 1930 auf den 5. Platz, und es folgten ein 6. Platz im Rennen von 1931 und ein 7. ein Jahr später. Zwischen 500 und 650 Duesenberg-Modell-A-Wagen wurden bis 1926 hergestellt. In diesem Jahr wurde die Unternehmung durch den dynamischen E. L. Cord von Auburn übernommen.
Bereits unter der Leitung von Cord entstand eine Handvoll Duesenberg Modell X (vielleicht ein Dutzend), um den Namen beim Publikum in Erinnerung zu halten. Dabei handelte es sich um nicht viel mehr als Modell-A-Wagen mit Hypoidachsantrieb und einem Radstand von 342 cm, die dazu verwendet wurden, verschiedene stilistische Versuche durchzuführen. Ein Sedan wies die bei Auburn gepflegte Farbtrennung auf, ein anderes Fahrgestell trug eine Spitzheck-Speedster-Karosserie, und ein dritter Wagen war als Phaeton karossiert und trug einen Spitzkühler in der Art, wie sie später beim Modell J wieder verwendet wurden. Ein spätes Modell A wurde am Salon in Paris des Jahres 1926 gezeigt, doch begannen die Verkäufe in Europa erst mit der Einführung des Modells J – in Frankreich sehr gekonnt von den Ausstellräumen von E. Z. Sadovich aus unterstützt.
Das unglaubliche Modell J wurde im Winter 1928 angekündigt und erstmals anläßlich des Salons der Importeure in New York gezeigt. Während dieser Wagen kaum eine Eigenheit oder ein Merkmal aufwies, das man nicht schon vorher an einem Luxusautomobil gesehen hätte, war ihre Kombination gewiß einmalig. Sein 6,9-Liter-Achtzylinder-Reihenmotor brüstete sich mit zwei obenliegenden Nockenwellen, und seine Leistung wurde mit verblüffenden 265 PS angegeben. Im Vergleich dazu: Bentley Speed Six 180 PS, Hispano-

1

1 Auch das Steinschlag-Schutzgitter konnte aus dem Duesenberg Modell A keine Schönheit machen. Roadster-Karosserie von Rubay aus Cleveland, Ohio (1925).

2 Duesenberg J mit Murphy-Sport-Sedan-Karosserie. Die stark schräggestellte Windschutzscheibe war typisch für die ersten Aufbauten dieses Karossiers auf den großen Duesenberg-Fahrgestellen (1929).

3 Mächtiges Kühlergesicht: ein Duesenberg J mit senkrechten Kühlerjalousien, die bereits sehr früh eingeführt wurden (1930.)

2

3

Suiza 46 CV in seiner sportlichsten Ausführung 170 PS und der Mercedes SS mit eingeschaltetem Kompressor 225 PS (bis dahin besaß der Duesenberg noch keinen Kompressor). Frühe Berichte nannten eine Spitzengeschwindigkeit von 186 km/h im 3. und von 142 km/h im 2. Gang mit einer Beschleunigung von 0 auf 130 km/h in 22 Sekunden. Ein kompletter Wagen kostete von 13 500 Dollar an aufwärts, was sich erschrekkend hoch anhörte. Der Preis war aber, wenn man ihn in die Währungen der Alten Welt umrechnete, nicht höher als jener, den die Briten für einen 40/50-HP-Rolls-Royce oder die Deutschen für einen DS8-Maybach bezahlten. Die «Twenty-Grand»-Legende (20 000 Dollar) hat ihre Wurzeln im Preisschild, das ein herrlicher SJ Sports-Saloon trug, der 1933 an der Ausstellung in Chicago gezeigt wurde. In Tat und Wahrheit wurden in Amerika nur sehr wenige Duesenberg verkauft, die auch nur annähernd soviel kosteten.

Die Duesenberg-J-Inserate waren noch würdevoller als jene von Rolls-Royce. Während die englische Firma von Derby fast ausnahmslos ein Beispiel von «The Best Car in the World» zeigte, begnügte sich die Firma aus Indianapolis damit, typische Kunden vor einem Hintergrund des Reichtums (einem Country Club oder vielleicht einem Swimming-pool) abzubilden und die einfache Bemerkung dazuzufügen: «Er (oder sie) fährt einen Duesenberg.»

Die Verkäufe waren beeindruckend und beliefen sich zwischen 1929 und 1937 auf etwa 470 ausgelieferte Wagen. Der J gefiel den wirklichen Kennern in allen Lebensbereichen. Unter den königlichen Besitzern befanden sich König Alfonso XIII. von Spanien und Prinz Nikolaus von Rumänien, der zwei mit leichten Sportkarosserien versehene Duesenberg 1933 im 24-Stunden-Rennen von Le Mans starten ließ. Die Europäer hatten den sensationellen Sieg des Amerikaners Jimmy Murphy im Grand Prix von Frankreich im Jahre 1921, den er am Steuer eines 3-Liter-Reihenachtzylinder-Wagens mit den berühmten hydraulischen Bremsen des Modells A errungen hatte, noch nicht vergessen. Andere berühmte Kunden kamen aus der Welt des Films (Clark Gable, Gary Cooper, Howard Hughes, Dolores del Rio), des «Big Business» (W. R. Hearst jr., Philip K. Wrigley), der Politik (Jimmy Walker, Frank Hague) und sogar des Bridge (Eli Culbertson). Der schwarze Evangelist «Göttlicher Vater» reiste in einem riesigen Landaulett mit auf 457,6 cm verlängertem Radstand.

Was diese – und andere, weniger berühmte – Kunden kauften, war in mehr als einer Beziehung unamerikanisch. Es ist wahr, die elektrische Benzinpumpe war bei anderen amerikanischen Wagen bereits 1929 nicht unbekannt. Bei Duesenberg förderte sie den Brennstoff vom hintenliegenden 100-Liter-Tank. Die 6-Volt-Spulenzündung (hier wurden zwei Spulen eingebaut) war durchaus normal, genauso das mit dem Motor verblockte Dreiganggetriebe und die Roßlenkung mit Finger und Lenkhebel. Abgesehen von der massiven Bauart mit Längsträgern von 20,6 cm Höhe und sieben ebenfalls sehr stark dimensionierten Querstreben war auch der Rahmen durchaus orthodox. Hypoidverzahnung für den Hinterachsantrieb war bereits beim Modell X verwendet worden – ganz zu schweigen von Packard und den neuesten Pierce-Arrow. Um diese Zeit hatten auch schon andere Firmen, darunter verschiedene mit großer Produktion, die von Duesenberg eingeführten hydraulischen Bremsen übernommen. Jene des

Modells J waren allerdings Innenbackenbremsen mit Trommeln von 381 mm Durchmesser, die durch eine Getriebehandbremse ergänzt wurden. «Die großen Abmessungen», kommentierte der Katalog, «erlauben es, die Bremsen auf der Straße dauernd zu benutzen!» Sogar beim teuren Locomobile konnten die Drahtspeichenräder eine kostspielige Sonderausrüstung sein, Duesenberg montierte sie nicht nur in der Normalausführung, sondern verchromte die Speichen und gab sogar kostenlos zwei Reserveräder dazu. Dies bei einem Fahrgestellpreis von 8500 Dollar.

Noch weniger amerikanisch war das Triebwerk. Dieser auf der Rennerfahrung basierende Monstermotor wies die Abmessungen 95,2 × 120,7 mm, entsprechend einem

4

5

Hubraum von 6882 cm³, auf. Nach heutigen Begriffen erscheint das Kompressionsverhältnis von 5,2:1 niedrig, aber die Ventile (je zwei Einlaß- und zwei Auspuffventile pro Zylinder) wurden durch zwei kettenangetriebene obenliegende Nockenwellen betätigt. Sie waren in einem Winkel von 70° geneigt, und die Brennräume waren halbkugelförmig. Die ausgewuchtete Kurbelwelle aus legiertem Stahl wog 67,5 kg und drehte wie jene der Rennmotoren der Firma in fünf Lagern. Druckumlaufschmierung und Pumpenkühlung mit einem Thermostat vervollständigten die Spezifikationen. Für die Gemischaufbereitung wurde ein Doppelvergaser von Schebler verwendet. Unter der Motorhaube wurde größter Wert auf sorgfältigen Finish gelegt. Die Ansaugkanäle waren verchromt.

Während drei Vorwärtsgänge in eher etwas großen Stufen genügten, war die Kupplung eine robuste Zweischeiben-Angelegenheit. Die Ausrüstung war mit einer vom Motor aus gesteuerten Zentralchassisschmierung, welche in Abständen von 130 km automatisch betätigt wurde, sehr vollständig. Eine ganze Reihe von sinnreichen Kontroll- und Warnlampen erlaubten die Überwachung der Zündung, des Ölstandes und der Zentralchassisschmierung. Der Geschwindigkeitsmesser reichte bis 150 mph (240 km/h) und der Drehzahlmesser bis 5000 U/min. Das Armaturenbrett enthielt auch einen Höhenmesser und ein Druckanzeigeinstrument für die Bremsen. So kam es einem unerwarteten Schock gleich, als die meisten Duesenberg J mit dem häßlichen Trommelgeschwindigkeitsmesser, wie er auch bei den billigen amerikanischen Autos verwendet wurde, ausgerüstet wurden. Ein klassisches Rundinstrument mit Zeiger war zwar erhältlich, wurde aber selten montiert. Überraschend ist auch die ziemliche Seltenheit der «Duesenberg»-Kühlerfigur, die nur etwa 300 Wagen zierte. Die übliche Radstandlänge betrug 360 oder 390 cm. Die einzigen Ausnahmen bildete das überaus lange Landaulett des «Göttlichen Vaters» und ein Paar von superkurzen (317 cm) Spezial-Speedster mit Kompressor, die 1935 für Clark Gable und Gary Cooper gebaut wurden. Obgleich der Duesenberg nie als «Vollaluminium-Automobil» propagiert wurde, war der Anteil an Leichtmetall sehr hoch. Er umfaßte Kolben, Pleuel, Wasserpumpe, Benzinpumpengehäuse, Nokkenwellenantriebs-Abdeckung, Differentialgehäuse und das Armaturenbrett.

Zahlreiche Legenden umranken den Motor. Es ist nicht ganz so einfach, dessen 265 PS zu widerlegen. Bedeutend leichter kann man die Geschichte übergehen, der Duesenberg sei nichts als ein zusammengeflickter Wagen gewesen, weil Lycoming das Triebwerk herstellte. Als Motorenwerk der Cord Corporation war Lycoming auf jeden Fall dafür verantwortlich. Kurz: eine Leistung von etwa 210 PS kam der Wahrheit wahrscheinlich schon viel näher. Wir wissen auch nicht, ob die behaupteten 185 km/h mit einem Tourenwagen mit kompletter Straßenausrüstung und einem Gewicht von rund 2340 kg erzielt wurden. Was immer man als Maßstab nimmt, der J war sehr schnell, und 160 km/h waren leicht erreichbar, sogar mit geschlossenen Karosserien. Der Benzinverbrauch war mit 21 bis 29 Liter pro 100 km beträchtlich, doch das störte jene Leute, die für ein Automobil 15 000 Dollar oder mehr bezahlten, kaum ernsthaft. Die Ventilbetätigung war lärmig, besonders bei hohen Geschwindigkeiten, aber im Gegensatz zu vielen seiner Konkurrenten litt der Duesenberg nicht unter Schwingungen bei einer kritischen Drehzahl. Das Getriebe besaß eine mißliche Schaltung, und die Kupplung erforderte großen Kraftaufwand, doch die Lenkung war leichtgängig und für einen Wagen dieser Größe ziemlich direkt. Die Bremsen waren wahrscheinlich die besten, die man in Amerika im Jahre 1929 kaufen konnte. Die Schwierigkeit liegt darin, einen fairen Maßstab zu finden, an dem man den Duesenberg messen kann, weil er zeitlich zum Beispiel sowohl den Rolls-Royce Phantom I wie auch den Phantom III überdeckt.

Auf der Guthabenseite dieser Maschine steht ohne Zweifel, daß nur verhältnismäßig wenige Änderungen im Laufe der Produktionszeit von acht Jahren als notwendig befunden wurden. Ab 1932 wurde die elektrische Benzinpumpe durch eine mechanische ergänzt, beide waren hintereinander angeordnet. Servobremsen gehörten mit Ausnahme der allerersten Wagen zur Se-

4 Der klassischste aller Duesenberg: Convertible Roadster von Murphy auf dem Modell-J-Fahrgestell (1930).

5 Flügeltüren . . . oder wenigstens fast, im Jahre 1930! Ein Duesenberg Modell J mit Murphy-Karosserie.

rienausrüstung, und von 1931 an war ein Freilauf erhältlich (allerdings selten eingebaut). Eine «kosmetische» Verbesserung war der Ersatz des ursprünglichen Spitzkühlers durch einen neuen Flachkühler mit einer V-förmigen Kühlerattrappe. Spätere Wagen erhielten 17-Zoll-Räder.

Für Kunden, welche auf der Suche nach blanker Leistung waren, gab es den 1932 eingeführten Duesenberg SJ, dessen Auburn-Schwitzer-Cummins-Zentrifugalkompressor die Leistung auf 320 PS hochtrieb. Die mechanischen Änderungen beschränkten sich auf die Verwendung von rohrförmigen Stahlpleueln anstelle jener aus Leichtmetall und zusätzlicher Dämpfung der Federung. Hinzugefügt müssen die verchromten außenliegenden Auspuffrohre werden. Diese wurden nötig, weil der Einbau des Kompressors die vorher normalerweise montierten innenliegenden Auspuffleitungen nicht mehr zuließ. (Diese imposanten Auspuffrohre bedeuteten nicht unbedingt, daß es sich um einen SJ handelte. Sie konnten gegen einen Aufpreis von 930 Dollar auch bei einem kompressorlosen J angebracht werden. Für diesen Preis erhielt man auch einen der billigen Buick.)

**6** Einige Wagen erhielten europäische Karosserien. Hier ein Graber-Cabriolet aus der Schweiz (1934).

**7** Einer der beiden superkurzen Duesenberg SJ Speedster, die 1935 für Clark Gable und Gary Cooper gebaut wurden. Obgleich moderne Nachbauten sich auf diese Ausführung abstützten, sind nur zwei Originale hergestellt worden.

**8** Motor des superkurzen Duesenberg SJ Speedster, der Gary Cooper gehörte. Dieser Wagen befindet sich im Briggs-Cunningham-Museum in Costa Mesa, Kalifornien.

Die angegebene Höchstgeschwindigkeit betrug 208 km/h, frisierte Motoren mit Spezialansaugleitungen erbrachten 400 PS. Ein solcher Motor mit einer Doppelvergaseranlage wurde in den speziellen Stromlinien-Speedster eingebaut, mit welchem Ab Jenkins im Jahre 1935 den Weltstundenrekord mit 243,432 km/h aufstellte. Zugegeben, dieser Wagen war mit einer extralangen Hinterachsuntersetzung von 3:1 ausgerüstet, wogegen die längste im Katalog aufgeführte Hinterachse im Verhältnis 3,8:1 untersetzt war. Der Rekordwagen wog immerhin 2175 kg, und er wurde von Jenkins und den späteren Besitzern recht ausgiebig im normalen Verkehr eingesetzt.

Es gab eine endlose Auswahl an Karosserieaufbauten, wobei häufig die einfachsten zugleich die besten waren. Die empfohlenen Typen reichten von Murphys elegantem Convertible Roadster (es wurden 129 solcher Wagen zu einem durchschnittlichen Preis von 13 500 Dollar verkauft) bis zu den sorgfältig gearbeiteten und reichen Stadtwagen von Rollston und Le Baron oder den strengen und etwas steifen Limousinen von Willoughby und Judkins. Rund 50 Duesenberg wurden in Europa, teilweise für amerikanische Kunden, aufgebaut. Folgende Karossiers arbeiteten am J: Graber, Schweiz; Vanden Plas und D'Ieteren, Belgien; Figoni, Franay, Hibbard und Darrin, Letourneur, Frankreich; Barker und Gurney Nutting, England. Es gab aber auch absonderliche Ausführungen wie etwa die Berline von Judkins mit handgesticktem Seideninterieur und Schränklein, die mit einem kompletten Sortiment von Elizabeth-Arden-Kosmetika ausgestattet waren. Ein anderer Wagen, der angeblich 25 000 Dollar gekostet haben soll, wurde erst 1934 von Walker als gewebeüberzogenes Fastbackcoupé karossiert. Merkwürdig ist der Geschmack einiger Kunden: ein sonst wunderschöner Convertible Sedan (viertüriges Cabriolet) von Bohman und Schwartz erhielt anstelle des tatsächlich versteckten stolzen Duesenberg-Kühlers ein Übermaß an Chrom und einen scheinbar vergrößerten 1934-Pontiac-Grill. Besonders gelungen waren die mit zwei Windschutzscheiben versehenen Phaeton von Brunn, Le Baron, Walker und La Grande. Letzteres war der Deckname für Union City, eine der Karosseriefilialen der Cord Corporation. Verschiedene Bootsheck-Speedster

8

zierten Duesenberg-Fahrgestelle, sonderbarerweise weiß man aber nur von einem einzigen «gewöhnlichen» Roadster, der gebaut worden ist.

Auf der Spitze seines Ruhmes verkaufte sich der Typ J gut. Zwischen Oktober 1931 und Januar 1932 brachte der Importeur Sadovich, Paris, allein nicht weniger als 14 Duesenberg unter die Leute. Aber seine Stunden waren gezählt. Zusammen mit den zwei spektakulären extrakurzen Speedster kamen im Jahre 1935 einige überarbeitete Wagen auf den Markt. Der Typ JN (Sedan, Convertible Sedan und Convertible Coupé) mit Karosserien von Rollston, seitlich heruntergezogenen Kotflügeln und 17-Zoll-Rädern trug indessen nur 12 Wagen zum Jahresgesamtverkauf von 32 Duesenberg bei. Später wurden keine Verkaufsangaben mehr gemacht. Das letzte Fahrgestell, das offiziell fertiggestellt wurde (J 585), war ein SJ-Speedster mit Gurney-Nutting-Karosserie. Es war eines von vielleicht insgesamt sechs Fahrgestellen mit Rechtslenkung, und Käufer war der indische Prinz, Maharaja Holkar of Indore. Der letzte Wagen allerdings, der ausgeliefert wurde, war ein Typ SJ mit langem Radstand und einer Rollston-Convertible-Sedan-Karosserie mit deutscher Linienführung. Die Montage erfolgte 1938 in Chicago, nachdem die Fabrik ihre Tore bereits geschlossen hatte.

Es wurden verschiedene Versuche zur Wiederbelebung der Marke unternommen. Der erste erfolgte bereits 1948 durch Marshall Merkes und August Duesenberg (Fred starb 1932 an einer Lungenentzündung nach einem Unfall beim Testen eines SJ). Der Plan sah einen Wagen eigener Prägung mit einem speziell dafür entwickelten Motor vor, doch wurde er durch das vorherrschende Wirtschaftsklima zunichte gemacht. Ein zweiter Anlauf im Jahre 1966 brachte nur ein zusammengeschustertes Fahrzeug mit einem Chrysler-V8-Motor hervor. Seit 1971 allerdings produziert eine kleine Firma in Kalifornien unter der Leitung von E. W. Rose einen überzeugenden Nachbau des extrakurzen Speedster von 1935 mit einem geringfügig längeren Radstand (3,25 m). Der Rahmen aus U-förmigen Längsträgern, die Halbelliptikfedern und die 18-Zoll-Räder machen es schwierig, den Nachbau äußerlich vom Original zu unterscheiden. Anfänglich wurden ein 6,3-Liter-Chrysler-Motor mit Turbokompressor, der 500 PS leistet, und ein automatisches Lastwagengetriebe eingebaut.

Vielleicht die größte Hochachtung, die dem Typ J gezollt wird, zeigt sich in der hohen Überlebensrate. Vom Total von 470 Wagen mögen es 270 bis 300 Exemplare sein, die uns erhalten blieben.

9 Duesenberg SJ mit der als Einzelanfertigung von Bohman and Schwartz gebauten Karosserie. Sowohl die zweite Windschutzscheibe als auch das Verdeck konnten völlig versenkt werden. Hinter der Pontiac-Kühlerverschalung befindet sich ein echter verchromter Duesenberg-Kühler (1936).

10 Der Schweizer Karossier Hermann Graber baute 1937 auf dem Duesenberg-Fahrgestell diesen zweisitzigen Roadster auf.

# **Franklin** *Der heiße Wüstenwind bläst von Syracuse*

Der Franklin wurde in Syracuse im Staate New York hergestellt und war einmalig unter den amerikanischen Klassikern.

Erstens war Herbert H. Franklin ein überzeugter und treuer Vorkämpfer der Luftkühlung, eines Konstruktionsprinzips, das er während seiner langen Karriere als Automobilhersteller nie verließ. Zweitens besaß jeder Franklin, der bis 1927 gebaut wurde, einen Eschenholzrahmen, der gewiß 50 Prozent leichter ausfiel als ein solcher aus gepreßtem Stahl. Immerhin mögen verschiedene Leute bezweifeln, daß er 65 Prozent stärker war, wie dies John Wilkinson, der langjährige Chefkonstrukteur der Firma, zu behaupten beliebte. Schließlich hielten sich die vollelliptischen Federn der Wagen bis fast zum Ende und fanden sich, bis auf die beiden letzten Konstruktionen, bei allen Modellen.

Franklins Bekenntnis zum «wissenschaftlichen Leichtgewicht» umfaßte auch rohrförmige Vorderachsen und einen großzügigen Einsatz von Aluminium. Als Pioniere der Aluminiumkolben verwendeten sie Dural-Pleuelstangen in den Motoren der Serie 10 im Jahre 1922. Wilkinson (wie auch Howard Marmon) experimentierte mit Aluminiumkotflügeln, bis die hartnäckig sich immer wiederholenden Steinschlagschäden ihn davon überzeugten, daß sich deren Verwendung bei der geringfügigen Gewichtseinsparung von 350 kg pro Wagen nicht lohnte. Achsen und Radaufhängung der Franklin-Wagen waren reifenschonend. Schon vor 1920, als eine Pneulebensdauer von 8000 km normalerweise als durchaus annehmbar galt, bestätigten Besitzer eine solche von etwa 32 000 km. Vor allem aber war der Franklin, gemessen am amerikanischen Standard, ein kleiner Wagen. Die Serie 11 im Jahre 1925, als erste der klassischen Reihe, besaß einen Motor von lediglich 3,3 Litern Hubraum, einen Radstand von 3,023 m und wog mit Sedankarosserie nur wenig mehr als 1500 kg. Die normalen Franklin waren nicht überaus teuer, 1925/26 kostete ein Sedan 3225 Dollar. Die nur mittelmäßige Leistungsfähigkeit – ein Franklin Serie 11 lief etwa 90 bis 95 km/h in der Ebene – wurde durch den erstklassigen Fahrkomfort auf schlechten Straßen wettgemacht. Ein Wagen der Serie 9 mit einer Motorleistung von nur 31 PS schlug einmal einen riesigen 120-PS-McFairlan-Sechszylinder auf einer Prüfungsfahrt von New York nach Montreal.

Hier haben wir vielleicht die klassische Ausnahme von der festgefügten Regel, daß Amerikaner nur konventionelle Wagen kaufen. Die ganzen zwanziger Jahre hindurch erwarben sie Franklin-Wagen in der Größenordnung von etwa 10 000 Exemplaren pro Jahr. Die Verkäufe steigerten sich auf hervorragende 14 432 Wagen im Jahre 1929.

Der zu Beginn der zwanziger Jahre angebotene Wagen der Serie 9 besaß natürlich den Eschenrahmen und vollelliptische Federn. Eine Fußbremse auf die Kraftübertragung mußte vorerst noch genügen. Das Getriebe war nach amerikanischer Manier mit drei Vorwärtsgängen ausgerüstet und mit dem Motor verblockt. Es

wurde eine Ölbad-Mehrscheibenkupplung eingebaut (eine Einscheiben-Trockenkupplung erschien bei der Serie 10 im Jahre 1922). Merkwürdigerweise wurde die 12-Volt-Elektroanlage bis Ende 1923 beibehalten. Der Motor besaß einen Hubraum von 3,3 Litern. Die einzelnen Graugußzylinder hatten getrennte, aber nicht abnehmbare Aluminiumköpfe und Leichtmetallmäntel mit eingefügten senkrechten Kühlrippen aus Kupfer-Stahl. Während bei der Serie 9 eine durch den Schwungradventilator erzeugte Zugluftkühlung eingesetzt wurde, ersetzte man diese Anordnung bei der Serie 10 durch einen an der Stirnseite des Motors angebrachten Kühlventilator vom Typ Sirocco, der an der Nase der siebenfach gelagerten Kurbelwelle festgekeilt wurde. Der Saugstromvergaser enthielt einen elektrischen Choke, der von Franklin als Pionier schon 1917 eingeführt worden war. Der Radstand betrug 2,92 m, und ein Tourenwagen wog nur 1045 kg. Das Aussehen war individuell: die Serie 9 besaß eine an Renault erinnernde Motorhaube, wie sie seit 1912 verwendet worden war. Diese wurde 1922 bis 1925 bei der Serie 10 durch eine häßliche «Pferde-Kummet»-Geschichte ersetzt, die nach vorne abfiel und einen Hauch vom zeitgenössischen Fiat-Kühler um sich hatte.

An diesem Punkt in der Geschichte der Marke kam Ralph Hamlin, der Franklin-Vertreter in der wichtigen Gegend von Los Angeles, ins Spiel. Seiner Ansicht nach wurden die Verkaufsmöglichkeiten durch das «luftgekühlte» Aussehen der Wagen beschnitten, und er drohte seine Vertretung abzugeben, falls die Franklin nicht mit einem «richtigen Kühler» versehen würden.

1 Franklin Modell 11, einer der kleinsten der echten amerikanischen Klassiker (1925).

2 Das Coupé auf dem Fahrgestell des Franklin Modell 11 war vielleicht die erfolgreichste Schöpfung von Frank de Causse für die Marke (1926).

Herbert Franklin war einsichtig und setzte J. Frank de Causse für die Aufgabe ein, den Wagen ein neues Aussehen zu verschaffen. Sie erhielten in der Folge einen falschen Kühler mit drei senkrechten Stäben und in der Mitte eine runde, verchromte Verzierung, mit welcher der Kühlventilator symbolisiert wurde. De Causse schuf auch einige kantige, aber attraktive Karosserien. Bemerkenswert unter ihnen waren ein Roadster und ein zweisitziges Coupé, beide mit Bootsheck. Obgleich er bald darauf starb, wurde seine gute Arbeit von Ray Dietrich fortgesetzt, und Franklin erzielte trotz konservativer Spezifikationen wie Bremsen auf die Hinterräder und das Getriebe regelmäßige Verkäufe. Das «wassergekühlte» Aussehen war allerdings zuviel für John Wilkinson, und er kündigte auf der Stelle.

Die Serie 11 wurde in den Jahren 1926 und 1927 ohne Änderungen gebaut. Mit einer Reihe von hervorragenden Karosserien von Brunn, Derham, Holbrook und Merrimac sowie aus Dietrichs eigener Werkstätte kündigten sich aber große Tage an. Als Firma war Franklin immer stark auf eine anspruchsvolle Kundschaft, die Maßarbeit wünschte, ausgerichtet. Schon 1923, als der Begriff «Styling» noch nicht geprägt war, offerierte sie jede vom Kunden gewünschte Farbe gegen den bescheidenen Aufpreis von 25 Dollar auf den Listenpreis. Nach 1927 vervielfachten sich die Spezialausführungen – allerdings mit Kostenfolgen. 1928 wurde der mit Fabrikkarosserie ausgerüstete Serie-12-Airman-Sport-Sedan zum Preis von 3100 Dollar verkauft, aber das «Enclosed Drive Cabriolet» (Landaulett) von Dietrich stand mit 5400 Dollar in der Preisliste, und exotischere Varianten kosteten bis zu 7000 Dollar – soviel Geld wurde in der Regel für Pierce-Arrow-Wagen bezahlt. Der Katalog von 1931 zeigte rund 45 Franklin-Autos in Standard- und Spezialausführungen. Bei diesem breiten Sortiment wurde der Firma die Schwierigkeit aufgebürdet, 20 verschiedene und nicht austauschbare Vordertüren und 25 verschiedene Ausführungen von Hinterpartien herstellen und vorrätig haben zu müssen. Einige der Karosserien besaßen eine bemerkenswerte Eleganz, besonders wenn man bedenkt, daß in Syracuse die Vorstellung eines langen Chassis nicht über einen Rad-

2

stand von 135 Zoll (3,36 m) hinausreichte, und dies sogar erst 1931. Es gab drei verschiedene Varianten des Victoria (4/5plätzige Sport-Coach) von Derham, Dietrich und Merrimac. Bei den offenen Wagen nahm der Speedster von Dietrich den ersten Platz ein. Allerdings war die Bezeichnung irreführend, denn es war in Wirklichkeit ein viertüriges Cabriolet mit Kofferraum. Der in der Fabrik selber aufgebaute Pirate, ebenfalls ein viertüriges Cabriolet, besaß eine geschweifte Heckpartie, und die Türen waren bis auf die Höhe der Trittbretter hinuntergezogen. Das mit zweifach ausgeführter Windschutzscheibe versehene Modell Pursuit wies ähnliche Linien auf, war jedoch ein echter Tourenwagen mit abnehmbaren Seitenteilen. Walker (American Weymann) trug einen futuristischen geschlossenen Sportwagen bei, wo die keilförmige Windschutzscheibe in der entsprechenden Heckscheibe ein Gegenstück erhielt. Das Thema wurde durch eine Rippe in der geschwungenen hinteren Abschlußpartie fortgesetzt.
Ansprechende Karosserien allein waren indessen nicht genug, und ab 1927 investierte Franklin einen Betrag von etwa 700 000 Dollar in die technische Entwicklung, die von Carl Doman und Edward Marks geleitet wurde. Bei den Wagen der Serie 12 oder Airman des Jahres 1928 wurde der Hubraum auf 3,9 Liter vergrößert, was die Leistung zusammen mit den tulpenförmigen Einlaßventilen und doppelten Ventilfedern auf 46 PS bei 2500 U/min anhob. Zwar wurde die Aufhängung unverändert beibehalten, aber alle Franklin besaßen nun hydraulische Vierradbremsen mit Innenbakken und Trommeln von 345 mm Durchmesser. Das neue, lange Chassis (3,45 m) hatte einen konventionellen doppelt gekröpften und gepreßten Stahlrahmen. Diese Bauweise wurde ein Jahr später auch für die kürzeren Serie-130-Wagen gewählt, als diese Sicherheitsglas erhielten. Die Luxusmodelle 135 und 137 wurden leistungsfähiger (4,5 Liter, 60 PS) und konnten wahlweise mit 3,36 m Radstand bestellt werden. Ebenfalls im Jahre 1929 wurden erstmals Dreigang-Synchrongetriebe von Warner eingebaut. Ab 1930 gehörten diese zur Normalausrüstung, wobei für jene Kunden, die sportlichere Abstufungen suchten, ein Vierganggetriebe von der Detroit Gear eingebaut werden konnte. (Bei diesem Getriebe war der 1. Gang in erster Linie ein Notgang, der im normalen Betrieb gar nicht gebraucht wurde.)
Ebenfalls 1930 erfolgte mit dem einfacheren «Kühler» mit thermostatisch gesteuerter Jalousie der erste bedeutende Stilwechsel seit 1925. Dahinter steckte Domans neuer Motor mit quer zur Kurbelwellenachse angeordneten Ventilen. Die Zylinderbüchsen waren nun aus Nickel, die gegossenen Köpfe wiederum aus Aluminium, wobei die Kühlrippen jetzt waagrecht statt senkrecht angeordnet waren. Der Ventilator wies einen größeren Durchmesser auf, wobei der Kraftverlust von 20 auf 4,2 PS verringert werden konnte, was in einer auf 95 PS gestiegenen Leistung des Motors zum Ausdruck kam. Mit einem Differentialgehäuse aus Leichtmetall wurde weiter Gewicht eingespart, und die Franklin waren nun mit zwei Radständen, nämlich 3,17 oder 3,36 m, erhältlich. Die Modelle des Jahres 1931 blieben grundsätzlich unverändert, doch wurden bedauerlicherweise davon weniger hergestellt. Der Name «Airman» war gerechtfertigt – einer dieser Motoren war erfolg-

3 Franklin Airman Roadster am Pariser Salon des Jahres 1930. Dahinter rechts ist ein Sport Sedan erkennbar.

4 Der Motor des Franklin Six in seiner endgültigen Form, wie er von 1930 an produziert wurde.

5 Der «Speedster»-Entwurf von Ray Dietrich für Franklin war in Wirklichkeit eine Convertible-Sedan-Karosserie. Diese Ausführung wurde während mehrerer Jahre angeboten. Hier eine Ausgabe des Jahres 1932 auf dem Airman-Six-Fahrgestell.

6 Franklin Airman Six Sedan (1932).

3

4

5

6

reich in einem Leichtflugzeug eingebaut worden, und unter den Franklin-Kunden fanden sich der Flugzeugfabrikant Donald Douglas und die Flieger Amelia Earhart und Charles Lindbergh. Insgesamt zählte Franklin in diesem Jahr nur 3921 neue Kunden.

Ein Jahr später waren es weniger als 2000, ungeachtet der modernisierten Karosserien mit den nun aufkommenden seitlich heruntergezogenen Kotflügeln, den fernverstellbaren Stoßdämpfern, dem Freilauf und dem automatischen Startix-Anlasser. Das Vierganggetriebe wurde nicht mehr angeboten, aber die neuesten Motoren leisteten dank dem, was die Werbung als Kompressor ausgab, 107 PS. In Wirklichkeit war es lediglich ein durch den Fahrer betätigter Ansaugstutzen, der, wenn geöffnet, einen bescheidenen Druck von 2 psi (0,14 atü) aus der Luftkühlkammer bewirkte.

Franklin gesellte sich ebenfalls zu den Giganten – Cadillac, Lincoln, Packard und Pierce-Arrow – im großen Rennen der Vielzylindermotoren. Natürlich mit Luftkühlung ausgerüstet, besaß der Zwölfzylindermotor der Serie 17 die Abmessungen 82,5 × 102 mm, entsprechend einem Hubraum von 6,6 Litern. Die Leistung betrug

150 PS, der Radstand 3,658 m. Bedauerlicherweise konnte das Gewicht des Sedan von 2540 kg in dieser Kategorie nicht mehr als leicht bezeichnet werden. Der Mann von der Bank war dazwischengetreten.

Die Idee, einen V12 zu bauen, ging bei Franklin auf das Jahr 1929 zurück. Damals hatte man ein Entwicklungsprogramm unter der Leitung von Flugzeugingenieur Glenn Shoemaker begonnen. Shoemaker war vorher im Versuchsbetrieb des US Army Air Corps in McCook Field tätig gewesen. Seine Vorstellungen, und jene von Doman, gingen dahin, ein Airman-Fahrgestell leicht zu verlängern. Eine rohrförmige Vorderachse, ein Differentialgehäuse aus Aluminium und vollelliptische Federn waren vorgesehen. Eine Verlängerung des Radstandes um 12,7 cm sollte genügen, den großen Motor unterzubringen, und nach ihren Berechnungen betrug das Mehrgewicht gegenüber dem normalen Sechszylinder-Sedan nur etwa 225 kg. Ihre Ideen über die Triebwerke waren ebenfalls sehr ehrgeizig. Eine der geprüften Ausführungen war ein Monstrum mit einem Hubraum von nahezu 9 Litern. Dieser Motor leistete erfreuliche 250 PS, womit man nur gerade vom Duesenberg übertroffen worden wäre, aber schließlich entschloß man sich für die 6,6-Liter-Version.

Unglücklicherweise führten alle diese Entwicklungsarbeiten dazu, daß Franklin bei den Banken mit 5 Millionen Dollar in der Kreide stand – und die Banken wollten nicht warten. Ihr Bevollmächtigter, Frank McEwen, hatte den Spitznamen «Der Leichenbestatter». Obgleich es ihm nicht gelang, den V12 zu begraben, tat er bestimmt nichts, um ihn zu fördern. Wirtschaftliche Erwägungen forderten nicht nur Halbelliptikfedern, sondern auch eine schwere Columbia-Hinterachse anstelle der eigenen Ausführung. Die Karosserien mögen mit der schräggestellten Windschutzscheibe, passend zum aggressiven Spitzkühler des neuen Wagens, attrakiv gewesen sein, aber angeblich waren sie das Resultat der Studien von Le Baron für Lincoln – wo sie zurückgewiesen worden waren. Trotz all dieser Hindernisse war der Franklin Serie 17 eine ausdauernde und schnelle Maschine, die auf langen Strecken 115 km/h erreichte. Beim Motor folgte man der zeitgenössischen Franklin-Bauweise bis hin zum Luftansaugstutzen-«Kompressor». Jeder Block erhielt eine Nockenwelle, die Brennstoffförderung erfolgte mittels einer mechanischen Pumpe, eine Zweiplattenkupplung wurde verwendet, und in Verbindung mit der doppelt untersetzten Hinterachse nach Auburn-Vorbild wurde ein konventionelles Dreiganggetriebe eingebaut. Im Angebot figurierten keine Spezialkarosserien mehr, sondern nur die Ausführungen Sedan, Limousine sowie ein zweitüriger «Club Brougham» (erneut das Coach/Victoria-Thema). Das Armaturenbrett enthielt runde Instrumente mit schwarzen Zifferblättern, ein sehr begrüßenswerter Wechsel von den häßlichen Senkrechtinstrumenten der Serie 11.

Nur gerade 200 Franklin-Serie-17-Wagen fanden Käufer, obgleich dieses Modell nebst einem modernisierten Airman bis zum Ende überlebte. Die Preise wurden in rasender Folge von 4400 Dollar im Jahre 1932 auf 2885 Dollar im folgenden Jahr gesenkt. Die Sechszylindermodelle erhielten nun auch den Spitzkühler des großen Bruders, aber einige merkwürdige Improvisationen schienen erforderlich gewesen zu sein, um die Wagen moderner aussehen zu lassen. Es waren Kriegslisten ähnlich jenen, wie sie Hotchkiss nach 1949 anwendete. Die Karosserien sahen dank ihrer längeren Motorhauben und den Kofferräumen anders aus. Eine genauere Untersuchung brachte allerdings an den Tag, daß diese Kofferräume an die bestehenden Karosserien von 1932 angeschweißt, während die neuen Heckfenster von der Serie 17 verpflanzt worden waren.

Mit dem Franklin Olympic, der im Jahre 1933 zum Spottpreis von 1385 Dollar erhältlich war, versuchte die Firma noch ein letztes verzweifeltes Aufbäumen zum Überleben. Dieser Preis wurde durch die lächerlich geringen Werkzeugkosten von nur 5000 Dollar ermöglicht. Der neue Wagen besaß den 107-PS-Airman-Sechszylinder-Motor, komplett mit «Kompressor» usw. Mit einem Gewicht von nur 1587 kg war er auch bedeutend leichter als die größeren Modelle. Er erreichte eine Geschwindigkeit von 130 km/h ohne Mühe und hatte entsprechend gute Beschleunigungswerte.

Was war passiert? Recht einfach: die kränkliche Firma hatte mit Reo, die selber auch nicht viel besser dran war, ein Abkommen getroffen. Hinter seinem Franklin-Grill im Stil von 1932 bestand der Olympic aus einem vollständigen Reo Flying Cloud Six, allerdings ohne

Motor, Kühler, Kühlerhaube und Radkappen. Dafür hatte McEwen einen Stückpreis von 525 Dollar, frei Haus geliefert, ausgehandelt. Das Paket umfaßte einen robusten Rahmen mit Kreuzverstrebung und hydraulischen Bremsen sowie das Reo-Standard-Synchrongetriebe. Weder die Kunden von Franklin noch jene von Reo selber wollten das neueste Zweibereich-Halbautomatengetriebe haben. Nachdem Reo diese Ausführungen offerierte, gab es den Olympic als Coupé, Cabriolet und auch als Sedan. Dieses uneheliche Kind verkaufte sich mit 1509 Wagen in zwei Jahren nicht schlecht, und es sprang dabei ein recht ordentlicher Gewinn heraus. Das Geschäft endete aber damit, daß der knauserige McEwen versuchte, den Preis auf 400 Dollar hinunterzudrücken, was von Reo nicht angenommen wurde. Innerhalb von Monaten war Franklin bankrott. Carl Doman übernahm die Patente für die Luftkühlung und machte sich später einen Namen mit einer Reihe von luftgekühlten Boxermotoren für leichte Flugzeuge, die in der frühen Geschichte des Helikopters eine bedeutende Rolle spielen sollten. Ein Sechszylinder-Franklin-Motor dieser Bauweise sollte ebenfalls als Triebwerk in einem sogar noch legendäreren Amerikaner Wagen dienen, dem Tucker Torpedo mit Heckmotor aus den Jahren 1946 bis 1947.

# Lincoln *Die Windhunde des Herrn Ford*

Der Lincoln war das Resultat einer Verbindung von zwei scheinbar unvereinbaren Elementen: der Maschinenbaukunst der Perfektionisten Leland, Vater und Sohn, und der Massenproduktionsmethoden des Ford-Imperiums. Bis vor kurzem besaß übrigens der Lincoln von Mr. Ford die einmalige Auszeichnung, als einziger Wagen der Nachkriegszeit den offiziellen Status eines vollwertigen Classic Cars zuerkannt erhalten zu haben.

Henry Leland war seit der Gründung der Marke Cadillac im Jahre 1902 an deren Spitze. Sein Rücktritt im Jahre 1917 hatte den Grund, daß W. C. Durant, der oberste Chef der General-Motors-Gruppe, den Cadillac-Fabriken nicht erlauben wollte, sich an dem Programm der US-Regierung für die Herstellung der Liberty-Flugzeugmotoren zu beteiligen. Sobald sie auf eigenen Füßen standen, gründeten Henry und sein Sohn Wilfred eine neue Firma, die sie nach Henrys Vorbild, dem Präsidenten Abraham Lincoln, benannten. Bis zum Ende des Ersten Weltkrieges entwickelte sich das Unternehmen mit einem Gesamtausstoß von 6500 Einheiten zum bedeutendsten Hersteller von Liberty-Motoren.

Leland ist richtigerweise schon als «Meister der Präzision» bezeichnet worden. In der jungen Firma Lincoln führte er sowohl die legendären Johansen-Lehrenblöcke wie auch die Dienste deren Erfinder ein. Die Blöcke, die in einigen Fällen eine Genauigkeit von einem millionstel Zoll aufwiesen, wurden dazu verwendet, die Präzision der Werkzeuge im Werk zu überprüfen. Sie wurden selbstverständlich von Ford im Jahre 1922 erworben, und ihre Herstellung wurde weiterhin unter der persönlichen Aufsicht von Johansen in versiegelten Räumen bei gleichbleibender Temperatur fortgesetzt.

Wie der vorausgegangene Cadillac war auch Lelands neuer Lincoln, der im Jahre 1920 lanciert wurde, mit einem V8-Motor ausgestattet. Der Gabelwinkel war nun allerdings mit 60° enger, und die nebeneinanderstehenden Ventile wiesen ebenfalls einen Neigungswinkel von 60° auf. In seiner ersten Ausführung besaß der Motor einen Hubraum von 5,8 Litern und eine Leistung von 90 PS bei 2800 U/min. Die abnehmbaren Köpfe und die Zylinder bestanden aus Grauguß, während das Kurbelgehäuse aus Aluminium gefertigt wurde. Die Nockenwelle wurde mittels Kette angetrieben, und die fünffach gelagerte Kurbelwelle hatte gegabelte Pleuelstangen. Die Kühlung erfolgte mittels Zentrifugalwasserpumpe in Verbindung mit thermostatisch gesteuerten Kühlerjalousien. Es wurde die übliche 6-Volt-Spulenzündung eingebaut und ein Vergaser eigener Konstruktion mit einer elektrischen Gemischvorwärmung, die durch das Ziehen des Chokes in Betrieb gesetzt wurde. Der Brennstoff wurde mittels Vakuum aus dem hintenliegenden 91-Liter-Tank nach vorne gefördert. Über eine trockene Mehrscheibenkupplung und ein Dreiganggetriebe, das den Antrieb für eine Reifenpumpe enthielt, wurde die Kraft über die in einem Schubrohr untergebrachte Kardanwelle auf die spiral-

1 Bevor Ford einzog. Dieser von Leyland gebaute Lincoln aus dem Jahre 1921 mit der Opera-Coupé-Karosserie mag eine gewisse Vornehmheit haben, aber es findet sich auch nicht der entfernteste Hauch von Eleganz.

verzahnte Hinterachse übertragen. Bremsen und Achsaufhängung waren konventionell. Der kastenförmige Rahmen wies einen Normalradstand von 3,3 m auf, wobei auf Wunsch ein solcher von 3,46 m erhältlich war. Der Geschwindigkeitsbereich im 3. Gang wurde für den neuen Wagen mit 5 bis 117 km/h angegeben.

Die Lincoln von Henry Leland wurden schon oft als kommerzielle Fehlschläge abgetan. Strenggenommen stimmt dies sogar, denn im Sommer 1921 verlor die Firma jeden Monat etwa 100 000 Dollar. Die monatlichen Verkäufe von rund 800 Wagen waren jedoch nicht nur beachtlich für eine völlig neue Marke (sogar für eine mit dem Leland-Familienruf im Hintergrund) und bei einem Listenpreis von über 4000 Dollar, sondern sie bedeuteten gar eine bessere Leistung als jene, die von der altbekannten Marke Pierce-Arrow in der gleichen Zeit erzielt wurde. Es ist ebenfalls nur billig zu erwähnen, daß in diesem Jahr der Depression auch Cadillac nur 5240 Wagen auslieferte. Dieses Ergebnis zeigt die Verkaufszahlen für Lincoln-Wagen vor der Übernahme durch Ford, die sich bis Anfang 1922 auf 3746 Stück bezifferten, in einem günstigen Lichte. Der eigentliche Fehler lag bei den Karosserien, die von Murray gebaut wurden und ganz den konservativen Ideen und Vorstellungen von Leland entsprachen. (Murray sollte übrigens alle weniger teuren Modelle von Lincoln bis 1934

2

2 Lincoln mit der als Einzelausführung von Judkins aufgebauten Coaching-Brougham-Karosserie. Dieser Wagen wurde durch das Automobilmuseum Harrah restauriert (1927).

3 Diese Club-Roadster-Karosserie war 1928 eine der im Katalog der Lincoln-L-Reihe aufgeführte Variante. Holzspeichenräder wurden nur noch ausnahmsweise verwendet.

4 Holzspeichenräder waren in den späten zwanziger Jahren bei den Lincoln recht ungewohnt. Hier ein Sedan mit vier Seitenfenstern auf dem Modell-L-Fahrgestell (1927).

5 Armaturenbrett beim Lincoln Modell L (1929).

6 Lincoln L mit Phaeton-Karosserie von Locke (1928).

3

4

5

6

einkleiden.) Der große Konstrukteur hatte kein Verständnis für Styling, eine Tatsache, die das fußgängerhafte Aussehen der Cadillac bis zu den Tagen von Harley Earl erklärt.

Es war nicht etwa so, daß die Übernahme der Firma durch Ford im Januar 1922 der Qualität Abbruch getan hätte. Trotzdem führte die Verstimmung Lelands dazu, daß sich die beiden im Juni des gleichen Jahres für immer trennten. Unter Edsel Ford, dem die Leitung anvertraut wurde, blieb man den alten, hohen Normen treu. Wichtiger aber war, daß Edsel ein gutes Auge für Stil hatte und persönlich die neuen Karosserie-Entwürfe, die von Firmen wie Brunn, Dietrich, Judkins, Le Baron, Murphy, Waterhouse und Willoughby unterbreitet wurden, überprüfte und auswählte. Die Aufbauten seiner Wahl durften dann in Losen von bis zu hundert Wagen ausgeführt werden. Die Montage dieser Karosserien erfolgte unter der Kontrolle von Lincoln-Technikern, und es wurden umfangreiche Prüfungsabläufe entwickelt. Lincoln-Wagen wurden mit angezogenen Bremsen im 1. Gang gefahren, die Beschleunigung im höchsten Gang wurde gemessen, und es erfolgten Zusammenstoßversuche. Eine Schule für die Ausbildung der Mechaniker der Vertragshändler wurde gegründet. In der Tat ein zwingend notwendiger Schritt, sind doch bestätigte Fälle bekanntgeworden, wo sich die Angestellten der Händler durch das Zerlegen von Wagen der Kundschaft, und gewiß nicht immer mit deren Einverständnis, in die Geheimnisse der Lincoln-Wagen einweihten. Ab 1927 gab es ein von der Fabrik ausgearbeitetes Schema für den Austausch von Motoren, das funktionierte.

Von 1922 an wurde die Bezeichnung «L» vorerst für die Achtzylinder-Lincoln verwendet. Aluminiumkolben ersetzten die frühere Ausführung aus Grauguß, und Drahtspeichenräder mit Zentralverschluß (später ersetzt durch Buffalo-Räder) wurden zu einem normalen Extra-Ausstattungs-Angebot. Die Wagen von 1924 erhielten höhere Kühler mit senkrechten statt waagrechten Jalousien (ein Jahr vor Rolls-Royce), bombierte Kotflügel, trommelförmige Scheinwerfer und hydraulische Stoßdämpfer. Balloon-Reifen und die berühmte Windhund-Kühlerfigur erschienen 1926. Die über Stangen betätigten Perrot-Vorderradbremsen wurden dem Publikum erst ein Jahr später angeboten, obschon sie bereits seit 1924 bei den Spezialmodellen der Polizei eingebaut worden waren.

Die Marke war aber auch bei den Gangstern hoch im Kurs. Zwar benutzten die Mörder des St.-Valentin-Tags 1929 einen Packard, und die jüngeren Gauner der dreißiger Jahre zogen ein anderes, leichteres und billigeres Produkt der Ford-Linie, nämlich den ersten V8 Modell 18, vor.

Die wichtigste Neuheit im Jahre 1928 war natürlich das neue Modell A von Ford, dessen Stil offensichtlich durch den Lincoln inspiriert worden war. Umgekehrt wurde das neue ovale Armaturenbrett des Ford für die Modelle L von Lincoln angepaßt, womit die etwas unordentliche Instrumentenanordnung aus den Tagen von Leland ersetzt wurde. Die Motorenleistung wurde nach wie vor mit konservativen 90 PS angegeben, und dies trotz der Hubraumvergrößerung auf 6,3 Liter. Die Zylinderabmessungen betrugen 88,9 × 127 mm, wie sie übrigens auch von Chrysler, Packard und Pierce-Arrow für deren größte Achtzylindermotoren bevorzugt wurden. Geschoßförmige Scheinwerfer waren schon bei den 1927er Wagen wiedergekehrt. Neu aber waren die 20-Zoll-Räder (mit einem neuen, von Lincoln selbstentwickelten und -hergestellten Drahtspeichenrad) sowie das verchromte Zierwerk. Höhere und schmalere Kühler und die Montage der Motoren auf Gummiblöcke folgten im Jahre 1929.

Der «Lord of the Road» (Herr der Straße) errang rasch ein internationales Ansehen. Zwei amerikanische Präsidenten (Coolidge und Hoover) hatten die Marke bereits gewählt – wie dies später übrigens auch der Nachfolger von Hoover, Franklin Delano Roosevelt, tat. Lincoln-Wagen nahmen ihren Dienst in den königlichen Häusern von Norwegen, Rumänien und Schweden auf, und eine beachtliche Flotte von Tourenwagen wurde an die Sowjetregierung ausgeliefert. Im Katalog von 1929 wurden 28 verschiedene Karosserien aufgeführt mit Preisen von 4200 Dollar an aufwärts, und das Gewicht der leichtesten Ausführung betrug 2115 kg. Geschlossene Wagen überwogen, obgleich nicht weniger als 2100 offene Wagen (zu unterscheiden von den Convertible-Ausführungen) zwischen 1928 und 1930 ausgeliefert wurden. (Als Gegensatz dazu sei erwähnt, daß im Falle

7

8

9

**7** Lincoln Serie K mit Achtzylindermotor und Phaeton-Karosserie mit doppelter Windschutzscheibe (1931).

**8** Der erste Lincoln-V12-Motor der Modellreihe KB (1932).

**9** Dietrichs zweisitziges Coupé auf dem ersten Lincoln-Zwölfzylinder der Serie KB (1932).

**10** Lincoln K von Le Baron aufgebaut. Drahtspeichenräder und außenliegende Scheinwerfer sind immer noch vorhanden (1935).

10

der Duesenberg J das Verhältnis etwa 60:40 zugunsten der offenen und der Convertible-Karosserien lag.) Eine sehr ungewöhnliche Karosserie besaß der exotische Aero-Phaeton im Jahre 1929 mit einer Schwanzflosse, Parklichtern im Stile der Flugzeug-Navigationslichter und einem unlackierten natürlichen Aluminium-Finish. Noch absonderlicher war der «Coaching Brougham», im Stil der alten Reisekutschen, der von Judkins 1927 aufgebaut wurde. Diese beiden Wagen existieren heute noch.

Die lange Reihe von L-Modellen fand 1930 ein Ende. Im folgenden Jahr wurde sie durch die ersten Modelle K ersetzt. Die Leistung stieg dank der neuen Doppel-Fallstromvergaser, die mittels mechanischer Benzinpumpe gespeist wurden, auf 120 PS. Der elektrisch betätigte Choke aus dem Jahre 1920 hatte endgültig ausgedient. Das Getriebe erhielt für die beiden oberen Gänge Synchronisierung und im weiteren einen Freilauf, der mittels im Gangschalthebel untergebrachten Druckknopfs eingeschaltet werden konnte. Das überarbeitete Fahrgestell mit doppelter Kröpfung besaß sechs Querverstrebungen und in der Mitte eine Doppel-K-Verstärkung. Die Bremsen waren vom Typ Bendix-Duo-Servo, und die Handbremse wirkte auf alle vier Räder. Es wurden doppeltwirkende hydraulische Houdaille-Stoßdämpfer eingebaut. Der Radstand wurde auf 3,683 m verlängert, und die ebenfalls länger gewordene Motorhaube verbesserte das Aussehen. Dieser neue V8-Lincoln blieb bis 1931 als «billiger» Gefährte der neuen V12-Reihe im Programm. Bei diesen letzten Achtzylindermodellen kehrte man zum kürzeren Radstand von 3,45 m zurück. Übrigens trugen sie mit etwa 2000 Wagen wesentlich zum Jahresverkauf von insgesamt 3623 Lincoln im Jahre 1932 bei. Dann aber sollte es bis zum Modelljahr 1949 keinen Achtzylinderwagen der Marke Lincoln mehr geben. Edsel Ford war dabei, sich Cadillac und Marmon im Multizylinderrennen anzuschließen.

Der neue Typ-KB-Zwölfzylinder verwendete grundsätzlich das bestehende Fahrgestell des Modells K mit dem langen Radstand von 1931 sowie gleichem Getriebe und Doppelscheiben-Trockenkupplung. Die Bremsen allerdings erhielten nun eine Bragg-Kleisrath-Unterdruck-Unterstützung. Beide Modelle wurden 1932 mit einem leicht zugespitzten Kühler versehen, doch unterschieden sich die Zwölfzylindermodelle durch ein rotemailliertes Kühleremblem vom blauen der Achtzylinder.

Einmal mehr wurde ein verhältnismäßig enger Gabelwinkel – 65 statt 60° – für den neuen Motor gewählt. Die zwei Graugußblöcke standen auf einem Kurbelgehäuse aus Leichtmetall. Die Kurbelwelle war siebenfach gelagert, und erneut kamen gabelförmige Pleuelstangen zur Anwendung. Die Blöcke waren austauschbar, was für die Köpfe nicht zutraf. Die Zündung wurde mit zwei Spulen ausgestattet, und Stromberg lieferte den Fallstromvergaser. Durch das Ableiten der Auspuffrohre an der Stirnseite des Triebwerks wurden die Wageninsassen weniger durch die Hitze belästigt. Zwar war der Motor mit 572 kg ziemlich schwer, aber er entwickelte 150 PS bei 3400 U/min aus dem Hubraum von 7,2 Litern. Es hieß, die höchste Drehzahl liege bei 4500 U/min. Die Fahrleistungen waren sehr eindrücklich: Bei Versuchen erreichte ein 2588 kg wiegender Sedan eine Spitzengeschwindigkeit von nahezu 160 km/h und umrundete die Brooklands-Piste in England mit 145 km/h. Die KB-Modelle wurden neben einem neuen V12 der Serie KA, der den alten V8 ersetzte, bis 1933 gebaut.

Dieses kleinere Modell erhielt einen Motor mit den Abmessungen 76,2 × 114,3 mm, entsprechend einem Hubraum von 6,2 Litern, und das alte Fahrgestell mit kurzem Radstand. Der wichtigste mechanische Unterschied zwischen den Modellen KB und KA war die Verwendung gewöhnlicher Pleuelstangen beim kleineren Wagen. Die Karosserieänderungen im Jahre 1933 umfaßten versteckt angebrachte Signalhörner, mit Entlüftungsschlitzen versehene Motorhauben und seitlich heruntergezogene Kotflügel. Roadster und offene Tourenwagen wurden immer noch angeboten.

Verkäufe von nur 1700 Wagen waren allerdings ein guter Grund für weitere Rationalisierungsmaßnahmen, und ab 1934 konzentrierte sich Lincoln auf ein einziges Modell, nämlich den Typ K. Der Motor war, was den Hubraum anbetraf, ein Mittelding zwischen KB und KA, wobei der unveränderte Hub von 114,3 mm mit einer Bohrung von 79,4 mm einen Zylinderinhalt von 6,8 Litern ergab. Dieser neue Motor leistete 150 PS,

11

12

**11** Lincoln K als zweifenstriger Town Sedan (1937).

**12** Lincoln K mit Stadtcabriolet-Karosserie von Brunn (1938).

**13** Der beste der Lincoln Continental: das ursprüngliche Cabriolet aus dem Jahre 1941.

13

und es hieß, daß er bei hoher Drehzahl leiser und feiner lief als die vorhergehenden Lincoln-Zwölfzylinder-Triebwerke. Die Zylinderköpfe waren aus Leichtmetall, und die neue Kurbelwelle erhielt Kupfer/Blei-Lager. Diese Wagen waren keineswegs verbilligte Versionen, obgleich einige neue Herstellungstechniken von den Ford-V8-Erfahrungen übernommen worden waren. Sie erhielten auch wieder die thermostatisch betätigten Motorhaubenklappen, wie sie bei den 1932er Modellen verwendet worden waren. Vom Styling her wurden nun die Kühlergehäuse in der Wagenfarbe lackiert.

Von da an verschwanden die großen Lincoln langsam von der Bildfläche. Der im Jahre 1934 erzielte Umsatz von 2401 Wagen wurde nie mehr erreicht. Die Auslieferungen betrugen 1403 Wagen im Jahre 1935, 1509 Stück 1936, 986 Stück 1937 und ein Total von 590 Wagen in den verbleibenden drei weiteren Jahren. Es wurden einige Anstrengungen gemacht, mit den zeitgemäßen Stylingvorstellungen Schritt zu halten: Ab 1935 wurden die Motoren im Fahrgestell nach vorne gerückt, kleinere Räder fanden Eingang, die Kühlerverschlüsse wanderten unter die Motorhauben, und die geschlossenen Wagen erhielten eine gestrecktere, schräg abfallende Linie des Hecks. Die allgegenwärtige Schirmgriff-Handbremse erschien 1936 zusammen mit den neuen tropfenförmigen Vorderkotflügeln, in welche im nächsten Jahr die Scheinwerfer einbezogen wurden. 1937 erhielten die Motoren hydraulische Ventilstößel; gußeiserne Bremstrommeln und serienmäßig eingebaute Radioantennen erschienen. Die Zeit der seitlich montierten Reserveräder war fast vorüber. «Falls nicht anders aufgeführt», bemerkte der Katalog von 1937/38, «befindet sich das Reserverad im Kofferraum.»

Viele der traditionellen Karossiers waren an der Schwelle des Bankrotts, und es war keineswegs einfach, eine Reihe von 21 verschiedenen Aufbauten zusammenzubringen, wie dies Lincoln immer noch machte. Die Fabrik selber trug drei Sedan und eine Limousine bei, die übrigen Ausführungen waren das Werk von Brunn, Judkins, Le Baron und Willoughby. Die einem Roadster am nächsten kommende Karosserievariante war das dreiplätzige Convertible-Coupé von Le Baron. Willoughby anderseits offerierte einen siebenplätzigen offenen Tourenwagen in der klassischen Bauweise. Leider fehlte diesem allerdings die Eleganz der Ausführung von Locke im Jahre 1928 auf einem L-Fahrgestell. Andere ungewöhnliche Karosserien von Willoughby waren ein Fastback-Victoria und ein Panel Brougham bezeichnetes Coupé-de-Ville mit den Messerkanten, wie sie in England in Mode kamen.

Obgleich der Präsident der Vereinigten Staaten immer noch in seinem «Sunshine Special», einem mit Panzerplatten versehenen Convertible Sedan mit verlängertem Radstand von 4,065 m und einem Gewicht von 4185 kg, herumchauffiert wurde, war der Lincoln K so gut wie verschwunden. Es gab 1940er Modelle, aber es handelte sich dabei um nichtverkaufte Wagen aus der Saison 1938/39, und ihr Kühleremblem in schwarzem Email war ein letzter Tribut an die klassische Epoche.

Für Lincoln war aber noch nicht alles verloren, denn wie Packard wählte man auch hier einen Weg, um aus den Schwierigkeiten herauszukommen, indem eine billigere Reihe für das Jahr 1936 lanciert wurde. Der Zephyr, eine Schöpfung des Stylisten John Tjaards, war fast ebenso aufregend wie Gordon Buehrigs Cord 810. Es war ein recht langer Sedan mit Fließheck und sechs Seitenfenstern. Der Radstand betrug 3,1 m, und von Bug bis Heck maß der Wagen 5 Meter. Die stromlinienförmig einbezogenen Scheinwerfer, die seitlich durch Schürzen abgedeckten Hinterräder und die äußerst bescheidene Sicht nach hinten waren Hinweise darauf, daß auch Phil Wrights Silver-Pierce-Arrow aus dem Jahre 1933 diese Karosserie merklich beeinflußt hatte. Trotz des bescheidenen Motors von 4,4 Litern Hubraum und einer Leistung von 110 PS erreichte der Zephyr eine Spitzengeschwindigkeit von 145 km/h. Nicht zu vergessen der sehr angemessene Brennstoffverbrauch von 14 Litern pro 100 km, der dazu führte, daß der neue Wagen auch in England bald viele Liebhaber fand, ungeachtet der saftigen Steuern, die nach englischen Steuer-PS errechnet wurden. Vier britische Spezialisten von «Anglo-American Sports Bastards» (Allard, Atalanta, Brough und Jensen) bauten das Zephyr-Triebwerk in ihre eigenen Schöpfungen ein. Der Listen-

14 Der Nachkriegs-Lincoln Continental mit «kastenförmigen» Kotflügeln und breitem Kühlergrill (1946/8).

preis des Fabrik-Sedan betrug weniger als ein Drittel desjenigen für das Modell K, womit bereits erklärt wäre, weshalb im Jahre 1936 mehr als 15 000 Wagen ihre Käufer fanden. Ein Jahr später konnte der Umsatz auf die Rekordmarke von 24 358 Stück gesteigert werden.

Der Motor mußte – selbstverständlich – ein V12 sein, und darin lag der Haken. Das Lincoln-Image verlangte eine maximale Anzahl Zylinder, doch mit der neuen Preisgestaltung (1300 Dollar) war der Zwang verbunden, die Konstruktion so weit zu vereinfachen, daß die Ford-Händler das neue Modell auch warten konnten. Bei dem langen Radstand und einem niedrigen Schwerpunkt hatte die traditionelle Ford-Aufhängung mit Querblattfeder keine Nachteile auf die Fahrweise, aber das Ford-Servicenetz kam mit dem Motor nie wirklich zurecht, und so erhielt der Zephyr schon bald einen schlechten Ruf. Es hieß, der Motor hätte eine Lebenserwartung von 35 000 km oder gar noch weniger. Normalerweise wurde anschließend ein gewöhnlicher Ford-V8-Motor eingebaut. Allerdings verdienten die späteren und exotischeren Continental einen besseren Ersatz. Aus diesem Grund kamen in den fünfziger Jahren hauptsächlich moderne Kurzhuber-OHV-Motoren von Lincoln, Cadillac und Chrysler, aber auch Jaguar-Zweinockenwellen-Triebwerke und sogar – in einem Falle wenigstens – ein luftgekühlter Serie-17-Franklin-Motor zum Einbau.

14

Sogar als Coupé oder Convertible karossiert, war der Zephyr kein Klassiker. Der Continental dagegen war Edsel Fords Idee eines Privatwagens in der Art des Thunderbirds, der 15 Jahre später von seinem Sohn Henry II lanciert werden sollte. Henry II war tatsächlich einer der ersten Continental-Besitzer. Als Edsel nämlich den allerersten Prototyp sah, der für ihn vom Stylisten E. T. Gregorie im Jahre 1939 geschaffen wurde, bestellte er prompt ein weiteres Paar solcher Wagen für seine zwei Söhne.
Natürlich war der Wagen in mechanischer Hinsicht ein Lincoln-Zephyr. Ab 1940 bedeutete dies eine vergrößerte Motorversion des Typs von 1936 mit Holley-Fallstromvergaser und hydraulischen Ventilstößeln. Der Hubraum betrug nun 4,8 Liter, und der Motor leistete 120 PS. Sicher konnten sich die Continental-Besitzer einiger kosmetischer Verfeinerungen unter der Motorhaube erfreuen, wie polierter Leichtmetall-Ansaugstutzen und Zylinderköpfe. Im übrigen aber war der Wagen mit der Lenkradschaltung, den längst überfälligen hydraulischen Bremsen, die erstmals 1939 angeboten wurden, und den unvermeidlichen Starrachsen und Querblattfedern serienmäßig ausgerüstet. Während aber der Zephyr aussah wie ein Super-Ford, der er auch wirklich war, leiteten die Continental-Cabriolet und vierplätzigen Coupés eine neue Mode ein: niedrige Bauweisen, weit nach hinten ausladende Koffer, keine Trittbretter mehr und außenliegende, hinten plazierte Reserveräder in nitro-zellulose-gespritzten Hüllen. (Sogar heute noch wird ein solches Zubehör als «Continental-Reserveradsatz» verkauft, und die Hersteller dieser Accessoirs kassierten gierig, als Henry Ford II diese Karosserieform im Jahre 1956 beim Mk II Continental neu aufleben ließ.) Als Wagen war der Continental nicht besser als der Zephyr, und auch mit der wahlweise gegen Mehrpreis erhältlichen Columbia-Hinterachse mit doppelter Untersetzung betrug die Spitzengeschwindigkeit nicht mehr als 145 km/h. Bei einem Gewicht von rund 1750 kg ist dies weiter nicht verwunderlich, aber der Wagen verkaufte sich wegen seines Aussehens. 1940 wurden lediglich 404 Wagen ausgeliefert, aber im folgenden Jahr wurden 1250 Stück gebaut. Die Türen erhielten Druckknopfschlösser, die Verdecke der Cabriolets wurden mittels Elektromotoren geöffnet und geschlossen, und ein automatischer Schnellgang war erhältlich.
Amerikas Eintritt in den Krieg drückte die Produktion von Continental-Wagen im Jahre 1942 auf 336 Stück. Übrigens war diese letzte Vorkriegsausführung kaum eine Verbesserung, wenn man die aggressiven kastenförmigen Vorderkotflügel und das gräßliche verchromte Kühlergrill betrachtet. Das Gewicht stieg, und die Hinterachsuntersetzung wurde reduziert – um dies auszugleichen, wurde der Motor auf 5 Liter Hubraum vergrößert. Je weniger über das Liqui-Matic-Halbautomatikgetriebe von Ford gesagt wird, desto besser: es überlebte den Krieg nicht. Auch das größere Triebwerk brachte Schwierigkeiten, und im Laufe des Jahres 1946 kehrte man zum alten 4,8-Liter-Motor 292 zurück. Weitere 3334 Wagen – in den allgemeinen Spezifikationen jenen des Jahres 1942 sehr ähnlich – wurden zwischen 1946 und dem Ende der Karriere des V12 im Jahre 1948 gebaut. Die letzten, so hörte man, wurden bereits über den Listenpreisen verkauft, eine bescheidene Kompensation für die andauernden Verluste pro Wagen, welche Ford mit dieser letzten Prestigereihe erlitten hatte.

# Locomobile *Vom Dampf-Runabout zum ... Giganten mit Benzinmotor*

Außerhalb seines Heimatlandes ist der Locomobile in seiner klassischen Form einer der am wenigsten bekannten amerikanischen Wagen. Genau wie Cadillac und Pierce-Arrow machten sich seine Hersteller mit billigen Runabout-Wagen einen Namen. In der Tat waren diese leichten Wägelchen 1901 und 1902 nationale Bestseller, wurden doch 1500 respektive 2750 Stück in zwölf Monaten ausgeliefert. Der Unterschied zwischen den frühen Locomobile-Wagen und ihren Konkurrenten bestand darin, daß die Automobile aus Connecticut als Antrieb eine Dampfmaschine besaßen und auf Konstruktionen der Gebrüder Stanley basierten. Ihre Zerbrechlichkeit und der übermäßige Wasserverbrauch überzeugten die Geschäftsleitung ziemlich schnell, daß die Zukunft dem Benzinmotor-Automobil gehören würde. Überraschender war die Tatsache, daß nach erfolgter Umstellung in der Bridgeport-Fabrik der Entschluß gefaßt wurde, die europäischen Vorstellungen zu verfolgen, anstatt wie Cadillac, Oldsmobile und Rambler ein langsamlaufendes und mit Horizontalmotor ausgerüstetes Leichtautomobil zu bauen. Nachdem sie diesen Weg einmal eingeschlagen hatten, verfolgten sie ihn auch bis zum Ende. Der herrliche Locomobile 48, der 1925 seine 7400 Dollar kostete, verkörperte die Maschinenbaukunst für Luxuswagen aus dem Jahre 1914 in höchster Vollendung. Was noch bedeutungsvoller ist, dieses Modell war 1914 bereits erhältlich, und die Konstruktion datiert mindestens nochmals neun Jahre weiter zurück.

Locomobile hielt der Motorkonstruktion mit T-Kopf die Treue, obgleich sie – mit etwelchem Stolz – zugaben, daß es die teuerste Bauweise für Motoren war. (Zwei obenliegende Nockenwellen wurden ausschließlich für Rennmotore verwendet.) Andere altertümliche Eigenheiten waren die in Paaren gegossenen sechs Zylinder, die nichtdemontierbaren Zylinderköpfe und die Brennstofförderung aus dem 115-Liter-Tank mittels Druckluft. Es wurde eine Doppelzündung, einmal mit Spule und einmal mit Magnet, eingebaut, und die Kühlung enthielt eine Wasserpumpe, die gemäß Angabe im Katalog aus Bronce gefertigt war. Die Leistung des mit kombinierter Tauch- und Druckschmierung versehenen Motors von 8,6 Litern Hubraum betrug 90 PS bei 2100 U/min. Eine trockene Mehrscheibenkupplung und, sogar noch 1925 beibehalten, ein Vierganggetriebe wurden verwendet. Zwar hatte Locomobile bereits 1915 den Wechsel zur Linkslenkung vollzogen. Das schwere Fahrgestell enthielt einen separaten Rahmen für den Motor. Vorne bestand die Aufhängung aus Halbelliptik-, hinten aus Dreiviertelelliptikfedern. Die Holzspeichenräder waren aus «feinstem Hickory, zweiter Wuchs», und der Radstand betrug 3,616 m.
Sogar im Jahre 1918, als ein solches Gefährt in der Luxusklasse die Norm bildete und der Krieg die Spitzenmarken Europas vom amerikanischen Markt verdrängt hatte, weigerte sich Locomobile rundheraus, mehr als vier Wagen pro Tag zu bauen. Diese, so versicherten sie, konnten «mit gebührender Sorgfalt durch die man-

nigfaltigen und vielen Arbeitsgänge geleitet werden, die zu ihrer Fertigstellung erforderlich waren». «Der Locomobile», so fuhr man fort, «wird auch weiterhin ein Sechszylinderwagen bleiben, ein großer Wagen und das feinste Fahrzeug, das man sich denken kann. Es ist der passende Wagen für die Familie, die sich am Besten erfreuen und die nie ganz mit etwas anderem zufrieden sein kann.»

Die Karosserien waren mit dem hohen Standard der mechanischen Teile vergleichbar. 1918 führte die Firma sechs Grundtypen und nicht weniger als 15 ausgesuchte Spezialkarosserien auf. Sowohl der «Gunboat Roadster» mit seiner Kleeblatt-Sitzanordnung für drei als auch der «Sportif» für vier Plätze, der noch 1929 erhältlich war, besaß zeitlose Linien. Am anderen Ende der Palette gab es das «Town-d'Orsay-Landaulett», ein Stadtwagen, der vollständig geöffnet werden konnte. Elsie de Wolfe wirkte als Beraterin für die Innendekoration, Tiffany lieferte die Gläser für die Innenbeleuchtung, und man konnte sich «polierte Eibenholzkästen, mit ostindischem Edelholz eingelegt» für die Schönheitspflege wünschen.

Im Jahre 1922 wurde Locomobile ein Teil von William Crapo Durants drittem und letztem Reich. Abgesehen davon, daß das Unternehmen dadurch die finanzielle Sicherheit wiedererlangte, die ihm in den Krisenjahren 1920 bis 1921 abhanden gekommen war, änderte sich weiter nichts. Immer noch konnten sie so viele Wagen verkaufen, wie sie herzustellen beliebten. Es waren etwa 500 Automobile im Jahr. Im übrigen war Durant, wenigstens auf Zeit, bereit, den antiquierten Giganten Locomobile 48 als Spitzenmodell einer ganzen Reihe von Automobilen zu betrachten. Diese umfaßte zur damaligen Zeit den Gebrauchswagen Star (eine Antwort auf Ford und Chevrolet), den Durant (eine Antwort auf den Essex und vielleicht auf den Oakland) und den Flint, der den Buick herausforderte oder mindestens herausfordern sollte. Die große Fabrik in Bridgeport wurde tatsächlich dafür eingesetzt, neben dem großen 48, den Flint zu montieren.

1925 folgte der erste größere Wechsel seit vielen Jahren: Alle vier Räder erhielten Bremsen, hinten als Außenbacken- und vorne als Innenbackenbremsen konstruiert. Gleichzeitig wurden Balloon-Reifen eingeführt. Der immer noch sehr attraktive «Sportif» trug ein Preisschild von 7460 Dollar und war damit um etwa 3000 Dollar teurer als ein Lincoln-Tourenwagen. Das erklärt, warum im Jahre 1926 lediglich 24 dieser gigantischen Locomobile verkauft werden konnten. Daneben gelang es der Firma, 184 ihrer Wagen des neuen, kleineren Typs 90 abzusetzen.

Äußerlich unterschieden sich die beiden großen Locomobile nur durch den beim Typ 90 um 4 Zoll (93 mm) kürzeren Radstand. Mindestens unter seiner Haube sah es jedoch mit einem Monoblockmotor und stehenden Ventilen auf einer Seite (L-Kopf) sowie demontablem Zylinderkopf zeitgemäß aus. Schmierung und Brennstofförderung entsprachen den bisherigen Locomobile-Gepflogenheiten, doch mußte eine einfache 6-Volt-Spulenzündung genügen. Diese «moderne» Schöpfung leistete erstaunlicherweise bei 6,1 Liter Hubraum fast gleich viel (86 PS bei 2800 U/min) wie der Typ 48 (jetzt mit 105 PS aufgeführt) aus seinen fast 9 Litern. Andere Unterschiede waren die halbelliptischen Federn hinten, das Dreiganggetriebe und die ringsum verwendeten Innenbackenbremsen. Der Radstand betrug 3,5 m, und

1

1 Locomobile Modell 48 aus dem Jahre 1919. Nur die «antiken» Scheinwerfer weisen auf das Alter dieser Limousine hin.

2 Ein Locomobile-48-Tourenwagen vor einem Hintergrund des Überflusses und des Reichtums. Dieser Wagen konnte irgend in einem Jahr zwischen 1918 und 1923 hergestellt worden sein.

2

die Preise waren von 2500 Dollar an aufwärts für offene Tourenwagen. Für einen Sedan mußte man mit etwa 7000 Dollar rechnen.
Der Name Locomobile wurde logischerweise von Durant für einige nichtklassische Wagen verwendet, die als Herausforderung an die neuen Chrysler gedacht waren, denen sie übrigens äußerlich glichen – wenngleich nicht in anderer Beziehung. Der Junior war ein recht interessanter Wagen. Angetrieben wurde er durch einen Reihen-Achtzylinder-Motor mit hängenden Ventilen und 3,3 Liter Hubraum. Es hieß, er stamme von Harry Miller, doch wurde er für Durant von Continental gebaut. Ungewöhnlich waren die paarweisen Zylinderköpfe – der Block bestand aus einem Guß –, und das Dreiganggetriebe war separat montiert. Die Verkäufe überstiegen die 2000er Grenze jedoch während der ganzen Zeit seiner Karriere nur selten. Es wurden Versuche unternommen, den Junior Eight in England zu verkaufen. Zwar gehörte der ursprünglich leichte Dampfwagen dort zu den meistverkauften Wagen, wurden doch in den ersten 18 Monaten 400 Stück abgesetzt, aber sie hatten etwas trübe Erinnerungen hinterlassen, und viele Automobilpioniere waren auch 1926 noch aktive Fahrer.
Auf jeden Fall hatte Locomobile nur geringe Chancen, sogar dann, wenn sie in der Lage und willens gewesen wären, einen modernen Luxuswagen zu produzieren. Dem Durant-Imperium gingen sehr rasch der Dampf, die Verkäufe und das Geld aus. Es gab nach 1927 keinen Flint mehr, und ein Jahr später wurden die Überreste der billigen Star-Reihe in das Hauptproduktionsprogramm von Durant übernommen. Die Locomobile-Typen 38 und 48 schleppten sich unter der Bezeichnung Serie VIII noch in das Jahr 1929, aber bestenfalls fand man sie noch in den Einkaufskatalogen. Wenigstens zwei Locomobile Typ 48 sind indessen bekannt, die im letzten Jahr des Bestehens dieser Marke noch verkauft wurden. Einer war ein attraktiver Convertible Roadster mit Speichenrädern, der vom Filmstar George Bancroft in Auftrag gegeben wurde, der andere war ein steifer Stadtwagen, ebenfalls mit Speichenrädern. Die Preise wurden nicht genannt, aber eine Schätzung des ersteren auf 9000 und des zweiten auf 14 000 Dollar dürfte etwa zutreffen.

Die überwältigende Mehrheit der insgesamt 364 neuen Locomobile-Wagen, die 1929 ausgeliefert wurden, waren nicht mehr als ein bleicher Abklatsch der glorreichen Vergangenheit. Nachdem Durant einen Reihen-Achtzylinder-Motor mit stehenden Ventilen für den unmittelbaren Nachfolger des Juniors verwendet hatte, wandte er sich an Lycoming, den anderen Motorenlieferanten. Sein neues Modell der Serie 8-80 verwendete den gleichen 4,9-Liter-Motor, wie er auch im zeitgenössischen Auburn eingebaut war. Hier allerdings wurde die Leistung mit nur 102 PS gegenüber den 120 bis 125 PS beim Auburn niedriger angegeben. Im übrigen war es ein Gemisch von fertig gekauften Teilen und Gruppen. Der Wagen erhielt mechanische Bremsen und ringsherum Halbelliptikfedern. Der Sedan wog 1796 kg. Die Rückkehr zum traditionellen Locomobile-Kühler verschaffte dem 8-80 ein gefälliges Aussehen, ganz besonders wenn er als Cabriolet aufgebaut war. Daneben gab es noch weitere sieben Spezialkarosserien. Aber welche Hoffnungen konnte ein solcher Wagen zum Preis von rund 3000 Dollar haben, wenn man trotz Einsparungen von einem Drittel oder mehr so hervorragende «Läufer» wie den großen Buick-Six, den Hudson oder den Chrysler 75 haben konnte? Wollte jemand aber wirklich einen Wagen mit dem Lycoming-Achtzylindermotor haben, dann bot E. L. Cord seinen Typ 8-120 in Sedanausführung zum Preis von 1895 Dollar an, und dieser Wagen sah ebenso individuell aus und war erst noch leistungsfähiger.

3

4

**3** Locomobile Junior 8 Sedan (1925).

**4** Im Zenit der Automobil-Salon-Epoche. Locomobile-Modelle 48 auf dem Ausstellungsstand. Der Sport Sedan links hat bereits die neuesten Vorderradbremsen (ca. 1925).

# Marmon *Der Aluminiumpionier*

Howard Marmon, ein Hersteller von Fräsmaschinen, baute seinen ersten Wagen im Jahre 1902 in Indianapolis. Neun Jahre später gewann ein Sechszylinder-Marmon-Wasp mit Ray Harroun am Steuer das erste 500-Meilen-Rennen von Indianapolis.
Sogar in den frühen Jahren waren die Wagen von Howard Marmon interessant. Die Motoren waren luftgekühlte V4-Zylinder (im Jahre 1908 gab es sogar einen V8), die Karosserie bestand aus Aluminiumguß, und die sinnreiche «Doppel-Dreipunkt-Aufhängung» von Fahrgestell und Motor war vermutlich in Amerika die Lösung, die einer unabhängigen Aufhängung am nächsten kam. Auf dem Papier hätte der Marmon zu einem direkten Rivalen des Franklin werden können, der um diese Zeit einen luftgekühlten Sechszylindermotor besaß. Aber es kam anders: der Typ 32 aus dem Jahre 1910 erhielt einen stehenden wassergekühlten Motor, und seine einzige ungewöhnliche Eigenheit war, daß das Getriebe mit der Hinterachse verblockt war.
Auch der Typ 34, der von Howard Marmon in Zusammenarbeit mit Alanson Brush, bekanntgeworden durch den Einzylinder-Cadillac und den Brush Runabout, entwickelt wurde, war nicht gerade außergewöhnlich – wenigstens was die Anordnung der einzelnen Organe anbelangte. Motor, Getriebe und Kraftübertragung waren dort, wo man sie erwartete, was auch für die Pumpenkühlung galt. Falls die Verwendung der Magnetzündung etwa aus dem Tritt gefallen erscheint, sollte daran gedacht werden, daß 1916 sogar Großserienhersteller wie Willys und Maxwell noch nicht auf Spulenzündung gewechselt hatten. Der spiralverzahnte Hinterachsantrieb war eher fortschrittlich als revolutionär.
Doch was Marmon und Brush geschaffen hatten, war ein Automobil mit einem wahrhaftig hohen Aluminiumgehalt. Der neue Wagen erhielt eine Karosserie aus Aluminiumblechen über dem Eschenholzrahmen – an sich noch keine riesige Überraschung, denn solche Karosserien fand man bei den Gordon-Bennett-Wagen von Napier bereits seit dem Jahre 1901. Doch das Vorhandensein folgender Aluminiumteile war eine andere Geschichte: Zylinderblock, Kurbelgehäuse, Ölwanne, Ventilstößel, Wassermantelabdeckungen, Wasserpumpe, Ventilator-Keilriemenrad, Motorbefestigung, Kühlerrahmen ähnlich jenem von Fiat und sogar, trotz der schlechten Erfahrungen von John Wilkinson bei Franklin, Kotflügel. Ebenfalls aus Aluminium waren die Motorhaube und die Türen. Daneben verwendete Marmon einen sinnreichen Rahmen aus einem Z-förmigen Profil, der gleichzeitig die Trittbretter bildete und dadurch die Notwendigkeit von Türschwellen vermied. Diese Idee wurde zusammen mit anderen Marmon-Eigenheiten von John Davenport Siddeley kopiert und beim ersten Wagen, der den Namen Armstrong-Siddeley trug, dem Mk I im Jahre 1919, angewandt.
Der Monoblock-Sechszylinder-Reihenmotor hatte einen abnehmbaren Zylinderkopf und über Stoßstangen und Kipphebel betätigte Ventile. Die Zylinderdimensionen von 95,2 × 133,4 mm ergaben einen Hub-

raum von 5566 cm³. Interessanterweise wurde für den Armstrong-Siddeley der gleiche Hub, jedoch im Hinblick auf die englische Motorbesteuerungsformel eine Bohrung von nur 89 mm gewählt. Die Kurbelwelle drehte in vier Lagern, und die Kraftübertragung erfolgte über eine Konuskupplung und ein Dreiganggetriebe. Die Vorderradaufhängung war mit den üblichen Halbelliptikfedern versehen, aber eine sehr interessante Lösung mit doppelten Querblattfedern mit ölfreien Federbuchsen gelangte hinten zur Verwendung. Die abnehmbaren Drahtspeichenräder wurden mit 34 × 4½-Reifen bestückt. Die offene Tourenwagenkarosserie war vom Typ «Vollstromlinie», was 1916 hieß, daß sich eine ununterbrochene geschmeidige Linie vom Kühlerverschluß bis zum hinteren Sitz hinzog. Mit nur 1553 kg war das Leergewicht sehr niedrig. Dank seinen 74 PS besaß der Wagen überdurchschnittliche Fahrleistungen, und die jährlichen Verkäufe betrugen bis 1920 etwa 2000 Wagen.

Die Aluminiumkolben verursachten allerdings einige Schwierigkeiten, und die späteren Modelle, ab 1920/21, erhielten nicht nur konventionelle Kolben, sondern anstelle des ursprünglichen Leichtmetallblocks auch zwei Graugußblöcke. Die Karosserien allerdings wurden weiterhin aus Aluminiumblechen gebaut. Marmon paßte sich auch sonst der Mehrzahl der amerikanischen Konstruktionen an, indem Spulenzündung und Scheibenkupplung Eingang fanden und die anfänglich verwendete Kurbelwelle einer robusteren Ausführung, jedoch mit nur drei Lagern, Platz machte. Vom Aussehen her änderte sich nicht viel, und dies sollte eigentlich bis 1927 zutreffen. Ab 1922 wurde zwar ein Sportmodell 34 mit längerer Hinterachsuntersetzung und leichter Zweiplätzerkarosserie, ähnlich dem «Gold Bug» von Kissel, angeboten. Dieser Wagen erhielt Motorradkotflügel und einen 100-Liter-Benzintank zwischen Motor und Armaturenbrett. Wie beim ersten Modell von 1916 wurde der Brennstoff durch Gefälle dem Vergaser zugeführt. Vierradbremsen waren ab 1923 erhältlich, ihr serienmäßiger Einbau erfolgte jedoch erst drei Jahre später

1924 wurde die Typenbezeichnung «34» durch «74» ersetzt, und die Wagen wurden zunehmend unter der Flagge von Luxus und weniger von Sportlichkeit angeboten. Es gab keine Speedster mehr, und Drahtspeichenräder erhielt man nur noch gegen Aufpreis. Anderseits war die Benzinförderung mittels Unterdruck aus dem hintenliegenden Tank eine Verbesserung, und die Motorleistung wurde nun mit 84 PS angegeben. Die letzten, nun als «75» bezeichneten Wagen dieser Serie, immer noch mit dem Radstand von 3,46 m, wurden 1927 ausgeliefert.

In der Zwischenzeit hatte sich jedoch bei Marmon ein Gesinnungswechsel eingestellt. Bis 1925 war einiges passiert: Fred Moskovics hatte zu Stutz gewechselt, und Walter Marmon war von seinem Präsidentenposten zurückgetreten und hatte George Montgomery Williams Platz gemacht, der sich in den Kopf gesetzt hatte, aus Marmon einen Massenhersteller zu machen. Eine Reihe von preiswerten Modellen mit Reihen-Achtzylinder-Motoren wurde unter der Leitung von Barney Roos eingeführt. Dieser Mann war später verantwortlich für Studebaker und die britische Hillmann-Humber-Reihe in den dreißiger Jahren. Howard Marmon hatte, angewidert, 1927 seinen Abschied genommen und sich anschließend der «Forschung» der Midwest Aviation Company verschrieben.

Da war nichts «Klassisches» um die Roos-Williams-Marmon-Wagen. Der 3,1-Liter «Little Eight» hatte wenigstens hängende Ventile und trieb die Verkäufe von 4462 auf über 10 000 Wagen im Jahre 1927 hinauf. Ein Jahr später posaunte Williams in die Welt hinaus: «Amerikas einzige Baureihe ausschließlich mit Reihen-Achtzylinder-Motoren», nachdem der «75» fallengelassen worden war. 1929 besaß er den ersten Wagen der Welt mit Reihenachtzylinder, der unter 1000 Dollar kostete, den Roosevelt. Mit dem Roosevelt, der auf seinem Kühleremblem den Kopf des verstorbenen US-Präsidenten Theodore Roosevelt trug und nach außen keine Hinweise auf Marmon erhielt, erreichten die Verkäufe mit 22 300 Wagen einen neuen Jahreshöchststand.

Die billigeren seitengesteuerten «68er» und die Roosevelt waren Wagen ohne Auszeichnung, der größere «78» aber, jetzt mit 3,5 Liter Hubraum, behielt die hängenden Ventile bei, und im allgemeinen war sein Aussehen recht gut, besonders mit Roadster- und Cabriolet-Karosserien, den Drahtspeichenrädern und den beiden

1

2

3

4

seitlich montierten Reserverädern, wie sie bei Wagen für den Export nach Europa angebracht wurden. Die Wagen waren leicht an ihren Volvo-ähnlichen verchromten Blitzen quer über den Kühler hinweg erkennbar. Unter den Marmon-Besitzern fanden sich der Geschwindigkeits-Weltrekordhalter Sir Henry Segrave und auch Kronprinz Olaf von Norwegen, der von seiner Mutter, Königin Maud, die selber einen Marmon fuhr, den Wagen als Hochzeitsgeschenk erhalten hatte. Im Programm 1930 gab es dann allerdings ein Paar wirklich großer Achtzylindertypen, die seitengesteuerte und fünffach gelagerte Motoren sowie das inzwischen in Mode gekommene Vierganggetriebe mit geräuschlosem 3. Gang erhielten. Der 5-Liter «79» war eben noch ein weiterer großer Wagen, aber der «Big Eight» mit einem Hubraum von 5165 cm³ (82,55 × 120,7 mm) und einem Radstand von 3,46 m sah bereits mit der Fabrikkarosserie sehr elegant aus, und mit einigen der Spezialaufbauten war er gar ein prachtvoller Wagen. Bemerkenswert sind hier vor allem der American-Weymann-Sportsedan mit gewebeüberzogenem Aufbau und das Convertible-Victoria von Locke. Dieses Modell blieb bis 1931 im Fabrikationsprogramm.

Marmons Starausstellungsstück an der New York Show 1931 zeigte deutlich, daß Williams Regiment endgültig vorbei war, obgleich immer noch ein Sortiment von seitengesteuerten Achtzylindermodellen im Katalog aufgeführt wurde. Die «aeronautischen» Studien

von Howard Marmon hatten bereits Früchte getragen, wie sich am neuen Sechzehnzylinder-Marmon zeigte, der im Begriff war, den etablierten Cadillac 452 herauszufordern.
Hängende Ventile waren zurückgekehrt, und zwar in einem Triebwerk, das aus zwei Blöcken bestand, die in einem Winkel von 45° zueinander standen. Die Zylinderabmessungen von 79,4 × 101,6 mm ergaben einen Hubraum von 8 Litern. Auch Aluminium war wieder in Hülle und Fülle vorhanden. Nicht nur die Zylinderblöcke (je in einem Stück gegossen), sondern auch die Abdeckung des Nockenwellenantriebs, die Ölwanne, das Wasserpumpengehäuse, die Ölpumpe, die Zylinderköpfe und die Ventildeckel waren aus diesem Material. Dies führte dazu, daß der Motor ganze 166 kg leichter war als jener von Cadillac, und dies ungeachtet des größeren Hubraums des Marmon-Triebwerks. Die Kolben bestanden ebenfalls aus Leichtmetall und liefen in nassen Stahlzylinderbüchsen. Die fünffach gelagerte Kurbelwelle erhielt an der Nase einen mit Gummiverbindungen versehenen Schwingungsdämpfer. Das Kühlsystem mit Pumpe und Ventilator steuerte die thermostatisch kontrollierten Kühlerjalousien. Der Doppel-Fallstromvergaser von Stromberg wurde, wie damals üblich, durch eine mechanische Brennstoffpumpe versorgt. Es wurden eine Zweiplattenkupplung und ein Dreigang-Synchrongetriebe von Muncie Products eingebaut. Von dort wurde die Kraft über eine offene Kardanwelle auf die hypoidverzahnte Hinterachse übertragen, wie dies bereits 1927 beim Little Marmon der Fall war. Das robuste Fahrgestell besaß nicht weniger als neun Querverstrebungen und hatte einen Radstand von 3,683 m. Die Halbelliptikfedern wurden durch doppeltwirkende Stoßdämpfer unterstützt. Die über Kabelzüge betätigten Bremsen hatten Trommeln von 40,6 cm Durchmesser.
Mit seinen 200 PS erreichte der Marmon Fahrleistungen und eine Höchstgeschwindigkeit, die wahrscheinlich nur gerade von einem einzigen amerikanischen Wagen übertroffen wurden – dem Duesenberg. Aber für den Preis eines verhältnismäßig gewöhnlichen Typs J konnte man drei Marmon kaufen! Die oft gehörte Behauptung jedoch, der Marmon habe eine Vollaluminiumkarosserie besessen, stimmt nicht. Nur die Convertibles erhielten Aufbauten, die ganz aus Aluminiumblech gefertigt waren. Bei den Sedanausführungen waren lediglich Motorhaube und Kofferdeckel aus Leichtmetall, während die Spritzwand und die Kotflügel ungeachtet des Karosserietyps stets aus Stahl hergestellt wurden. Nichtsdestoweniger wog sogar der sie-

5

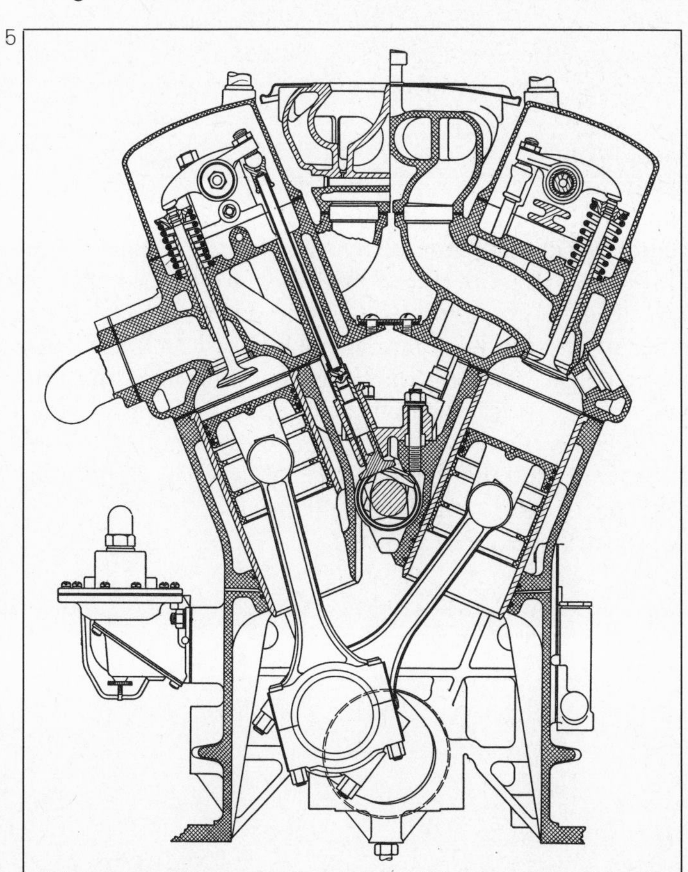

1 Marmon 34 Speedster der frühen zwanziger Jahre, nachträglich mit Tiefbettfelgen und Niederdruckreifen ausgestattet.

2 Ein für Langstreckenreisen ausgerüsteter Marmon 74. Die auf dem Trittbrett befestigte Hundehütte würde heutige Tierfreunde schockieren (etwa 1926).

3 Der Prototyp des prachtvollen Marmon V16 mit Sedan-Karosserie (1931).

4 Marmon V16 Sedan in der serienmäßigen Ausführung (1932).

5 Querschnitt des weitgehend aus Leichtmetall bestehenden Marmon-Sechzehnzylindermotors (1931).

bensitzige Sedan weniger als 2½ Tonnen. Dadurch erfreute sich der Marmon eines günstigeren Kraft/Gewicht-Verhältnisses als der Cadillac 16-Zylinder oder der Pierce-Arrow Big 12. Für den Duesenberg mit seinen ausschließlich aufgebauten Spezialkarosserien sind natürlich keine Vergleichswerte erhältlich.

Walter Dorwin Teague und sein Sohn Richard waren für das neue Styling verantwortlich, welches einen aggressiven Spitzkühler mit zurückhaltenden Karosserielinien verband. Der Wagen wurde sehr gut aufgenommen. Einen zu fahren, sogar nur für einen kurzen Probelauf, war ein Erlebnis, das man nicht so schnell vergaß. Man spürte überhaupt keine Kraft- oder Beschleunigungsstöße. Die Spitzengeschwindigkeit lag um 165 bis 170 km/h (es wurden keine ausführlichen Testergebnisse veröffentlicht), und die Beschleunigung wurde mit 54 Sekunden von 0 auf 160 km/h angegeben. Ein serienmäßiger Sedan erreichte bei überwachten Versuchen über 24 Stunden einen Schnitt von 122,31 km/h, allerdings mußte man dafür einen gesunden Durst des Triebwerks in Kauf nehmen. Der Verbrauch lag bei 27 bis 29 Liter pro 100 km. Marmon offerierte auf allen Sechzehnzylinderwagen eine Garantie von 12 Monaten gegenüber den üblichen 90 Tagen der anderen amerikanischen Firmen.

Einmal mehr vernichtete die Depression alle Chancen, die dieser Wagen gehabt hätte. Die Preise mußten 1932 erhöht werden, um die Kosten zu decken, aber das Geschäft lief schlecht, und die wenigsten der insgesamt 32 verschiedenen vorgeschlagenen Spezialkarosserien wurden jemals wirklich gebaut. Nicht daß die Fabrikaufbauten unattraktiv gewesen wären – zusätzlich zu den normalen Sedan und Limousinen-Ausführungen gab es ein Coupé, ein Victoria und ein Convertible Coupé sowie ein Convertible Sedan. Nur sehr wenige fanden den Weg nach Europa, aber wenigstens zwei wurden in Holland verkauft und mindestens je ein Wagen in Frankreich und Großbritannien.

Es gab aber auch keine billigeren Wagen mehr, die dem Monstrum Unterstützung hätten geben können. Das einzige weitere Modell der Marke, das 1932 angeboten wurde, war ein Mittelpreis-Reihenachtzylinder, der 8-125. Obgleich dieser einen Teil der Eleganz des großen Sechzehnzylinders teilte, verkaufte er sich schlecht. Im Jahre 1933, nachdem nur etwa 390 der Achtliterwagen verkauft worden waren, mußte ein Konkursverwalter eingesetzt werden.

In der Zwischenzeit hatte Howard Marmon rund 160 000 Dollar aus der eigenen Tasche in einen sehr fortschrittlichen Wagen mit V12-Motor, Zentralrohrrahmen und unabhängiger Radaufhängung vorne und hinten gesteckt. Der Motor bestand eigentlich zu drei Vierteln aus dem Sechzehnzylinder-Triebwerk. Zwar erreichte der Prototyp bei den ersten Versuchen 150 km/h, aber das Modell kam nie in Produktion.

Der Name – und ein Anflug des typischen Kühlers – lebte weiter in der Reihe der Marmon-Harrington-Geländelastwagen mit Allradantrieb. Dies war allerdings eine völlig unabhängige Unternehmung (ebenfalls in Indianapolis), die durch Walter Marmon und Arthur Harrington im Jahre 1931 gegründet worden war, als die Automobilfabrik immer noch tätig war. Beachtenswert ist im weiteren, daß auch der Marmon-16-Zylinder-Motor noch einmal zu neuem Leben erweckt wurde: für Feuerwehrfahrzeuge. Der Käufer der verbliebenen Bestandteile und Rechte, Keenan Hanley aus Prospect, Ohio, baute jedoch nur zwei solcher Fahrzeuge in den Jahren 1940/41.

# Packard *«Frag den Mann, der einen besitzt»*

Wenn man von einer Marke sagen kann, sie habe zwischen den beiden Weltkriegen die amerikanische – oder gar die weltweite – Szene der Klassiker beherrscht, dann ist es Packard. 1931 behauptete diese Marke – mit einiger Berechtigung –, sie sei für die Hälfte der in der ganzen Welt laufenden Prestigewagen verantwortlich. Nachdem allein die Ablieferungen von 1928 um die 41 000 Wagen betrugen, was etwa der doppelten Stückzahl aller zwischen 1919 und 1939 in England und Amerika produzierten Rolls-Royce-Fahrgestelle entsprach und den Gesamtausstoß von Ettore Bugattis Fabrik in Molsheim um rund das Sechsfache übertraf, hatte Packard allen Grund, stolz zu sein.

Neben den Aufbauten der berühmten amerikanischen Karossiers – Le Baron, Dietrich und Rollston – gab es Packard mit Karosserien von Graber, Barker, Franay, D'Ieteren und Erdmann & Rossi. Ihre Liste von illustren Kunden im Jahre 1930 umfaßte die Könige von Norwegen und Jugoslawien. Während Winston Churchill in patriotischer Manier den Marken Daimler und Humber verbunden blieb, ließen sich sowohl Franklin Delano Roosevelt als auch Josef Stalin in Packard-Eight-Wagen umherchauffieren. Dazu kam, daß die Firma die ganze Periode hindurch nur ein Minimum an Stylingwechseln vollzog. Der Spitzkühler von 1932 und die keilförmige Windschutzscheibe von 1938 waren dabei die wichtigsten. Zwischen 1925 und 1942 gab es grundsätzlich vier Basismotoren: den siebenfach gelagerten Sechszylinder bis 1928, den neunfach gelagerten Achtzylinder von 1923 bis 1939, den Zwölfzylinder der zweiten Generation von 1932 bis 1939 und den vollständig aus Grauguß bestehenden Achtzylinder mit neun Kurbelwellenlagern von 1940. Er war der letzte der berühmten Amerikaner mit dieser Zylinderanordnung, und er sollte bis 1954 überleben. Packard konnte – und tat es auch – Gebrauchtwagen mit voller Fabrikgarantie anbieten zu «40 oder 50 Cents auf den Dollar . . . weil jemand anders den Fabrikgewinn, die Verkäuferprovision und die Abschreibung des ersten Jahres bezahlt hatte». Sogar als sie mit dem 120 im Jahre 1935 in den Mittelklassemarkt getaucht waren, wurden die Maßstäbe gehalten. Das Produktionsverhältnis mag etwa 6 zu 1 zugunsten der billigen Modelle betragen haben, das Arbeitskräfteverhältnis war aber immer noch 50 zu 50. Der Chef des Unternehmens, Alvan T. Macauley, war der «Stabilität» verschrieben, ein Vorzug, der sich darin äußerte, daß alle die leitenden Direktoren – um nicht von den 64 Prozent der Vorarbeiter und Meister in den Fabrikationshallen zu sprechen – länger als zehn Jahre im Dienste von Packard standen. Bereits wurde gesagt, der Börsenkrach von 1929 habe für Packard die Totenglocken geläutet, aber sogar 1942 lag der vollständige Sieg für Cadillac noch in weiter Zukunft. Packard-Wagen wurden oft über 40 000 km auf dem Fabriktestgelände geprüft.

Zu Beginn der anerkannten klassischen Periode – 1925 – hatte Packard gerade den legendären Twin-Six von Jesse G. Vincent aufgegeben. Es war dies der erste serienmäßige V12-Motor der Welt. Das Modell wurde acht Jahre gebaut, und die Auslieferungen hatten mit 10 000 Wagen im Jahre 1917 ihre Spitze erreicht. Unter den Kunden befanden sich der letzte russische Zar, Nikolaus II., der chinesische Kriegsfürst Chang-Tso-Lin (er soll angeblich für seine Panzerlimousine 35 000 Dollar bezahlt haben) und der amerikanische Präsident Warren Gamaliel Harding, der als erstes Staatsoberhaupt der USA bei seiner Amtseinsetzung in einem Automobil vorfuhr. Der Hubraum des seitengesteuerten Triebwerks betrug 6,9 Liter, die Leistung 88 PS, und Wagen mit offener Karosserie erzielten eine Spitzengeschwindigkeit bis zu 130 km/h. Die frühen Wagen hatten Karosserien aus Aluminiumblech. Der Packard Twin-Six war ab 1916 das Normalmodell der Marke, bis ihm 1921 ein kleinerer Typ, der sogenannte Single-Six, zur Seite gestellt wurde. Letzterer war der Urahne der berühmten Reihen-Achtzylinder-Modelle.

Der Single-Six erhielt einen redlichen seitengesteuerten Monoblock-Sechszylinder-Motor mit sieben Kurbelwellenlagern, einem Hubraum von 4 Litern und einer Leistung von 54 PS. Weitere Spezifikationen bei diesem Modell waren: 6-Volt-Spulenzündung, Druckumlaufschmierung, Unterdruck-Benzinförderung, trockene Mehrscheibenkupplung, Dreiganggetriebe mit Mittelschalthebel, spiralverzahnte Hinterachse, Halbelliptikfedern rundherum und nur Hinterradbremsen. Die frühen Wagen wiesen einen Radstand von 2,946 m auf, der ab 1923 verlängert wurde und nun wahlweise 3,2 oder 3,38 m betrug. Mit der Einführung des Achtzylindermodells später im gleichen Jahr wurden Vierradbremsen eingebaut. Die Konstruktion dieses Wagens wurde bis 1928 laufend weiterentwickelt, und er erhielt alle Verbesserungen der größeren Modelle. Die letzten Sechszylinder der 5. Serie hatten 4,7-Liter-Motoren mit 81 PS – sie trugen wesentlich zum Rekordverkauf des Jahres 1928 bei.

Das Hauptinteresse gehörte allerdings dem Single Eight der 1. Serie, welcher den Twin-Six im Spätsommer 1923 ersetzte. (Packard-Wagen waren immer unter ihrer Seriennummer bekannt und nicht unter dem Modelljahr, obgleich die beiden oft zusammenfielen, insbesondere von 1929 an.) Der seitengesteuerte Monoblock-Reihenachtzylinder-Motor lehnte sich stark an den Single-Six an. Seine Abmessungen betrugen 85,7 × 127 mm, entsprechend einem Hubraum von 5,9 Litern. Der Zylinderkopf war demontabel, es gelangten eine Druckumlaufschmierung und eine neunfach gelagerte Kurbelwelle zum Einsatz, auf die die Firma zu Recht besonders stolz war. In späteren Jahren wurde das Gewicht der Kurbelwelle in den Verkaufskatalogen stets angegeben. Der Saugstromvergaser, der mittels Unterdruckförderung gespeist wurde, war eine Eigenentwicklung. Das Kühlsystem erhielt Pumpe und Ventilator. Die Kraftübertragung folgte mit einer Mehrscheiben-Trockenkupplung, dem Dreiganggetriebe, einer offenen Kardanwelle und der spiralverzahnten Hinterachse der bereits vorhandenen Linie. Die Halbelliptikfedern wurden durch Reibungsstoßdämpfer unterstützt. Von besonderem Interesse waren die Vierradbremsen mit mechanischer Betätigung. Vorne waren sie als Innenbackenbremsen ausgebildet, während hinten Außenbandbremsen gewählt wurden. Ungewöhnlich waren auch die demontierbaren Scheibenräder, die mit 33 × 5-Reifen bestückt waren. Übrigens trugen die Nabenkappen die einzige Markenidentifikation bis 1929, als ein Kühlersignet seine (kurze) Aufwartung machte. Der Wagen besaß einen Radstand von 3,45 oder 3,63 m. Zur Serienausrüstung gehörten eine motorgetriebene Reifenpumpe, abblendbare Scheinwerfer und ein Scheibenwischer. Mit der Hinterachsuntersetzung von 4 : 1 konnten bis zu 120 km/h erreicht werden. Der Sedan kostete 4650 Dollar, und offene Tourenmodelle waren etwa 1000 Dollar billiger.

Weder das Aussehen noch die mechanischen Spezifikationen änderten sich bis zur 8. Serie im Jahre 1931

1 Packard Eight Roadster komplett mit zusätzlichen Suchscheinwerfern, Seitenflügeln an der Windschutzscheibe und «dougnut chaser»-(Berliner-Pfannkuchen-Jäger-) Kühlerfigur. Die Trommelscheinwerfer blieben bis 1928 als serienmäßige Ausrüstung (1926).

2 Sogar die ganz normalen Packardwagen besaßen eine zeitlose Eleganz. Der Typ 726 mit viertüriger Sedankarosserie war fast das billigste der 1930 angebotenen Modelle. Hier wurde die kleine Ausführung des Reihenachtzylindermotors mit neun Kurbelwellenlagern, nämlich jenen mit 5,3 Liter Hubraum, eingebaut.

3 Ein seltener Packard 734 Eight Speedster Sport Phaeton aus dem Jahre 1930 bei einem Veteranenmeeting in der Nähe von New York in den frühen fünfziger Jahren.

1

2

3

4

5

4 Unverwechselbares Gesicht des Packard-V12-Convertible-Coupés (1933).

6 Packard-V12-Motor aus der Zeit von 1932-35.

5 Swiss-Packard Eight mit 5,3-Liter-Motor und eleganter Cabrioletkarosserie von Graber, Wichtrach (1933).

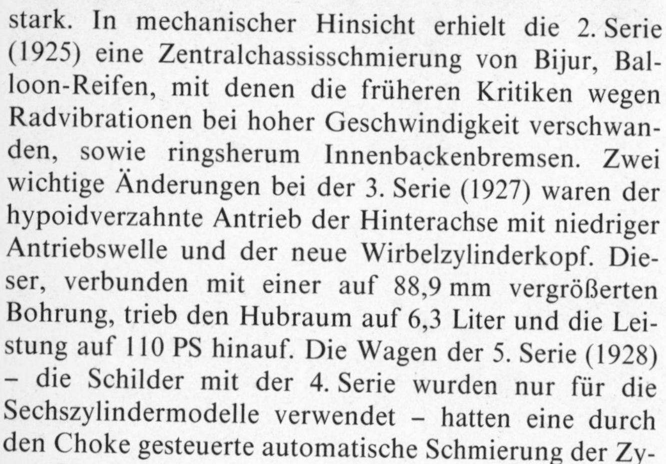

stark. In mechanischer Hinsicht erhielt die 2. Serie (1925) eine Zentralchassisschmierung von Bijur, Balloon-Reifen, mit denen die früheren Kritiken wegen Radvibrationen bei hoher Geschwindigkeit verschwanden, sowie ringsherum Innenbackenbremsen. Zwei wichtige Änderungen bei der 3. Serie (1927) waren der hypoidverzahnte Antrieb der Hinterachse mit niedriger Antriebswelle und der neue Wirbelzylinderkopf. Dieser, verbunden mit einer auf 88,9 mm vergrößerten Bohrung, trieb den Hubraum auf 6,3 Liter und die Leistung auf 110 PS hinauf. Die Wagen der 5. Serie (1928) – die Schilder mit der 4. Serie wurden nur für die Sechszylindermodelle verwendet – hatten eine durch den Choke gesteuerte automatische Schmierung der Zylinderwände. Hydraulische Stoßdämpfer wurden im Jahre 1929 mit der 6. Serie eingeführt, die auch einen kleinen Achtzylinderwagen (81 × 127 mm, 5,3 Liter) umfaßte, der den überholten Six ablöste. Dieses Modell wies den gleichen Radstand auf wie sein Vorgänger, während die Eight nun Rahmen mit einem Radstand von 3,57 oder 3,69 m erhielten. 1930 (7. Serie) gab es keine wesentlichen Änderungen, aber die Wagen der 8. Serie (1931) erhielten jetzt das Vierganggetriebe mit geräuschlosem 3. Gang (teilweise schon bei Wagen von 1930 eingebaut), eine mechanische Brennstoffpumpe, doppeltwirkende Delco-Stoßdämpfer und etwas mehr Kraft – nämlich 120 PS bei 3200 U/min beim größeren Achtzylindermotor.

Die Änderungen im Aussehen waren feiner. Die ersten drei Serien hatten Holzlenkräder. Die 3. und 5. Serie sind leicht daran zu erkennen, daß die innere Linie des Kühlers der äußeren nicht genau folgt. Tropfen- statt trommelförmige Scheinwerfer sowie verchromter Schmuck kamen mit der 6. Serie, und der Raddurchmesser verringerte sich laufend von 23 Zoll bei Beginn bis 20 oder 19 Zoll entsprechend dem Modell.

Obgleich die 6,3-Liter-Wagen Geschwindigkeiten von 135 bis 140 km/h erreichten, wurde dem Markt für

Hochleistungsfahrzeuge bis 1929 keine große Beachtung geschenkt. In diesem Jahr wurden dann 70 Speedster Eight verkauft. Diese waren so eine Art Improvisation, die dadurch erreicht wurde, daß man den 6,3-Liter-Motor in das Fahrgestell mit dem kürzesten je gebauten Radstand (3,2 m) montierte. Die mechanischen Verbesserungen umfaßten einen Zylinderkopf mit höherem Verdichtungsverhältnis, eine Hochhub-Nockenwelle – was zusammen die Leistung auf 130 PS steigerte – sowie ein Vierganggetriebe und eine lang untersetzte Hinterachse. Der Speedster Eight Modell 734 von 1930 war ein ernsthafterer Versuch. Er erhielt ein Fahrgestell mit dem Radstand von 3,42 m, der es erlaubte, sowohl offene viersitzige Tourenkarosserien wie auch geschlossene Aufbauten und natürlich den wunderschönen Boattail Speedster anzubieten. Insgesamt wurden 150 Stück gebaut. Am Motor wurden folgende Änderungen vorgenommen: Einlaßleitungen mit sechs Öffnungen, größerer Auspuffkollektor, Doppel-Choke-Saugstromvergaser. Im weiteren erhielten die Bremstrommeln Kühlrippen. Diese Wagen kosteten über 5000 Dollar, und man erreichte mit ihnen 160 km/h. Zwar gab es auch später noch sportliche Aufbauten auf den Packard-Modellen, aber dies war der letzte wirkliche Sportwagen der Marke.

Im Jahre 1932 wurden die Spitzkühler, der automatische Choke und die vom Fahrersitz aus verstellbaren Stoßdämpfer eingeführt. Eine durch Unterdruck betä-

6

tigte Kupplung konnte auf Wunsch eingebaut werden, und ein Dreigang-Synchrongetriebe wurde serienmäßig eingesetzt, wobei einige der Wagen der 9. Serie mit einem Vierganggetriebe ausgerüstet waren. Dazu kam eine interessante Erweiterung des Programms.

Das Modell 900 oder Light Eight war ein Versuch, einen Spottpreis-Packard zu lancieren, er kostete weniger als 2000 Dollar, besaß einen Radstand von nur 3,27 m und den 5,3-Liter-Motor. Ungeachtet der ungewöhnlichen Formgebung von vorderen Kotflügeln und Kühler durch Vern Gubitz kostete er in der Herstellung gleich viel wie die luxuriöseren Modelle 901 und 902 mit den gleichen mechanischen Elementen, aber die Firma verlor daran einfach noch mehr Geld. Er wurde deshalb stillschweigend fallengelassen und erschien nach 1932 nicht mehr.

Der V12 (nur die Wagen des ersten Produktionsjahrs wurden noch Twin-Six genannt) bedeutete die Rückkehr zu dieser Konzeption nach neun Jahren. Diejenigen, welche Packard als eine urkonservative Firma abtun, sollten sich merken, daß das neue Modell erst nach verschiedenen Versuchen und Experimenten lanciert wurde. Da war zum Beispiel ein Zwölfzylinder-Reihenmotor, aber auch ein V-Motor mit 6,1 Liter Hubraum, der von C. W. van Ranst – früher bei Duesenberg und Cord beschäftigt – entwickelt wurde und der mit dem Vorderradantrieb des Cord L29 versehen war. Bei diesem Modell wurden erstmals für Packard hydraulische Bremsen sowie die ungewöhnliche Kombination eines Zweiganggetriebes mit einer doppelt untersetzten Hinterachse eingebaut. Der Prototyp war listig getarnt und schaute viel eher wie ein Marmon aus als irgendein Wagen, der je von Packard angeboten wurde.

Das Serienmodell allerdings erhielt ein größeres 7,3-Liter-Triebwerk mit einem Gabelwinkel von 67°, das bei 3200 U/min eine Leistung von 160 PS erbrachte. Die beiden Zwillingsmotorblöcke aus Grauguß bildeten mit dem Kurbelgehäuse eine Einheit. Der Motor besaß Doppelspulenzündung und war auf vier Gummiblöcke montiert. Die Kolben bestanden aus Leichtmetall. Die mechanische Brennstoffpumpe enthielt eine Unterdruckpumpe für die Scheibenwischer. Die amerikanischen Hersteller, ganz im Gegensatz zu den europäischen Firmen, klebten viel zu lange an dieser ungenügenden Methode der Scheibenwischerbetätigung. Der neue Twelve erhielt einen mit Kreuzverstrebung versehenen Rahmen, Vakuum-Servobremsen und Doppelchoke-Fallstromvergaser (was bei den Achtzylindermodellen noch nicht der Fall war). Der Radstand betrug 3,62 und 3,76 m, und der neue Wagen kostete 5680 Dollar gegenüber 2350 Dollar für den normalen Eight und 1895 Dollar für den Light Eight.

1933 erhielten auch die Achtzylindermodelle das Fahrgestell des Twelve sowie die Brems- und Vergaserverbesserungen. Die Leistung stieg auf 120 resp. 145 PS. Im folgenden Jahr änderte sich, abgesehen vom Beifügen einiger hervorragender zwei- und vierplätziger Speedster auf dem kurzen Twelve-Fahrgestell, nicht viel. Le Baron baute drei noch aufsehenerregendere aerodynamische Coupés auf dem gleichen Chassis zum Stückpreis von 18 000 Dollar.

Das war alles fein und gut für die wenigen Leute, die es sich immer noch leisten konnten, «einen zu besitzen», aber leider nicht so gesund für das Budget der Firma. Die Verkäufe waren seit dem Spitzenumsatz im Jahre 1928 ständig gesunken, und zwar auf 11 700 Wagen im Jahre 1932, unter 10 000 im Jahre 1933 und auf klägliche 6550 Wagen im Jahre 1934. Folglich wurde G. T. Christopher von Pontiac, der dort mit einem Reihen-Achtzylinder-Modell für 600 Dollar im Jahre 1933 einen großen Erfolg buchte, angeworben. Seine Aufgabe war es, einen Reihen-Achtzylinder-Packard zu schaffen, der unter 1000 Dollar verkauft werden konnte. Dieser Packard 120, der 1935 neu eingeführt wurde, war ein gutes Beispiel seiner Klasse, wenn auch sein fünffach gelagerter Graugußmotor nicht mehr und nicht weniger als ein Meisterwerk moderner Produktionstechnik war. Jeder Zoll seines Aussehens war unverwechselbar Packard, und zwei der Neuheiten – die hydraulischen Bremsen und die unabhängige Vorderradaufhängung mit Schraubenfedern – sollten schon bald auch bei den teuren, großen Modellen Eingang

7 Dieser Packard Twelve mit Aufbau von Dietrich ist praktisch ein Duplikat des berühmten Wagens für die Weltausstellung von 1933 in New York.

8 Packard Twelve Town Car von Le Baron (1935).

9 Packard Twelve Modell 1107 Coupé aus dem Jahre 1934. Zu beachten ist der Hardtopstil.

7

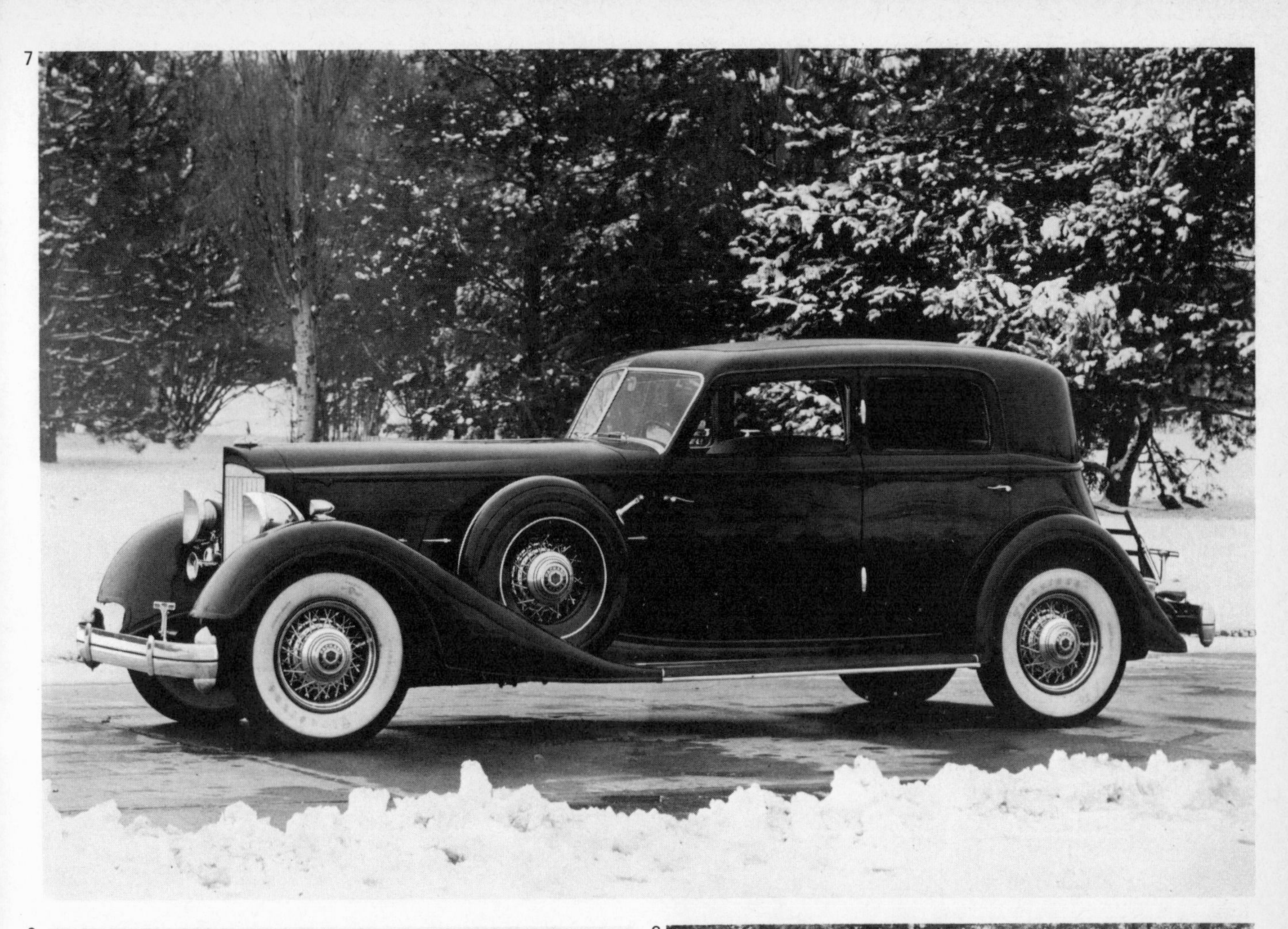

8

9

finden. Die Umsätze erholten sich und stiegen auf 31 889 verkaufte Wagen in diesem Jahr, und zwei Jahre später übernahm die Marke, nach einer weiteren Ergänzung der Reihe durch billige Sechszylindermodelle, die Spitze der unabhängigen Produzenten in den USA mit Auslieferungen von nahezu 110 000 Wagen.
Es war nicht zu vermeiden, daß dies auf die großen Packard einen Einfluß hatte. Die Modelle für 1935 erhielten 17-Zoll-Speichenräder, die Motoren rückten im Rahmen weiter nach vorne, und die schräggestellten Kühlerverschalungen wurden der Wagenfarbe entsprechend lackiert. Die Doppelspulenzündung verschwand bei den Achtzylindermodellen. Einige kosmetische Feinheiten, wie zum Beispiel das Armaturenbrett aus karpatischem Ulmenholz, wurden geopfert. Die Wagen waren aber trotzdem noch «kosmetischer» als die rivalisierenden Cadillac-Modelle. Der Motor des Twelve wurde auf 7760 cm³ vergrößert, und die im Katalog angegebene Leistung betrug 175 PS – in Wirklichkeit gaben diese späteren Triebwerke allerdings nahezu 205 PS ab, wodurch Spitzengeschwindigkeiten von 155 km/h möglich waren.
Die Zeiten änderten sich. Die Wagen mit 6,3-Liter-Motoren verschwanden Ende 1936 und mit ihnen die Speichenräder und die Zentralchassisschmierung. Verbesserungen bedeuteten die Vorderradaufhängung mit Schraubenfedern und die hydraulischen Bremsen, die beim Twelve eine Vakuum-Servounterstützung erhielten. Weitere Einsparungen folgten 1938, als das Maserholz von den Armaturenbrettern verschwand und die geschlossenen Karosserien ein Ganzstahldach erhielten. Die keilförmige Windschutzscheibe in Übereinstimmung mit dem Spitzkühler hielt ihren Einzug, aber sonst blieb die allgemeine Form der großen Modelle weitgehend erhalten. Von den 49 000 Packard-Wagen, die in diesem Rezessionsjahr verkauft wurden, waren nur 2476 Super Eight (wie die mit dem 5,3-Liter-Motor mit neun Kurbelwellenlagern ausgerüsteten Wagen seit dem Verschwinden der alten Super genannt wurden), und 566 waren Twelve-Modelle.
1939 war der Super Eight am Sterben. Zwar räumte man dem Motor noch ein weiteres Lebensjahr ein, indem man ihn in das kürzere Fahrgestell des Modells 120 hineinzwängte. Dieser Vorgang erforderte das Aus-

10

11

12

13

10 Packard Senior mit 5,3-Liter-Motor und Convertible-Coupé-Karosserie. Bemerkenswert sind die bei den für England bestimmten Exportmodellen montierten Marchal-Scheinwerfer (1936-37).

11 Wie aus einem Packard 120 ein Klassiker wird: Graber-Cabriolet für den Genfer Salon 1937.

12 Packard Twelve Town Car von Brunn. Dieser Wagen befindet sich in der Sammlung des bekannten Rennfahrers Phil Hill (1938).

13 Packard Twelve Convertible Sedan (1936).

höhlen der Spritzwand. Gleichzeitig erhielten alle Packard die Lenkradschaltung mit einem automatischen Schnellgang bei allen Modellen, ausgenommen die Twelve. Die neue Kreuzung mit dem 5,3-Liter-Motor war um 270 kg leichter als der echte Wagen und wies eine bessere Beschleunigung bei einer großen Preisersparnis auf. Um ihn von den volkstümlichen Packard 120 zu unterscheiden, verpaßte man ihm seitliche Reserveräder, was nicht unbedingt zu einem besseren Aussehen verhalf. Da die Firma bereits eine achtsitzige Limousine in der Typenreihe 120 besaß, bot es keine Probleme, den Typ 148 (148 Zoll Radstand – 3,76 m) als Super-Eight-Herrschaftswagen anzubieten. Die in dieser Saison verkauften 446 Packard Twelve waren die letzten.

Offiziell bedeutete dieser Abgang das Ende der klassischen Packard, denn die Produktionsmethoden waren rationalisiert worden, und es gab keine Absonderung mehr in der Belegschaft. Die Verbesserungen des Jahres umfaßten die Einführung der «Sealed-beam»-Scheinwerfer, von Kunststoff-Armaturenbrettern(!), schmaleren Kühlergrills, einteiligen Heckscheiben und, auf Wunsch und gegen Mehrpreis, einer Klimaanlage. Allerdings gab es einige neue große Packard mit einem neunfach gelagerten Graugußmotor, der die hydraulischen Ventilstößel erhielt, wie sie der Twelve seit dessen Einführung im Jahre 1932 aufwies. Dieses Triebwerk hatte einen Hubraum von 5832 $cm^3$ und leistete 160 PS. Es wurde im Typ 160 eingebaut, der einen normalen Radstand von 3,226 m besaß. Daneben wurden auch lange Fahrgestelle mit einem Radstand von 3,50 und 3,76 m angeboten und nicht zu vergessen die sogenannten «Commercial»-Chassis für Krankenwagen und Leichenwagen, meistens von Henney aufgebaut. Die Fabrikkarosserien umfaßten neben den üblichen

Aufbauten einen attraktiven Convertible Sedan. Die Custom-Reihe 180 besaß zwar die gleiche Mechanik und Fahrgestelle mit den gleichen Radstandlängen, doch waren dies echte Luxusgefährte.

Die berühmteste Ausführung des Typs 180 war das Victoria von Darrin – in Wirklichkeit ein kurzer, viersitziger Sporttourenwagen mit ganz versenkbarem Verdeck auf dem kurzen Fahrgestell. Howard Darrin schuf allerdings auch eine Sport-Sedan-Version. Le Baron steuerte einen Sport-Brougham und eine Limousine bei, und es gab sogar Chauffeurwagen von Rollston (die neuorganisierten Rollston-Karosseriewerke) auf den beiden langen Chassis. Die Verfeinerungen der Spezifikationen umfaßten unter anderem elektrische Scheibenbetätigung, Maserholz-Armaturenbretter und eingebaute Radioabdeckungen – der Radio selber mußte allerdings gegen Mehrpreis speziell bestellt werden. Schnellgang, automatische Kupplung und Klimaanlage waren selbstverständlich die normalen Sonderausstattungen gegen Mehrpreis. Diese letzten der klassischen Luxus-Packard waren selten: 1300 Wagen Typ 180 wurden 1940 hergestellt, 930 Stück im Jahre 1941 und nur noch 336 Wagen in dem beschnittenen Jahr 1942. Die Nachfrage nach den Darrin Victoria war dermaßen groß, daß die in Los Angeles beheimatete Firma Bohman and Schwartz ähnliche Kopien für die amerikanische Westküste produzierte.

Gerade vor dem Eintritt Amerikas in den Krieg beauftragte Packard Howard Darrin, ihre normalen Karosserien zu überarbeiten. Das von ihm geschaffene Modell sollte bei den Automobilisten der Schweiz von 1946 an recht bekannt werden. Es war der elegante «Clipper» mit seinen schmalen, unverzierten Linien, den durchgezogenen Kotflügeln und seiner klaren Formgestaltung. Diese Karosserieform, so behauptete die Fabrik, ergab 19 Prozent weniger Luftwiderstand und einen um 18 Prozent verringerten Benzinverbrauch. Die meisten Clipper waren natürlich auf dem «Junior»-Fahrgestell mit dem 105-PS-Sechszylinder- oder dem 120-PS-4,6-Liter-Reihen-Achtzylinder-Motor aufgebaut. Es gab aber auch Versionen der Typen 160 und 180 mit dem 5,8-Liter-Triebwerk. Diese erkannte man an den bis in die Vorderkotflügel gezogenen Kühlergrills. Weniger als 900 dieser Wagen waren fertiggestellt, als die amerikanische Industrie auf die Kriegsproduktion umstellte. Im Falle von Packard wurden dort Rolls-Royce-Merlin-Flugzeugmotoren produziert. Es gab keine Cabrioletaufbauten im Clipper-Stil vor 1948. Jene des Jahres 1942 verwendeten ohne Ausnahme die alten Linien.

Bedauerlicherweise erschienen die 160- und 180-Ausführungen nach dem Krieg nicht mehr. Zwar gab es einige De-Luxe-Clipper, in welche der neunfach gelagerte Motor eingebaut wurde. Es hieß, daß die amerikanische Regierung auf Packard Druck ausgeübt habe, daß alle Prägeformen an die UdSSR verkauft würden, aber diese Geschichte konnte nie wirklich erhärtet werden. Was allerdings unleugbar zutrifft, ist, daß die ZIS 110 von 1946 innen und außen eine nicht verheimlichte Ähnlichkeit mit einer Packard-180-Limousine aus dem Jahre 1942 aufweisen.

**14** Packard 180 Darrin Victoria (1940).

**15** Einer der letzten echten Custom Packard, ein vornehmer Sedan auf dem Fahrgestell Serie 180 (1941).

**16** Packard 160 Clipper Sedan (1942).

14

15

16

# Pierce-Arrow *Scheinwerfer in den Kotflügeln*

«So lange, bis alle Häuser genau gleich gebaut werden», verkündete die Einführung zum Pierce-Arrow-Katalog von 1937, «so lange, bis alle Leute gleich gekleidet sind, so lange, bis die Individualität aufhört, ein amerikanischer Zug zu sein, wird Pierce-Arrow fortfahren in den Bemühungen um Eigenständigkeit in den Automobilen, die für eine auserwählte Kundschaft gebaut werden.»
Dieses tapfere Bekenntnis einer Firmenpolitik wurde gemacht, als sich die Firma nur 15 Monate und 200 Wagen vor der endgültigen Konkursverwaltung befand. Schon mußte man zu so unglücklichen Auswegen greifen wie der Herstellung von Wohnwagen, die unter dem Namen Travelodge auf den Markt kamen. Die einzigen Erneuerungen, die die Marke bei den Automobilen anbieten konnte, waren ein kombinierter Geschwindigkeits- und Tourenzahlmesser und ein Defroster. Im Katalog selber waren ein feiner Wagen mit 6,3-Liter-Reihen-Achtzylinder-Motor und ein sogar noch großartigerer mit einem V12-Motor, komplett mit dem Bogenschützen als Kühlerfigur und Instrumenten, die jede Einheit von Meile pro Stunde und jedes Ampere der Elektrizität aufzeigten, abgebildet. Keiner der Wagen wog allerdings bedeutend weniger als 2½ Tonnen oder kostete weniger als 3200 Dollar, und das zu einer Zeit, als man mit gleich viel Geld fünf Chevrolet oder zwei recht einfache Cadillac kaufen konnte. In europäische Währung umgesetzt, würde dies etwa fünf Fiat Topolino bedeuten, was allerdings kaum ein realistischer Vergleich ist, denn nach dem Hinzufügen der Einfuhrzölle und Spesen war es nicht möglich, einen Pierce in der Alten Welt für viel weniger als 6000 Dollar anzubieten. In der Tat wurden nach 1914 nur sehr wenige Wagen nach Europa exportiert. Immerhin weiß man von erhalten gebliebenen Exemplaren in der Schweiz, in Frankreich, in England und in Dänemark. In ihren berühmten Jahren allerdings waren die Wagen mit den stromlinienförmig in die Kotflügel verlegten Scheinwerfern etwas vom Feinsten und Besten, das man irgendwo auf der Welt kaufen konnte. Die eigenwillige Einbauweise der Scheinwerfer war ab 1913 normal und bei den meisten Pierce-Arrow vorhanden, obgleich sie nie obligatorisch war.
George Pierce von Buffalo, New York, hatte während 19 Jahren Vogelbauer und Kühlschränke hergestellt, als er 1892 damit begann, Fahrräder herzustellen, und 1900 eine auf dem Konzept De Dion basierende Voiturette in sein Programm aufnahm. Der Name Arrow (Pfeil) wurde 1904 mit einem 15-PS-Wagen mit stehendem Zweizylindermotor eingeführt. Der nachfolgende Vierzylinderwagen wurde bekannt als «Great Arrow» (sic), und 1909 wurde der Firmenname in Pierce-Arrow geändert. Um diese Zeit umfaßte das Herstellprogramm einen mächtigen Wagen mit 10-Liter-Sechszylinder-Motor sowie Motorräder (nur zwischen 1909 und 1913) und eine Reihe von Nutzfahrzeugen. Letztere überlebten bis in die dreißiger Jahre. Auch im Ersten Weltkrieg wurden Pierce-Arrow-Lastwagen eingesetzt.

Der typische Pierce-Arrow-Wagen der Zeit zwischen 1914 und 1919 besaß einen Sechszylindermotor mit in Paaren gegossenen Zylindern, seitlich gesteuerten stehenden Ventilen in einem T-Kopf, Doppelzündung (Magnet und Spule), einer Konuskupplung, Viergang-getriebe und Hinterradbremsen. Sowohl Schalthebel als auch Lenkrad befanden sich auf der rechten Wagenseite. Pierce bestand darauf, daß diese Anordnung für den Chauffeur beim Parkieren vorteilhafter sei. Der kleinste Wagen des Programms war der «38», ein sehr großer Wagen mit einem Motor von nahezu 7 Litern Hubraum. Der größte Wagen der Reihe allerdings, der «66», war ein Ungetüm. Die Zylinderabmessungen von 127 × 178 mm ergaben einen Hubraum von 13 526 cm³, und der Motor leistete seine 80 PS bei gemächlichen 1200 U/min. Der Wagen lief nahezu geräuschlos seine 100 km/h und immer noch recht ruhig seine 125 bis 130 km/h dank einer Untersetzung im 4. Gang von 2:1. Im siebensitzigen Tourenwagen war so viel Platz, daß die Passagiere schier darin herumgehen konnten. Sein Durst nach Brennstoff und der Reifenverbrauch waren unersättlich, trotzdem wurden über 1600 dieser Monstren gebaut – das letzte im Jahre 1918.
Nach dem Krieg wurde die T-Zylinderkopf-Konstruktion wiederaufgenommen. Allerdings mußte für den Anfang ein einziges Modell mit einem 8,6-Liter-Motor genügen, und von 1921 an wurde auch dieses durch den neuen «33» ersetzt. Dieser erhielt einen Monoblockmotor mit abnehmbarem Zylinderkopf und 6,7 Liter Hubraum (102 × 140 mm), 24 Ventilen, Doppelspulenzündung mit zwölf Zündkerzen und eine trockene Mehrscheibenkupplung anstelle der alten Konusausführung. Drei Vorwärtsgänge wurden nun als ausreichend angesehen, und endlich stellte sich auch Pierce mit der Einführung der Linkslenkung ins Glied. Dieser letzte Motor mit T-Kopf drehte bis auf 3000 U/min und entwickelte 75 PS. Wie die vorhergehenden Pierce-Arrow wurden auch hier, bei den Fabrikkarosserien, Aluminiumbleche über einen Holzrahmen befestigt. Die Verkäufe waren mit 2078 Wagen im Jahre 1924 recht gut, und der «33» wurde bis 1928 im Programm behalten. Die später hergestellten Wagen erhielten Balloon-Reifen und Vierradbremsen mit Unterdruck-Servounterstützung.

1

1 Das Bild des klassischen Pierce Arrow, eine Landauerkarosserie auf dem Modell-33-Fahrgestell des Jahres 1922. Um diese Zeit hatte sich die Linkslenkung als serienmäßige Ausführung durchgesetzt. Der Kunde dieses Wagens zog allerdings die konventionellen außenliegenden Trommelscheinwerfer den üblichen eingebauten Lampen vor.

2 Pierce Arrow Serie 33 Roadster mit den typischen Scheinwerfern (ca. 1923).

Der «33» war aber immer noch ein sehr großer Wagen, und bereits 1924 wurde der Typ 80 lanciert. Dieser war ein viel bescheidenerer Wagen mit modernen Linien und einem 4,7-Liter-Sechszylinder-Motor (88,9 × 127 mm). Die Ventile waren stehend auf der gleichen Seite angeordnet, und es kam eine einfache Spulenzündung zur Verwendung. Einmal mehr war die Kurbelwelle siebenfach gelagert, doch erhielt sie einen Lanchester-Schwingungsdämpfer und ausgewuchtete Pleuel. Pumpenkühlung und Vakuumbenzinförderung entsprachen der amerikanischen Norm. Die serienmäßigen Räder bestanden aus einem festen Radstern aus Holzspeichen und demontierbarer Felge. Es wurden Balloon-Reifen montiert, und die Vierradbremsen besaßen Innenbacken. Mit seinen 70 PS erreichte der neue «80» eine Geschwindigkeit von 105 km/h und verbrauchte etwa 13,8 l/100 km. Das Wichtigste aber: als Sedan karossiert wurde er für 3895 Dollar verkauft gegenüber dem Preis von 7000 Dollar für den Typ 33. Die Spezifikationen des «80» wurden übrigens für einige sehr interessante Versuche verwendet, die der frühere Vauxhall-Konstrukteur Laurence H. Pomeroy

Pierce Arrow
Pacific Sales
Co. Inc.
Pierce Arrow

für die Aluminium Corporation of America (ALCOA) durchführte. Diese Version war ein echtes Vollaluminium-Automobil. Rahmen, Lenkgestänge und Achsen waren aus Leichtmetall, und nur für die Kurbelwelle, die Ventile und die Getriebe wurde Stahl verwendet. Mit dieser Lösung wurde das Gewicht des Sedan um 315 kg reduziert, doch die Serienproduktion wurde nicht aufgenommen. Es ist allerdings bemerkenswert, daß Pomeroy einige Jahre später für Daimler einen Aluminiummotor schuf.

Bei allen Pierce-Arrow von 1925 wurden hydraulische Stoßdämpfer serienmäßig eingebaut. 1928 machte der Typ 80 dem verbesserten «81» Platz, der nunmehr dank Aluminiumkolben und Pleuelstangen aus Dural 100 PS leistete. Das niedriger gestaltete Fahrgestell verbesserte sein Aussehen. Trotzdem sahen die Pierce-Arrow-Modelle neben den zeitgenössischen Lincoln, Packard und den durch Harley Earl überarbeiteten Cadillac-Wagen immer noch etwas altmodisch aus. In der Zwischenzeit hatte sich indessen Pierce-Arrow mit Studebaker zu einem Gebilde verschmolzen, das als viertgrößte Industriegruppe der USA bezeichnet wurde. Die beiden Firmen blieben bis 1933 zusammen. Diese Situation hat dazu geführt, daß einige Autoren behaupten, der Reihenachtzylinder-Pierce-Arrow von 1929 sei im Grunde genommen ein Studebaker.

Tatsache ist, daß sich die Teilhaberschaft von Studebaker an den Betrieben von Pierce-Arrow darauf beschränkte, die Einrichtungen der South-Bend-Werke für das Gießen von Zylinderblöcken zu benutzen sowie für einen Teil – nicht für die Gesamtheit – der Karosserieherstellung. Pierce-Arrow blieb selbständig. Nach dem Tod des Chefkonstrukteurs John Talcott im Jahre 1928 ging die Konstruktion in die Hände von Charles Pleuthner (der seit 1907 in der Firma war), Maurice Thorne, Louis Jones (Fahrgestelle) und L. P. Schubert (Karosserien) über. Die Motoren wurden immer noch aufs sorgfältigste auf Leistung und Laufruhe geprüft. Sowohl als Fahrgestelle wie auch nach der Montage der Karosserien wurden 160 km lange Straßenversuchsfahrten unternommen.

Der neue Achtzylindermotor war eine klare, gradlinige Konstruktion mit stehenden Ventilen, Pumpenkühlung und mittels Kette angetriebener Nockenwelle. Die Kurbelwelle drehte (im Gegensatz zum Studebaker-President-Motor) in neun Gleitlagern. Die Zylinderabmessungen betrugen 88,9 × 120,7 mm (5,9-Liter) gegenüber 88,9 × 111,1 mm beim Studebaker-Motor. Der Doppel-Choke-Steigstrom-Vergaser wurde mittels mechanischer Benzinpumpe aus einem 76-Liter-Tank gespeist. Eine Zweischeibenkupplung wurde eingebaut, und die Wagen konnten wahlweise mit Dreigang- oder Vierganggetriebe mit geräuschlosem 3. Gang bestellt werden. Wie Packard und Duesenberg verwendete auch Pierce-Arrow nun eine hypoidverzahnte Hinterachse, wodurch der neue Achtzylinderwagen merklich niedriger ausfiel als die alten Typen 33 und 81. Es wurden wiederum Halbelliptikfedern und doppeltwirkende Houdaille-Hydraulikstoßdämpfer verwendet. Die Bendix-Vierradbremsen waren kabelbetätigt und wurden durch die Handbremse auf das Getriebe unterstützt. Der Rahmen besaß 20,3 cm starke Seitenholme. Die Karosseriebleche wurden gegen Lärm behandelt, und die Wagen erhielten 19-Zoll-Räder mit Holz- oder Drahtspeichen. Ein Radstand von 3,38 oder 3,63 m stand zur Wahl. Die Verkäufe des Jahres bedeuteten eine große Verbesserung gegenüber 1928, indem sie von 5736 auf 8422 Wagen stiegen.

Grundsätzlich blieben die Spezifikationen für die Wagen des Jahres 1930 wenig verändert. Zusätzlich zum bestehenden Motor mit 125 PS gab es nun noch einen größeren 6,3-Liter-Achtzylinder (Typ A) mit 132 PS und ein «Einfach»-Modell mit 5,6 Liter Hubraum und 115 PS (Typ C) mit einfachem Vergaser, das für weniger als 3000 Dollar zu haben war. Diese Ausführung hielt sich allerdings nur ein einziges Jahr, während die beiden anderen Modelle 1931 wieder angeboten wurden. Nun hielten die Synchronisation beim Dreiganggetriebe Einzug (das Vierganggetriebe blieb weiterhin erhältlich) sowie ein Freilauf, servounterstützte Bremsen und neuerdings eine Handbremse, die auf alle vier

3 Pierce Arrow Eight Convertible Coupé auf dem langen Fahrgestell (1929).

4 Phaeton auf dem «kleinen» Pierce-Arrow-Chassis der Serie 81 (1928).

5 Pierce Arrow Serie 41 Convertible Cabriolet, Salonmodell mit Achtzylindermotor (1931).

3

4

5

6

6 Dieser siebenplätzige Sedan aus dem Jahre 1932 ist der erste der Pierce-Arrow-V12-Reihe. Zu beachten ist die Radioantenne.

7 Pierce-Arrow-Achtzylinder mit Sedankarosserie (1934).

8 Später Pierce Arrow: ein Stadtwagen aus dem Jahre 1937, komplett mit der Bogenschützen-Kühlerfigur.

9 Pierce Arrow V12 Convertible Sedan (1933).

Räder wirkte. Am oberen Ende des Angebots waren die «Salon»-Wagen mit dem 6,3-Liter-Motor und dem langen Radstand von 3,72 m. Diese besaßen die erforderlichen Anschlüsse für ein Radio. Für diese Reihe schuf Le Baron einige seiner schönen Karosserien, und zwar Sport-Sedan und Limousinen mit geteilten keilförmigen Windschutzscheiben, ein zweiplätziges Coupé, ein Convertible Sedan und ein Convertible Victoria. Noch exotischer war der Stadtwagen von Brunn für den Schah von Persien, bei welchem alle glänzenden Teile – eingeschlossen die Stoßstangen! – vergoldet wurden. Neue Rahmen mit Kastenprofilen, vom Fahrersitz aus verstellbare Stoßdämpfer und auf Gummiklötze montierte Motoren zeichneten die Modelle 1932 der Achtzylinderreihe aus. Diese besaßen das 5,9-Liter-Triebwerk und ein Dreiganggetriebe. Die große Neuheit war, daß die Firma in dem modischen Wettbewerb der Multizylindermotoren mitmischen würde.

Wie Lincoln und Packard war auch Pierce-Arrow zufrieden mit nebeneinanderstehenden Ventilen. Allerdings wurde für die beiden Zylinderbänke ein offenerer Gabelwinkel von 80° gegenüber 65° beim Lincoln- und 67° beim Packard-Motor gewählt, um einen besseren Zugang zu der einzelnen, in der Mitte liegenden Nockenwelle zu sichern. Die abnehmbaren Zylinderköpfe bestanden aus Grauguß, und die Kurbelwelle drehte in sieben Lagern. Die Ansaugkanäle waren für jeden Block getrennt und ebenso die Doppelfallstromvergaser mit automatischem Choke. Die Rahmen, Getriebe

7

8

und die servounterstützten Kabelbremsen waren die gleichen wie bei den Achtzylindermodellen, aber Pierce-Arrow offerierte (wie Lincoln im Jahre 1933) zwei verschiedene Motoren und drei verschiedene Radstände. Während der Typ 53 ein Triebwerk mit einem Hubraum von 6525 $cm^3$ und 140 PS erhielt, betrug der Zylinderinhalt des Motors für den Typ 52 rund 7 Liter, und die Leistung wurde mit 150 PS beziffert. Ein serienmäßiger V12-Roadster, allerdings von allem unnötigen Ballast befreit, zeigte die Leistungsfähigkeit des neuen Modells, indem Ab Jenkins damit während einer Fahrt über 24 Stunden auf der Salzpiste von Bonneville einen Schnitt von 180,63 km/h erzielte. Der im Rekordfahrzeug montierte Motor hatte vorher bereits einen Standtest über 151 Stunden mit 4000 U/min überstanden. Eine spätere, verbesserte und frisierte Version leistete 207 PS und erzielte über 5000 km einen Durchschnitt von 187 km/h. Der letzte der rekordbrechenden Pierce-Arrow von Jenkins, aus dem Jahre 1934, war mit einer Rennkarosserie und einer Sechsvergaseranlage ausgerüstet. Die über 24 Stunden gemessene mittlere Geschwindigkeit betrug 203,2 km/h.

1933 trennte sich Pierce-Arrow von Studebaker. Im gleichen Jahr wurde für kurze Zeit eine mit Schneckenantrieb versehene und über den Chassislängsträgern geführte Hinterachse verwendet (underslung). Diese Bauweise wurde allerdings nur bei den Achtzylinder- und den kleinen Zwölfzylindermodellen angewendet, während die größten Wagen den Hypoidantrieb beibehielten. Eine weitere Verbesserung bedeuteten die neuen Servobremsen von Stewart-Warner nach dem Vorbild von Hispano-Suiza mit einer Notverbindung zu der auf alle vier Räder wirkenden Handbremse für den Fall eines Zusammenbruchs der Servowirkung. Die Achtzylindermotoren erhielten Vergaser mit automatischem Choke, und die V12-Triebwerke wurden mit hydraulischen Ventilstößeln ausgerüstet. Der kleine «Twelve» (Serie 1236) besaß nun den größeren der 1932er Motoren, während die Fahrgestelle mit dem langen Radstand der Serien 1242 und 1247 einen neuen 7,6-Liter-Motor mit 175 PS eingebaut erhielten. Dann gab es noch den «Silver Arrow», einen Traumwagen, den man zwar kaufen konnte, aber nur zum unerhörten Preis von 10 000 Dollar.

Im wesentlichen bestanden die mechanischen Elemente aus einer Kombination des kurzen Radstandes des kleinen Zwölfzylinders und des großen 175-PS-Triebwerks. Die neue Schöpfung von Phil Wright trug allerdings eine Sedan-Vollstromlinien-Karosserie mit durchgezogenen Kotflügeln, verstecktem Reserverad und abgedeckten Hinterrädern. Scheinwerfer, Schlußlichter und auch die Türgriffe waren versenkt. Das Ganze war so gut gemacht, daß sogar der traditionelle Pierce-Arrow-Kühlergrill nicht fehl am Platze war. Die 30,5 cm dikken Türen hatten indessen auch ihre Nachteile, und die Sicht nach hinten war praktisch gar nicht vorhanden. Im übrigen wurde auch nicht in größerem Umfang Gewicht eingespart. Die behaupteten 200 km/h waren mit größter Wahrscheinlichkeit übertrieben, vermutlich betrug die Spitzengeschwindigkeit nur rund 175 km/h. Nur fünf dieser Wagen wurden ausgeliefert. Obgleich diese Übung nicht wiederholt wurde, erhielten die Modelle des Jahres 1934 und die späteren Pierce-Arrow vermehrt aerodynamische Linien. Es gab auch einige zweitürige und fünfsitzige Fließheckcoupés, die unter dem Namen «Silver Arrow» verkauft wurden.

1934 kehrte man bei allen Modellen zum Hypoidantrieb zurück, und eine zugfreie Ventilation gehörte zur Serienausstattung. Bei den Achtzylindermotoren, die nun auch hydraulische Ventilstößel wie die V12 erhielten, nahm Pierce-Arrow den Hubraum von 6,3 Litern, den man 1931 aufgegeben hatte, wieder auf. Die Leistung stieg erneut auf 140 PS. Das 7,6-Liter-Triebwerk Typ 544 wurde nun serienmäßig in alle V12-Modelle montiert, und mit drei Radstandlängen stabilisierte sich das Programm. Die Achtzylinder und die V12 erhielten Fahrgestelle mit 3,53 m Radstand, ein solcher von 3,70 m war dem Custom Twelve vorbehalten, und die Spezialkarosserien wurden von Brunn ausgeführt. Mit dem Modell 836A wurde noch ein letzter Versuch unternommen, mehr Kunden zu gewinnen. Es war ein vereinfachter Achtzylinderwagen (ohne Entlüftungsschlitze in der Motorhaube und ohne die Bogenschütze-Kühlerfigur), doch nichts mehr konnte den Niedergang aufhalten. Die Verkäufe fielen von 2152 Wagen im Jahre 1933 auf einen neuen Tiefpunkt von nur noch 1748 Stück. Es war dies das letztemal, daß mehr als tausend Wagen in einem Jahr verkauft wurden.

Die letzten wirklichen Änderungen und Wechsel kamen mit den Modellen des Jahres 1936. Diese wiesen steifere, kreuzverstrebte Rahmen und zusätzlich zum Freilauf einen feststellbaren Warner-Schnellgang auf. Es gab auch eine sinnreiche Anordnung der vier Scheinwerfer. Das kleinere innere Paar diente als Überhollicht. Die Leistung der Motoren stieg erneut an, und zwar auf 150 PS bei den Achtzylindern und auf 185 PS bei den V12. Doch die Umsätze sanken weiter – auf 875 Wagen im Jahre 1935 und 787 ein Jahr später. Die Marke quälte sich weiter bis ins Jahr 1938, aber von der letzten Serie 1800 erblickten weniger als 40 Wagen das Licht der Welt, und im April gleichen Jahres mußte die Firma den Konkurs anmelden. Der einzige Überlebende war, wie im Falle von Auburn, der V12-Motor, und wie jener von Kublin (12-160 Auburn) gelangte auch dieser in ein Feuerwehrfahrzeug, das von Seagrave in Columbus, Ohio, gebaut wurde. Motoren, die auf dem Pierce-Arrow basierten, wurden von dieser Firma noch bis 1959 gebaut.

Im Jahre 1938 waren immer noch nicht alle Leute gleich gekleidet, das muß man zugeben. Was aber die Automobile betraf, hatte die Individualität «aufgehört, ein amerikanischer Zug zu sein». Für die Außenseiter und die Individualisten, von den teuren Cord und Franklin bis zu den Miniwagen wie den auf dem Austin basierenden Bantam, war die Uhr abgelaufen. Es konnte keine Zukunft geben für eine Firma, die sich so um ihre Kunden kümmerte, daß sie die Dachlinie ihrer «Opera-Limousine» um 7 cm anhob – aus dem einfachen Grunde, damit die Passagiere Zylinderhüte tragen konnten!

# **Reo** *Der vergessene Klassiker des Lastwagenherstellers*

Anfang 1976 stellte die Lastwagenfirma Diamond Reo schließlich ihre Tätigkeit ein. Von den beiden Teilen war Diamond-T immer bekannt als Nutzfahrzeugproduzent, und ihr letzter Versuch, einen Personenwagen zu fabrizieren, ging zurück ins Jahr 1911. Im Gegensatz dazu hatte Reo dieses Gebiet erst vor 39 Jahren aufgegeben. In der Konkursmasse befand sich allerdings der von der Firma zum Abholen von Gästen verwendete Luxuswagen, ein würdevoller Sedan mit Achtzylinder-Reihenmotor, Zoll für Zoll ein Klassiker. Es war ein Exemplar des Royale, des einzigen Modells, mit dem Reo aus dem Feld von Mittelklassewagen ausbrach.

Reo war in Europa am besten bekannt für seine Speed-Wagon-Lastwagen in den zwanziger und dreißiger Jahren. Der Markenname wurde im Gedenken an den Gründer der Firma, Ransom Eli Olds, gewählt. Dieser hatte 1904, nachdem er seine erstgeborene Marke Oldsmobile verlassen hatte, den Grundstein dazu gelegt. Wie Cadillac, Ford und Rambler begann er mit Runabouts mit Unterflurmotoren. Zuerst waren es Einzylinder-, später Zweizylindertriebwerke. Ihren ersten Wagen mit stehendem Vierzylindermotor brachte die Firma 1906 auf den Markt. Dann erfolgte der unvermeidliche Aufstieg zu den Sechszylindermodellen, von welchen der Typ T, der 1920 eingeführt wurde, der erfolgreichste war. Den Höhepunkt erreichte Reo als Personenwagenhersteller mit der Auslieferung von 28 765 Wagen im Jahre 1927. Um diese Zeit war das Modell T dem Flying Cloud Six gewichen. Es handelte sich dabei um einen Mittelklassewagen mit einem Preisetikett von 1300 bis 1800 Dollar.

Zweifellos war Reo eine der allerletzten Firmen, von denen man einen vollblütigen Luxuswagen erwartet hätte. Kein Wunder also, daß der Royale eine Sensation bedeutete, als er erstmals am Pariser Salon 1930 gezeigt wurde. Weder der Wagen selber noch sein Konstrukteur Amos Northup (das Modell wird üblicherweise Alexis de Saknoffski zugeschrieben) haben für ihre Errungenschaft die ihnen gebührende Aufmerksamkeit erhalten.

Der Reo Royale wie der gleichzeitig lancierte Chrysler Eight waren fraglos durch den L29 Cord inspiriert, indem sie die gleiche Kombination von langer Motorhaube und kühnem Spitzkühler besaßen.

Man ist sich einig, daß nach dem Cord der nächste Wegbereiter bezüglich Stil in der amerikanischen Automobilgeschichte der Graham Blue Streak von 1932 mit seinen seitlich heruntergezogenen Kotflügeln war. Auch dies eine Schöpfung von Northup. Sie wurde vielerorts nachgeahmt. Die offensichtliche Ableitung dieser Form zeigte sich beim Ford V8 Modell 40 der Jahre 1933/34. Wenn man aber von den seitlich heruntergezogenen Kotflügeln absieht, besaß der Royale die Linien des Graham bereits ein gutes Jahr früher. Übrigens wurden die vorderen Kotflügel auch erstmals in der eleganten und attraktiven Linie nach vorne und innen gezogen. Trotzdem wird immer wieder der Graham als Styling-Pionier in den Vordergrund gestellt, und nie

der Reo. Wenngleich Graham wie auch Reo zweiplätzige Coupés und Convertibles bauten, so war doch das sehr schöne Victoria mit seinem Koffer eine Karosserieform, die nur der Reo Royale erhielt.
Bestimmt war der Reo besser proportioniert als der Cord. Reo hatte aber gegenüber Auburn-Cord-Duesenberg auch den Vorteil, daß sie ihre Motoren selber bauten. Der Royale erhielt einen funkelnagelneuen seitengesteuerten Achtzylinder-Reihenmotor von 85,7 × 127 mm, entsprechend 5850 $cm^3$ Hubraum, mit neunfach gelagerter statisch und dynamisch ausgewuchteter Kurbelwelle. Die Leistung betrug 125 PS bei 3300 U/min, und der Doppel-Choke-Vergaser von Schebler wurde mittels mechanischer Pumpe gespeist. Das Dreiganggetriebe besaß einen geräuschlosen zweiten Gang, und 1932 wurde ein Freilauf zugefügt. Das

3

1

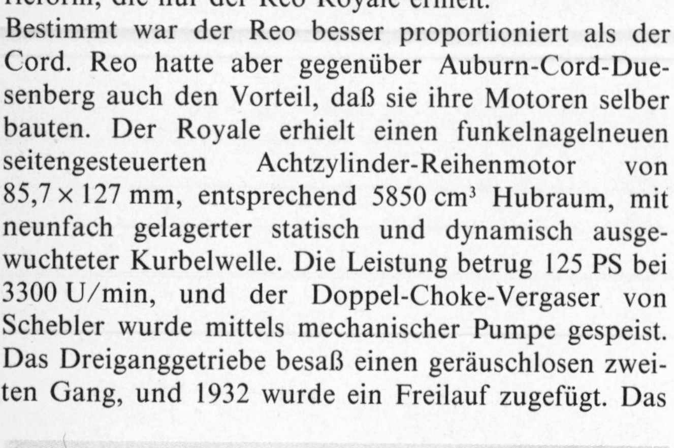

2

**1** Reo Royale Eight mit eleganter Victoria-Sportkarosserie aus dem Katalog (1930).

**2** Reo Royale Eight Coupé (1931).

**3** Reo Royale mit verlängertem Fahrgestell mit 386 cm Radstand. Hier von Henney als Leichenwagen für die National Casket Company aufgebaut. Beachtenswert sind die klassischen Linien (1931).

**4** Reo Royale Convertible. Dieses Modell wurde nur 1932 angeboten.

Kühlsystem erhielt eine Wasserpumpe und thermostatisch betätigte Kühlerjalousien. Die Zweiplattenkupplung war von Long. Völlig konventionell war das Fahrgestell mit Halbelliptikfedern und hydraulischen Stoßdämpfern ringsherum. Die halb schwebende Hinterachse besaß einen spiralverzahnten Antrieb, und die hydraulischen Lockheed-Bremsen wurden durch eine Getriebehandbremse unterstützt. Der normale Radstand betrug 3,335 oder 3,42 m, und der Sedan wog 2092 kg. Mit seinem Listenpreis von 2745 Dollar kostete er fast genau gleich viel wie ein normaler Packard Eight.
Es zeigte sich, daß der Reo mit einer Spitzengeschwindigkeit von 145 km/h eine sehr gute Leistung erbrachte. Zur serienmäßigen Ausrüstung gehörten Drahtspeichenräder, zwei seitlich montierte Reserveräder und die Zentralchassisschmierung. Interessanterweise wurde der große Motor auch im preiswerten Flying Cloud Eight eingesetzt. Wie der Sechszylinder-Flying-Cloud

trug auch dieser den traditionellen flachen Reo-Kühler. Die Reihe wurde 1932 mit einem gefälligen Convertible Coupé auf dem 3,42-m-Fahrgestell weiter ausgedehnt. Es gab sogar eine kurze Liaison mit dem Markt für formelle Limousinen in Form der 8-52-Version mit einem Radstand von 3,86 m – einem der größten Wagen des Jahres. Die Preise bewegten sich für die großen Modelle von 3695 Dollar an aufwärts, aber es wurden nur sehr wenige verkauft.

Reo war in ernsten Schwierigkeiten. Die Firma hatte anscheinend 6 Millionen Dollar für die Werkzeuge, Vorrichtungen und Lehren des Royale ausgegeben. In Kürze sollte sie aber noch mehr Geld verlieren, und zwar mit dem sehr interessanten, aber leider nie so ganz erfolgreichen halbautomatischen Vierganggetriebe mit zwei Untersetzungen, das als Neuheit in die Flying Cloud von 1933 eingebaut wurde. Die Verluste türmten sich auf, und die Verkaufszahlen gingen zurück. 1931 waren es noch 7254 verkaufte Wagen, im nächsten Jahr aber nur noch 4200.

Eigentlich war der Royale nach 1932 gestorben. Später wurden nur noch die beiden Ausführungen mit kürzerem Radstand angeboten, und diese blieben bis ins Jahr 1934 hinein verfügbar. Das Preismuster allerdings erzählt eine eigene Geschichte: 1985 Dollar für einen Sedan auf kurzem Chassis im Jahre 1932, 1745 Dollar im Jahre 1933 und ein Ausverkaufspreis von 1500 Dollar im Jahre 1934. Anschließend wurde der Name Royale nur noch für die Luxusausführungen der Sechszylinderreihe verwendet.

Es gab allerdings eine merkwürdige Seitenlinie, für welche die National Casket Company von Boston sorgte. Diese Lieferanten von Bestattungseinrichtungen waren vorher in ein Geschäft mit Kissel verwickelt, indem sie Leichenwagen, basierend auf einer speziellen Ausgabe mit langem Radstand des Kissel-Achtzylinders, verkauften. Als Kissel ihre Tore im Jahre 1931 schließen mußten, hielt man Ausschau nach einer neuen Quelle für Fahrgestelle. Diese wurde auch bald gefunden, und zwar in der Gestalt des Reo Royale mit

4

einem auf 4,064 m verlängerten Radstand. Diese National-Reo blieben neben den Personenwagen bis 1934 lieferbar.
Die Anzahl der hergestellten Reo-Wagen bleibt ungewiß und umstritten, aller Wahrscheinlichkeit nach wurden aber mehr als 3000 Royale hergestellt. Ironischerweise beendete Reo seine Tage im Personenwagengeschäft mit einem Sechszylindermodell, das erneut von Amos Northup konstruiert worden war. Es handelte sich um einen Sedan, der diesmal nun in seiner Ganzheit auch von Graham angeboten wurde. Ende des Jahres zogen sie es vor, sich völlig auf die Herstellung von Nutzfahrzeugen zu verlegen, und das Unternehmen überlebte weitere 39 Jahre auf diesem Gebiet.

# **Ruxton** *Das Automobil auf der Suche nach einem Hersteller*

Immer im Schatten des besser bekannten Zeitgenossen, des Cord, hatte der Vorderradantrieb-Ruxton ein kurzes und recht kompliziertes Leben. Genau wie der Cord wurde er mit bescheidensten Mitteln entworfen, und ebenfalls wie dieser kam er zur falschen Zeit.

Die Geschichte begann im Jahre 1926, als William J. Muller, vormals Rennmechaniker und Versuchstechniker für die Edward G. Budd Company in Philadelphia, welche die Ganzstahlkarosserien herstellte, seine Arbeitgeber überzeugte, einen Versuchswagen mit Vorderradantrieb zu finanzieren. Joseph Ledwinka von Budd schuf die Karosserie, während die mechanischen Bauteile in die Verantwortlichkeit von Muller und seinem Partner Colonel Ragsdale fielen. Sparsamkeit wurde geübt, indem ein Sechszylinder-Reihenmotor von Studebaker angepaßt wurde und man sich entschloß, ein abgeändertes Warner-Getriebe zu verwenden. Trotzdem hatte sich die vorgesehene Investition von 15 000 Dollar der Firma Budd mehr als verdoppelt, als der Wagen endlich auf die Straße kam. Der niedrig auf der Straße liegende Sedan löste eine Sensation aus, als er Anfang 1929 erstmals in New York im Verkehr auftauchte. Er trug an der Stelle des Markensignets ein Fragezeichen, da man noch keinen Namen für ihn gefunden hatte.

Die endgültigen Spezifikationen sollten tatsächlich einen Wagen ergeben, der trotz seiner kleineren Abmessungen und der sogar noch bescheideneren Motorleistung ebenso vielversprechend war wie der Cord. Die Gewichtsverteilung des Ruxton war theoretisch besser, und der Wagen war mit seinem kürzeren Radstand von 3,302 m und einer Gesamtlänge von 4,95 m gegenüber 5,2 m auch kompakter. Die Höhe war mit 1,5 m genau die gleiche.

Gewisse Ähnlichkeiten fielen sofort auf. Der Ruxton erhielt einen zugekauften Reihen-Achtzylinder-Motor mit stehenden Ventilen, fünffach gelagerter Kurbelwelle und 4,3 Liter Hubraum von Continental, der verkehrt herum eingebaut wurde. Dieses Triebwerk leistete 100 PS bei 3400 U/min. Der Antrieb der Vorderräder erfolgte über ein Dreiganggetriebe, wobei Muller allerdings Raum einsparte, indem der Rückwärtsgang und der erste Vorwärtsgang vor dem Differential, die beiden oberen Vorwärtsgänge hinter demselben angeordnet wurden. Das Ganze war als Einheit mit einer Schneckenantriebsachse im I-Profil zusammengebaut. Die Gemmer-Schnecken/Rolle-Lenkung erlaubte einen engeren Wendekreis (11,58 m) als beim Cord, und Muller verwendete Halbelliptikfedern und hydraulische Hebelstoßdämpfer vorne und hinten. Einmal mehr wurden hydraulische Bremsen mit Trommeln von 38,1 cm Durchmesser eingesetzt, die Vorderradtrommeln waren jedoch an ihrem normalen Platz. Der Rahmen besaß Seitenholme von 15,2 cm Stärke und neun Querstreben. Diese große Anzahl war erforderlich, weil zwei davon als Träger für die Sitze dienten.

Das Aussehen war attraktiv. Ein zahmerer Spitzkühlergrill gab dem Ruxton sein Gepräge. Eine Markenplakette mit einem Greif war an die Stelle des Fragezeichens getreten. Die lange Motorhaube wurde von vorne nach oben geöffnet, und die Seitenteile waren fest – eine Lösung, die durch die niedrige Bauweise diktiert worden war. Die meisten Wagen besaßen die merkwürdig geformten Wood-Lite-Scheinwerfer, die damals Mode waren, doch waren auch runde Indianas-Scheinwerfer lieferbar. Serienmäßig waren die beiden Reserveräder seitlich angebracht, und es gab keine Trittbretter. Joseph Urban war für die Wahl der offerierten Farben verantwortlich. Der normale Sedan wurde aus Blechteilen aufgebaut, die man von der Firma Pressed Steel aus Oxford, der englischen Partnerfirma von Budd, bezog. Es handelte sich dabei tatsächlich um eine flachere Ausführung der Karosserie, die bei zwei bekannten englischen Wagen verwendet wurde, dem Morris Isis und dem 21/60-Wolseley. Allerdings mußte man die hinteren Seitenscheiben schieben; hätte man sie hinunterkurbeln wollen wie beim Morris, wäre man mit dem Hinterradbogen in Konflikt gekommen! Das Gewicht betrug 1800 kg, und es ist zweifelhaft, ob der Ruxton wirklich die angegebene Spitzengeschwindigkeit von 130 km/h mit dem bescheidenen Leistung/Gewicht-Verhältnis erreichte. Der einzige wirkliche Haken war, daß sogar im März 1930 noch immer kein Hersteller dafür gefunden war.

Die Machenschaften, die zu dem kurzlebigen Erscheinen des Ruxton führten, waren ebenso intrigierend und

1

2

1 Einer der ersten Ruxton mit Sedankarosserie. Gut sichtbar ist die gelungene Farbtrennung, womit der Morris/Wolseley-Aufbau deutlich aufgewertet wird (1930).

2 Ruxton Roadster (1930).

interessant wie der Wagen selber. Im Frühjahr 1929 hatte der Ruxton einen Gönner (einige mögen sagen einen üblen Schutzgeist) in der Gestalt von A. M. Andrews erhalten, der sowohl bei Budd wie bei Hupmobile Verwaltungsratsmitglied war. Sein erster Schritt war die Gründung der New Era Motors Inc. mit einer eindrücklichen Liste von Gesellschaftern: Fred Gardner, der Automobilfabrikant von St. Louis, Childe Harold Wills, ein Metallurge und früherer Hersteller der Wills-Sainte-Claire-Wagen, sowie William V. C. Ruxton, einflußreicher Börsenmakler, von dem die Muller-Schöpfung dann auch prompt ihren Namen erhielt. (Nutzlos, muß dazu gesagt werden, denn Ruxton lehnte es ab, Geld in die Gesellschaft von Andrews einzuschießen.)

Gardner, dessen Fabrik zu nur etwa 12 Prozent ihrer vollen Produktionskapazität von 40 000 Automobilen pro Jahr ausgelastet war, sagte zuerst mit großer Bestimmtheit, daß er den Ruxton produzieren wolle. Dann aber machte er eine Kehrtwendung und ging soweit, daß er seinen eigenen Fronttriebwagen als Prototyp mit einem Sechszylinder-Continental-Motor ankündigte. Abgesehen von seiner Karosserie von Baker-Raulang (der später die Ruxton Roadster baute) hatte er nichts gemeinsam mit dem Ruxton und kam nicht weiter als an die Automobilausstellung in New York. Anschließenden Gerüchten zufolge wurde der Ruxton dann in Verbindung mit Hupmobile gebracht. Dieses Unternehmen suchte Arbeit für die neuerworbene Chandler-Fabrik in Cleveland. Trotz der Interessen und Beziehungen von Andrew stieg Hupmobile nicht ein. Dann hieß es, Peerless sei interessiert. In der Tat war diese Firma kurze Zeit neugierig auf Fronttriebwagen, aber ihr Blick richtete sich vor allem auf den französischen Bucciali. Marmon sah sich den Prototyp ebenfalls genau an und lehnte ihn ab. Ein vielversprechender Kandidat war Moon, ein Nachbar von Gardner in St. Louis und ebenso schlecht dran. Ihre Reihenachtzylindermodelle mit Continental-Motoren waren recht attraktiv, aber sogar mit dem anmaßenden «White Prince of Windsor»-Emblem gab es für ein gewöhnliches zusammengebautes Automobil in dem mageren Winter von 1929/30 keine Rettung.

Im März 1930 stiegen Gerüchte auf, daß es zu einem mehrfachen Zusammenschluß kommen würde. Beteiligt sollten nicht nur die New-Era-, Moon- und Gardner-Gesellschaften sein, sondern auch Kissel, ganz zu schweigen von Jordan und Stutz, die beide abstritten, mit der Sache etwas zu tun zu haben. Bei Moon schwand die Begeisterung ebenfalls, und im April verhandelte man über einen Zusammenschluß mit Gardner aus dem einzigen Grund, Andrew und die New Era auszusperren. Andrews Vergeltung folgte auf dem Fuß, indem er Moon übernahm und Muller als Präsident in der neuen Gesellschaft einsetzte. Als sich die alten Moon-Direktoren einschlossen, ließ sie Andrews durch die Polizei hinauswerfen!

Nach der erfolgreichen Unterdrückung dieser Revolte wandte Andrew seine Aufmerksamkeit Kissel zu. Dies war ein bescheidenes Familienunternehmen, das wie Moon und Gardner in Schwierigkeiten war. Er bot ihnen einen Vertrag an, nach welchem Kissel 1500 Ruxton zusammenbauen und dafür 250 000 Dollar für die dringend benötigte Neufinanzierung erhalten sollte. Im Sommer 1930 gelangten tatsächlich einige Ruxton auf die Straße. Die meisten waren durch Moon montiert worden. Kissel steuerte insgesamt wahrscheinlich nur etwa 25 Wagen bei.

Es wurden Versuche unternommen, die Wagen in Europa zu verkaufen. E. Z. Sadovich, der Duesenberg-Importeur in Frankreich, stellte einen Ruxton am Pariser Salon 1930 aus, wo er das Rampenlicht mit dem L29-Cord und dem neuen Royale von Reo teilte. Mindestens ein Ruxton wurde durch North Western Motors von Liverpool nach England gebracht. Diese Firma war Vertreter für Moon und behauptete im August, daß bereits «verschiedene Ruxton im Irischen Freistaat im Betrieb seien».

Unglücklicherweise waren die Probleme sowohl bei Kissel als auch bei Moon bereits zu groß, um überleben zu können. Die erstere Firma mußte im September den Konkurs anmelden, die letztere zwei Monate später. Ein paar Ruxton wurden zu Beginn des Jahres 1931 noch verkauft, aber die Gesamtproduktion hat wahrscheinlich 500 Wagen nicht überstiegen. Alle waren als Sedan karossiert, abgesehen von einer Handvoll Roadster, zwei offenen Tourenwagen und einer Stadtlimousine.

Die letzten Nachrichten über Ruxton kamen im Jahre 1933. Es handelte sich um die totgeborenen Pläne für eine Neubelebung von Kissel, basierend auf einem höchst sonderbaren Schwinghebelmotor, der von A. L. Powell konstruiert worden war. Dieser hätte in einen leicht geänderten Ruxton eingebaut werden sollen.

3

Es war eine von William Mullers Klagen, daß er geänderte, zugekaufte Bestandteile und Gruppen im Ruxton habe verwenden müssen. Diese Improvisationen waren ohne Zweifel mitschuldig am Fehlschlag, wie dies auch bei den frühen Cord der Fall war. Es gelang jedoch niemandem, den Powell-Motor an den Mann zu bringen, und so hatte dieses letzte Kissel-Projekt überhaupt keine Chance.

3 Der Vorderradantrieb des Ruxton (1930).

4 Ruxton Phaeton (1930).

5 Ruxton mit formeller Stadtkarosserie (1930).

# **Stutz** *Er gewann fast in Le Mans . . .*

Harry C. Stutz förderte seine frühen, in Indianapolis gebauten Automobile mit dem Werbeslogan «The Car That Made Good in a Day» (etwa: «Der Wagen, der in einem Tag alles gutmachte»). Lange nachdem Harry Stutz das Unternehmen verlassen hatte, sollte die Marke einem Le-Mans-Sieg näherkommen als jeder andere amerikanische Vorkriegswagen. Diese Langstrekkenprüfung wurde mit einer Zähigkeit unterstützt, die vergleichbar ist mit jener von Briggs Cunningham in den fünfziger Jahren.

1925 allerdings war die Firma, die Harry Stutz aufgebaut hatte, in einer Zone der Windstille. Charles Schwab von Bethlehem Steel, die das Unternehmen beherrschte, hatte gerade einen neuen Präsidenten und Vizepräsidenten, nämlich Fred Moskovics und Edgar S. Gorrell, ernannt, und diese hatten als erstes eine Menge von Schäden zu beheben. Das letzte Geschäftsjahr hatte mit einem Verlust von einer halben Million Dollar abgeschlossen. Eine im Interesse einer hohen Qualität bewußte Beschränkung der Produktion auf 2500 Wagen (im Jahre 1923) hatte sich als bedeutungslos herausgestellt, nachdem die Firma ohnehin nur 1400 Stutz-Automobile verkaufen konnte. Es schien eine unendlich lange Zeit her, seit die ursprünglichen Bearcat mit ihren T-Kopf-Motoren, ihren störungsbehafteten Dreiganggetrieben, die mit der Hinterachse verblockt waren, und den Monokel-Windschutzscheiben die gehaßten und oft erfolgreichen Rivalen der großartigen Mercer-Runabout gewesen waren.

Zwar hatte Harry Stutz 1919 seine Firma verkauft und sich mit der Marke H. C. S. (die Initialen sind selbstredend) als neue Konkurrenz etabliert. Die alte Reihe der Sportwagen wurde jedoch noch im Jahre 1924 angeboten. Sicher, die Wagen besaßen nun richtige Karosserien, Verdecke und Windschutzscheiben, und Stutz baute auch seinen eigenen 5,9-Liter-Vierzylinder-Motor mit 16 Ventilen. In früheren Zeiten hatte man das Triebwerk von Wisconsin bezogen. Der geradeverzahnte Antrieb der Getriebehinterachse wurde aber bis zum Schluß beibehalten, und bis 1922 wurde auch die Rechtslenkung angeboten. Die Nachfolgemodelle wurden von Charles M. Crawford konstruiert und erhielten Reihen-Sechszylinder-Motoren mit hängenden Ventilen und dreifach gelagerter Kurbelwelle. Ursprünglich betrug der Hubraum 4,4 Liter, er wurde später auf 4,7 Liter vergrößert. Das Getriebe befand sich nun an seinem erwarteten Platz. Die Wagen erhielten Drahtspeichenräder und einige recht attraktive, wenn auch kantige, geschlossene Karosserien. Der Speedway Six, Serie 695, konnte 1925 mit hydraulischen Vierradbremsen bestellt werden. Die Aussichten waren indessen bestimmt nicht gerade aufregend, und Stutz hätte zweifellos einen frühen Tod erlitten, wäre es Schwab nicht gelungen, Moskovics und Gorrell zu überzeugen, die nahe gelegene Firma Marmon zu verlassen.

Moskovics war ein überzeugter Anhänger des europäischen Sportwagens, mit Bremsen und Handhabung, die der Leistung entsprachen. Hätte er vielleicht früher mit

1 Die viersitzigen Boattail-Speedster des Stutz Eight waren beinahe so attraktiv wie die Zweisitzer (1927-28).

solchen Ideen bei Marmon Erfolg haben können, so ist zu bedenken, daß dieses Unternehmen in die Epoche von Williams hineinglitt und es deshalb dafür kein Interesse mehr gab. Moskovics hatte jedoch ein gutes Stück Basisarbeit geleistet und sich durch die Einstellung von C. R. Greuter, der seit 1902 mit obenliegenden Nockenwellen experimentiert hatte, auf der Konstruktionsseite Unterstützung verschafft. Die Zusammenarbeit mit Timken brachte eine neue, geräuschlose und mit Schneckenantrieb versehene Hinterachse, die mithalf, die Schwerpunktlage niedriger zu legen. Als 1926 der neue Stutz Vertical Eight erschien, waren über eine Million Dollar in seine Entwicklung geflossen. Mit einem Hubraum von Greuters neuem Motor von nur 4735 cm³ (81 × 120,7 mm) war die Leistung von 92 PS bei 3200 U/min trotzdem höher als jene des Cadillac, Lincoln oder Packard – allerdings minimal geringer als jene des neuen Chrysler Imperial. Die hängenden Ventile wurden durch eine mittels Doppelkette angetriebene obenliegende Nockenwelle betätigt. Der Zylinderkopf war abnehmbar, und die Kurbelwelle vom Typ 2–4–2 war statisch und dynamisch ausgewuchtet. Der Motorblock aus Grauguß bildete zusammen mit dem Kurbelgehäuse eine Einheit, die Ölwanne war aus gegossenem Leichtmetall, und die Pleuelstangen waren aus geschmiedetem Leichtmetall. Die Zahnradölpumpe war hoch oben eingebaut, um ein Einfrieren im Winter zu vermeiden. Der Motor erhielt Doppelspulenzündung, und der Doppel-Choke-Zenith-Vergaser wurde mittels Unterdruckförderung mit Brennstoff versorgt. Das Triebwerk war im Rahmen leicht schräg nach hinten geneigt eingebaut, um einen gradlinigen Kraftübertragungsstrang auf die mit Schneckenantrieb versehene und über den Chassislängsträgern montierte Hinterachse zu erzielen.

Im übrigen war die Kraftübertragung konventionell mit einer trockenen Einplattenkupplung und einem Dreiganggetriebe mit hoch und verhältnismäßig eng gestuften Untersetzungen (4,75, 6,03 und 9,45:1). Am interessantesten jedoch waren die hydraulischen Innenbakkenbremsen auf alle vier Räder. Die Bremsbacken waren in sechs Segmente aufgeteilt, und als Bremsflüssigkeit wurde eine Mischung aus Alkohol und Wasser zu gleichen Teilen verwendet, was sich als nicht besonders zufriedenstellend erwies. Konventionelle hydraulische Bremsen wurden nach 1927 eingebaut. Der doppelt gekröpfte Rahmen erhielt fünf Rohr- und zwei U-Profil-Querstreben. Die Chassisschmierung war vom Typ Meyer mit selbstreinigenden Dochten. Der Radstand betrug 3,335 m, und der Kühler wurde durch eine Figur gekrönt, welche den ägyptischen Sonnengott Ra symbolisierte.

Eine tiefe Schwerpunktlage ergab eine sichere Straßenhaltung. Der Wagen bot das Beste beider Welten mit der für amerikanische Automobile typischen Flexibilität (man konnte aus dem Stillstand im obersten Gang anfahren) und einer Spitzengeschwindigkeit von 125 km/h. Das Fahrverhalten und die Handhabung wa-

2

ren ebenfalls gleich gut wie bei europäischen Wagen. Im Jahre 1927 wurde der Motor auf 4,9 Liter vergrößert und leistete 95 PS bei einem Kompressionsverhältnis von 5:1. Anderseits war das Gewicht beträchtlich reduziert worden, nämlich von 1987 auf 1053 kg beim Sedan. Bis jetzt waren die Stutz-Tourenwagen in ihrer Leistung überlegen gewesen, aber eine Zusammenarbeit zwischen Moskovics und dem Rennfahrer Frank Lockhart sollte zum ersten Black Hawk Speedster im Laufe des Jahres 1927 führen. (Lockhart sollte bekanntlich am Lenkrad seines Weltrekordrenners während eines Rekordversuchs im Februar 1928 tödlich stürzen. Es war ein brillanter Stromlinienwagen mit einem Sechzehnzylinder-V-Motor von nur 3 Litern Hubraum.)

Das Verdichtungsverhältnis für die Sportmotoren wurde auf 6,25:1 erhöht. Mit seinen 125 PS würden die neuen sportlichen Stutz bei einem Hinterachs-Untersetzungsverhältnis von 3,6:1 eine Spitzengeschwindigkeit von 168 km/h erreichen.

1927 bedeutete aber auch den Beginn eines neuen Zeitabschnittes der Renntätigkeit, eingeleitet durch einen Sieg in der Serienwagenklasse beim Pike's-Peak-Berg-

2 Ein sehr schöner viersitziger Speedster mit tief ausgeschnittenen Vordertüren auf dem Stutz-Eight-Chassis (1929).

3 Wie so viele amerikanische Klassiker litt auch der Stutz unter dem stilisierten Armaturenbrett mit den nicht besonders gut ablesbaren Instrumenten. Immerhin besaß er eine Uhr und ein Ölmanometer (1929).

rennen. Auf der Indianapolis-Rennpiste drehte ein serienmäßiger Sedan der Serie AA von 1927 seine Runden 24 Stunden lang mit einem Gesamtschnitt von 109,5 km/h. Zwar wurde die Geschichte des Jahres 1928 durch das verlorene Wettrennen zwischen dem Stutz von Moskovics und dem Hispano-Suiza H6C von Charles Weymann beherrscht. Der französische Wagen kam zu einem unangefochtenen Sieg, nachdem der Stutz mit Ventilschaden aufgeben mußte. Immerhin ist es bemerkenswert, daß der von Bloch und Brisson gesteuerte Stutz Eight in Le Mans hinter einem 4½-Liter-Bentley Zweiter wurde. Im Rennen von 1929 gelang es den beiden, den fünften Platz zu belegen. Im Zusammenhang mit der Indianapolis-Wettrennen-Geschichte ist es nur fair darauf hinzuweisen, daß der Stutz in einem weit weniger bekannt gewordenen 3½-Stunden-Rennen zwischen den beiden Wagen einen sicheren Sieg davontrug. Weiter war der Preis eines in den USA ausgelieferten Hispano-Suiza ungefähr viermal so hoch wie jener des Stutz, und sogar in England, wo auch der amerikanische Wagen entsprechend teurer war, betrug das Verhältnis immer noch wenigstens 3:1.

Eine Richtungsänderung wurde mit der neuen Bezeichnung «Splendid Stutz» für die BB-Serie mit Fanfaren angekündigt. Die überholte Serie AA war in der Werbung als «Safety Stutz» gefördert worden. Safety, oder Sicherheit, ist natürlich nicht besonders bezaubernd und blendend, auch dann nicht, wenn sie durch so gescheite Dinge wie Sicherheitsglas für die Scheiben mit einer in der Mitte eingebetteten Drahtlage, wie sie bei den frühen Stutz Eight verwendet wurden, untermauert wird. Vergrößerte Einlaß- und Auspuffkanäle steigerten die Leistung der neuesten Motoren auf 115 PS. Es wurde eine Auswahl von Kompressionsverhältnissen und Achsuntersetzungen angeboten. Die alten Hydrostatic-Bremsen wurden durch neue hydraulische Lockheed-Bremsen ersetzt, und hydraulische Lovejoy-Stoßdämpfer ergänzten die Watson-Reibungsdämpfer. Die Black Hawk Speedster erhielten dreifache elektrische Benzinpumpen und «High-Speed»-Reifen.

3

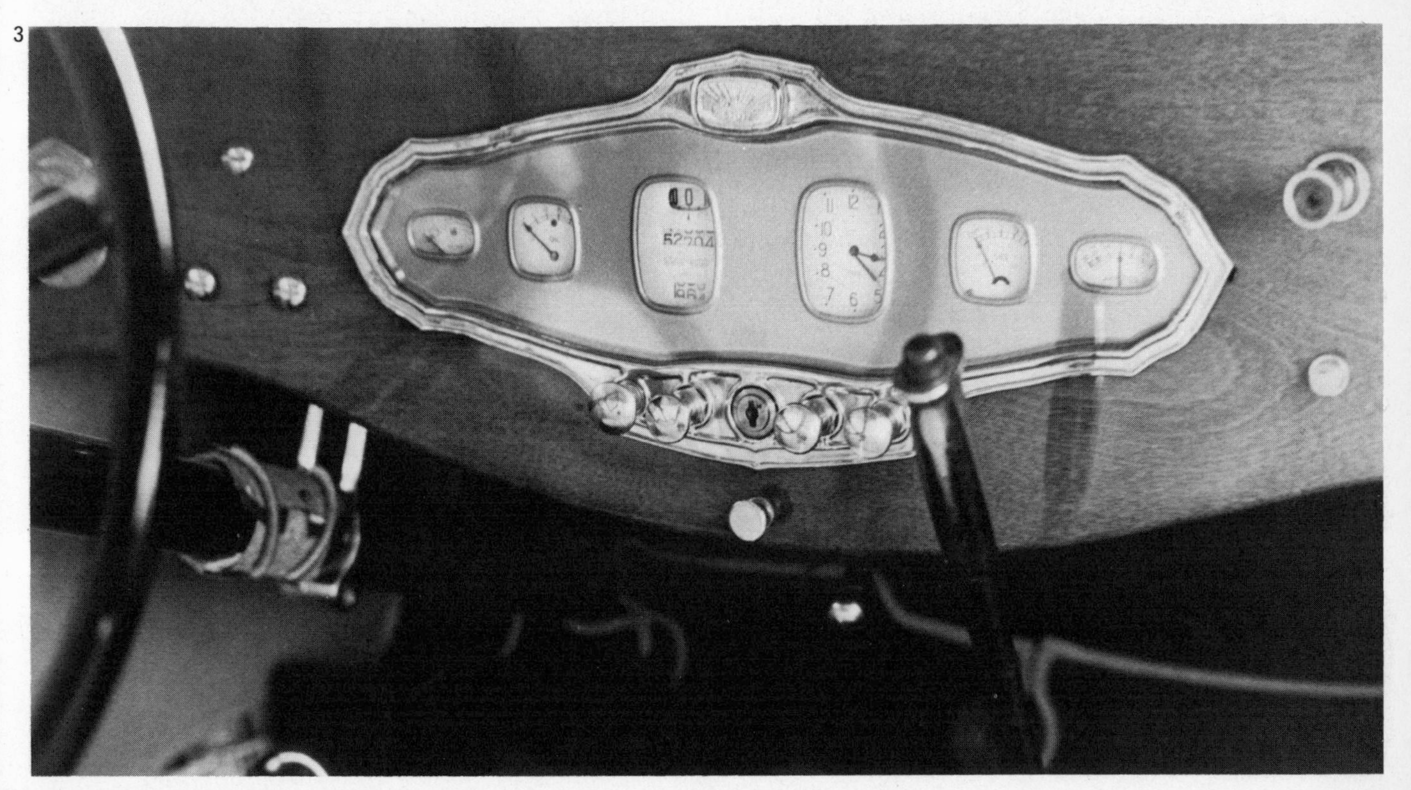

Die Achillesferse der Stutz-Wagen war aber die Karosserie. Trotz der niedrigen Bauweise der Wagen waren die von Brewster für 1926 und 1927 entworfenen Aufbauten etwas phantasielos. Jetzt wurde unter der Aufsicht von Ralph Roberts von Le Baron ein Versuch gemacht, den Wagen eine Spritze von Eleganz zu verpassen, indem größere Scheinwerfer und geschwungenere Kotflügel gewählt wurden. Vielleicht ist die Einführung der flexiblen Weymann-Karosserien mit Gewebeüberzug der interessanteste Aspekt dieses Zeitabschnitts. Diese Bauweise wurde nämlich von den Amerikanern, ganz im Gegensatz zu den Engländern und Franzosen, normalerweise nicht aufgenommen. Einige wenige Auburn, Duesenberg und Marmon trugen Gewebeaufbauten, und für kurze Zeit traf dies auch für den vergessenen Apperson Eight in seinen absteigenden Jahren zu. Stutz allerdings war die einzige Marke, welche solche Karosserien in ihren Katalogen anbot. Es gab fünfsitzige Coupés wie den Deauville und den Monaco und sogar eine siebensitzige Limousine auf dem langen Fahrgestell, welche Chantilly getauft wurde, ein Name, der später von Hotchkiss für ihre Siebensitzer wieder aufgenommen wurde. Weymann-Karosserien nach britischer Art wurden auch auf die BB- und späteren M-Fahrgestelle aufgebaut und in Großbritannien verkauft. Der Katalog für das Jahr 1930 enthielt aber noch verschiedene weitere schmucke Modelle. Neben dem eingeführten Black Hawk mit seinen tief ausgeschnittenen Türen und den Motorradkotflügeln gab es wahlweise eine weitere Version mit normalen Kotflügeln und Trittbrettern. Der «Four passenger Speedster» war ein echter Sporttourenwagen, ebenfalls mit tiefausgeschnittenen Türen. Mit dem gleichfalls erhältlichen langen Fahrgestell (3,68 m Radstand) in der M-Serie von 1929 konnte Stutz voll und ganz in das Geschäft der vornehmen Stadtwagen einsteigen. Im gleichen Modell wurde erstmals ein vergrößerter Reihen-Achtzylinder-Motor mit den Abmessungen 95,2 × 114,3 mm und 5247 $cm^3$ eingesetzt. Dieser sollte bis zum Ende im Jahre 1935 im Programm verbleiben.

Die Modelle der Jahre 1929, 1930 und 1931 hatten Vierganggetriebe. Allerdings war der niedrigste Gang ein richtiger Kriechgang, der ein Anheben des Schalthebels erforderte und im normalen Fahrbetrieb gar nicht verwendet wurde. Die Bremsen erhielten eine Unterdruck-Servounterstützung. Die Kraftübertragung wurde zum Anfahren am Berg mit einer Bergstütze versehen, und die Chassisschmierung mit Docht machte einer konventionellen Bijur-Ausführung Platz. Die Reibungsstoßdämpfer wurden aufgegeben. Für die Spezialkarosserienreihe stiegen die Preise auf über 5000 Dollar.

Um diesen teuren Modellen ein Gegengewicht zu verschaffen, führte Stutz – wie Buick, Cadillac, Studebaker und andere – eine preiswerte Modellreihe in der Klasse unter 3000 Dollar ein. Diese Wagen wurden unter der eigenen Marke Blackhawk (in einem Wort geschrieben) lanciert und dürfen nicht mit den Black Hawk Speedstern verwechselt werden, die nach wie vor in der M-Serie angeboten wurden. Die Blackhawk erkannte man an der anderen Kühlerfigur, die eine Sonnenuhr darstellte. Ausgenommen jene, die nach Europa exportiert wurden, wo das Prestige von Le Mans noch zählte und man deshalb sogar die billigen Modelle mit Stutz-Markenzeichen und dem Kopf des Gottes Ra ausstattete. Der Blackhawk Six hatte einen 4-Liter-Sechszylinder-Reihenmotor mit obenliegender Nokkenwelle und siebenfach gelagerter Kurbelwelle, der 85 PS leistete. Eigentlich war es nichts anderes als ein regulärer Achtzylindermotor mit zwei Zylindern weniger. Diese Wagen hatten Doppelzündung und ein Vierganggetriebe. Im Gegensatz dazu verwendete man für den Blackhawk Eight einen zugekauften Continental-Motor mit stehenden Ventilen und mechanischer Benzinpumpe. Dieses Modell wurde nur sehr kurze Zeit angeboten. Der Blackhawk Six dagegen (bald wieder ein Stutz, sogar in Amerika) blieb bis zur Serie LAA im Jahre 1935 erhältlich.

Eine mit Kompressor ausgerüstete Version mit 155 PS Leistung war 1929 in Le Mans ausprobiert worden, und dieses Modell wurde 1930 im Katalog als Teil der

4 Britische Weymann-Sports-Saloon-Karosserie auf dem Stutz-8-Fahrgestell der Serie M. Hier noch ohne Scheinwerfer im Jahre 1930 aufgenommen.

5 Die gewebebezogenen Weymann-Karosserien wurden von Stutz selber vorgezogen und wurden auch von Karossiers für Sonderaufbauten verwendet. Hier eine Limousine von Weymann, England, auf dem langen M-Fahrgestell (1930).

4

5

MA-Reihe aufgeführt. Mit der Einführung der 5-Liter-«Junk-Formel» für das Indianapolis-500-Meilen-Rennen im Jahre 1930 wurden viele Tourenwagenmotoren in den Rennwagen verwendet. Keiner dieser Wagen war jedoch dem «serienmäßigen» Modell näher als jener von L. L. Corum/Milton Jones, die einen Stutz Speedster einsetzten. Der Wagen war von seiner Straßenausrüstung befreit, im übrigen nur soweit verändert worden, als zusätzliche Benzintanks, steifere Federn und doppelte Stoßdämpfer eingebaut wurden. Das Fahrzeug war mindestens 700 kg schwerer als jeder andere Wagen, der 1930 an den Start ging, was jedoch die Fahrer nicht daran hinderte, mit ihm mit einem Schnitt von 132,54 km/h den 10. Platz zu belegen.
Mechanische Benzinpumpen kennzeichneten die Modelle 1931 des Stutz-Achtzylinders, der unter der Bezeichnung SV-16 verkauft wurde. Damit wurde ein stärkeres Modell prophezeit, das unter der Bezeichnung DV-32 bekanntwerden sollte. Dieser neue Motor mit vier Ventilen pro Zylinder und zwei obenliegenden Nockenwellen stand tatsächlich schon seit einiger Zeit in der Entwicklung. Es stimmt allerdings nicht, daß ein solcher bereits 1930 in Le Mans eingesetzt worden war, obgleich dies immer wieder behauptet wurde. Die Produktion des DV-32 begann auch nicht vor dem April 1931.
Fahrgestell und Kraftübertragung dieses letzten Reihen-Achtzylinder-Modells von Stutz entsprach jenen der bereits vorhandenen Typen, und der Nockenwellenantrieb erfolgte immer noch mittels Kette. Ein Doppel-Choke-Schebler-Vergaser ersetzte den Zenith-Vergaser der Vorgängermodelle. Der neue, von Greuter entworfene Zylinderkopf mit 16 Kerzen, halbkugelförmigen Brennräumen und den vier schräg hängenden Ventilen pro Zylinder verhalf dem Triebwerk zu gleich vielen Brems-PS, wie sie 1929 bis 1930 mit dem Kompressormotor erreicht wurden. Der Name «Bearcat» wurde zu neuem Leben erweckt und für einen schönen, zweisitzigen Speedster auf dem normalen kurzen Fahrgestell verwendet. Für jene Kunden, die einen Wagen mit einer Spitzengeschwindigkeit von weit über den magischen 160 km/h suchten, gab es den «Super Bearcat». Dies war ein verkürztes zweisitziges Convertible Coupé mit abfallendem Heck auf einem Fahrgestell mit 2,946 m Radstand. Anläßlich eines 6½-Stunden-Versuchs auf der Rennpiste wurde mit einem solchen Wagen ein Durchschnitt von 165 km/h erzielt. Sogar zweitürige geschlossene Wagen mit schweren englischen Spezialkarosserien erreichten mehr als 145 km/h.
Bedauerlicherweise war es auch hier wieder die gleiche alte und traurige Geschichte: Für weitere Entwicklungen stand kein Geld mehr zur Verfügung, die Verkäufe brachen zusammen. Mit dem ursprünglichen Stutz Vertical Eight wurden die Verkaufszahlen auf über 5000 Wagen im Jahr 1926 angehoben, aber im Jahr 1931 fanden nur noch 384 Stutz ihre Käufer, und das Jahr 1932 war mit nur noch 125 verkauften Wagen gar noch schlimmer. Die wichtigste Änderung war die Rückkehr zu einem Dreiganggetriebe, wobei man das gleiche Muncie-Synchrongetriebe wählte, das auch im 16-Zylinder-Marmon eingebaut wurde. Später im Jahr rüstete man den DV-32 mit Fallstromvergasern aus.
Der Katalog von 1933 war eine sehr eindrückliche Sache. Sogar die serienmäßigen Normalkarosserien trugen ein Le-Baron-Schild. Zu den gelungenen und schönen Karosserien zählten der «Prince of Wales», ein gediegener Sedan mit vier Seitenfenstern und schräggestellter Windschutzscheibe, das «Patrician»-Victoria von Brunn und der «Monte Carlo», eine Weymann-Karosserie mit Metallhaut in der britischen Form eines Sports-Saloon mit dem kurzen, abfallenden Heck des «Super Bearcat». Rollston steuerte einen weiteren Sports-Saloon und einen Stadtwagen bei. Vakuumbetätigte Kupplung und automatischer Choke gehörten zur serienmäßigen Ausrüstung. Wollte jemand 300 Dollar sparen, so konnte er sowohl den älteren wie auch den letzten Achtzylinderwagen in einer etwas vereinfachten Ausführung als CS-16 oder CD-32 kaufen.
1933 wurden 110 Wagen verkauft. Obgleich der Stutz wenigstens auf dem Papier bis 1935 (und möglicherweise sogar bis ins Jahr 1936 hinein) erhältlich blieb, scheint es sehr unwahrscheinlich, daß noch eine ernsthafte Produktion betrieben wurde. Einige Quellen geben an, daß 1934/35 noch sechs Stutz fertiggestellt wur-

6 Die offenen Stutz DV32 Speedster sahen besser aus als die Convertible, obgleich auch diese noch keine Speichenräder mit Flügelmutter erhielten. Dieser Wagen aus dem Jahre 1932 ist erhalten geblieben und steht in New Jersey.

den, und mit Sicherheit gab es einen Stutz-Ausstellungsstand an der Londoner Ausstellung 1934. Die als «1935er Modelle» in England aufgebauten Stutz trugen sonderbarerweise Chassisnummern, welche auf eine Herstellung im Jahre 1932 hinwiesen! Stutz schleppte sich mühsam weiter und versuchte mit einem merkwürdigen kleinen Lieferwagen über Wasser zu bleiben. Der Pak-Age-Car war ein Frontlenker mit schnell ausbaubarem, im Heck untergebrachten Motor. Dieser kleine Wagen gab zweifellos den Anstoß für den erfolgreichen «White Horse» von White. Durch einen kuriosen Zufall wurden die letzten Pak-Age-Car in Connersville, der Heimatstadt von E. L. Cords Unternehmen, durch die Firma Auburn Central hergestellt. Es handelte sich dabei um eine Nachfolgefirma der gleichen Central Manufacturing Company, die seinerzeit in den Glanzjahren Karosserien für die ACD-Gruppe hergestellt hatte.

Völlig ohne Verbindungen ist anderseits der Stutz der 1970er Jahre, der durch eine Firma in New York verkauft wurde. Zwar trugen die exotischen Coupés, die 5,77 m lang waren, den Namen «Black Hawk». 1977 kündigten sie den «D'Italia», ein mit Drahtspeichenrädern versehenes Cabriolet, an. Der dafür verlangte Preis von rund 100 000 Dollar ist genau doppelt so hoch wie jener für die normale Hardtopausführung, von welcher mindestens ein Exemplar in der Schweiz gesehen wurde.

6

# Alvis *Während 47 Jahren wurde das rote Dreieck von Coventry hoch geachtet*

Alvis-Wagen trugen ein rotes Dreieck auf ihrem Kühler und einen Hasen – später einen Adler – auf dem Kühlerdeckel. Die späteren Ausführungen waren ausnahmslos mit Meisterkarosserien versehen, die, wenn auch nicht immer dort gebaut, so doch im Kanton Bern entwickelt worden waren. Den Markennamen erhielten sie aus einer Ableitung eines Aluminiumkolbens, der von G. P. H. de Freville geschaffen worden war. Dieser Konstrukteur zeichnete auch für den seitengesteuerten 1½-Liter-Hochleistungsmotor, der in die ersten 10/40-Alvis der zwanziger Jahre eingebaut wurde, verantwortlich.

Die in Coventry ansässige Maschinenbaufirma T. G. John begann mit der Herstellung von kleinen, stationären Motoren und – erstaunlicherweise – von Motor-Scootern, die in den ersten Nachkriegsjahren einen kurzen Boom erlebten. John war allerdings Chefkonstrukteur bei Siddeley-Deasy (der Vorläuferfirma von Armstrong-Siddeley-Motors) gewesen, und mit dem Erwerb der Konstruktionspläne für den Motor von de Freville begann etwa 18 Monate nach Kriegsende die Automobilproduktion.

Bis ins Jahr 1928 blieb ein sportlicher Vierzylinderwagen von bemerkenswerter Einfachheit das gängigste Produkt von Alvis. Zwar war er aus anderem Holz geschnitzt als etwa ein Bugatti, aber man erreichte damit 115 km/h Spitzengeschwindigkeit bei einem bescheidenen Brennstoffverbrauch und unproblematischer Instandhaltung. Typisch für diese Reihe von Automobilen war der berühmte 12/50, der 1923 ein dramatisches Debüt feierte, indem C. M. Harvey damit das Junior-Car-Club-200-Meilen-Rennen von Brooklands mit einem Schnitt von 150,13 km/h gewann.

Die Alvis 12/50 wurden sowohl mit dem Sportmotor von 1496 cm³ wie auch mit dem Tourenmotor von 1645 cm³ gebaut. Sie besaßen ein Vierganggetriebe mit rechtsliegendem Schalthebel, ein konventionell gefedertes Fahrgestell mit einem Hilfsrahmen für den Motor und mechanische Vierradbremsen eigener Konstruktion und Fabrikation. Diese Familie von Vierzylindermodellen sollte – mit zwei kurzen Unterbrüchen 1930 und 1937 – bis in das Jahr 1950 fortgesetzt werden. Die letzten der Serie waren die TA/TB14 mit 1,9-Liter-Motor von 65 PS – die meistverkauften Wagen der Firma in den ersten Jahren nach dem Zweiten Weltkrieg. Im Gegensatz zu den Sechszylindermodellen sollten diese die vordere Starrachse bis zum Schluß beibehalten.

Im Juli 1922 kam G. T. Smith-Clarke als Chefkonstrukteur zur Firma, und er sollte diese Stelle während 28 Jahren innehaben. Damit umschloß seine Karriere die ganze technische Geschichte der Marke. Der 3-Liter-Sechszylinder, der im März 1950 in Genf lanciert wurde, war das letzte von Grund auf neue Modell, das auf den Markt kam.

1928 war ein wichtiges Jahr für die Firma. Neben dem Stammodell der klassischen Reihe wurde auch ein sehr fortschrittlicher Vierzylinder-Fronttriebwagen herausgebracht. Letzterer basierte auf einem leichten Rennwagen für Kurzstrecken mit einem Fahrgestell aus Duraluminium, der von W. M. Dunn, dem Assistenten von Smith-Clarke, im Jahre 1925 gebaut worden war. Weder von diesem Wagen noch von dem mit Kompressor ausgerüsteten Achtzylindermodell, das für die 1½-Liter-Grand-Prix-Formel von 1926 entwickelt worden war, gibt es große Erfolge zu berichten. Das Modell 12/75 von 1928 dagegen wurde wirklich produziert. Insgesamt wurden etwa 120 Wagen sowohl mit als auch ohne Kompressor hergestellt.

Diese Wagen waren für ihre Zeit sehr modern. Alle Räder waren unabhängig aufgehängt, und zwar vorne mittels zweier Paare von längsangeordneten Viertelelliptikfedern und hinten mittels Längslenkern und verkehrten Viertelelliptikfedern. Die vorderen Bremstrommeln waren – ähnlich wie beim Cord – innerhalb des Rahmens untergebracht. Der Motor, eine Weiterentwicklung des 12/50-Triebwerks mit obenliegender Nockenwelle, war verkehrt herum eingebaut. In seiner kompressorlosen Ausführung betrug die Leistung nach wie vor 50 PS, aber mit Hilfe eines Kompressors vom Typ Roots konnte sie auf 75 PS gesteigert werden, so daß eine Spitzengeschwindigkeit von 155 bis 160 km/h erreichbar war. Erfreulich war die Verwendung eines konven-

1 Alvis 12/75 HP mit Vorderradantrieb 2S (1928).

1

tionellen, rechts angebrachten Schalthebels im Wagenboden für das Vierganggetriebe. Dies im Gegensatz zu den umständlichen und sonderbaren Schalthebeln im Armaturenbrett, wie sie bei einigen anderen frühen Fronttriebwagen verwendet wurden (Citroën, Cord, DKW).

Mit dem Alvis 12/75 wurde 1928 im Rennen von Le Mans die 1½-Liter-Kategorie gewonnen. Fast reichte es auch zu einem Sieg in der Tourist Trophy, wo den Wagen von Cushman nur 13 Sekunden vom siegreichen Lea-Francis Typ S von Kaye Don trennten. Ein Jahr später baute die Firma einen 1½-Liter-Wagen mit Reihen-Achtzylinder-Motor (Typ FE) mit den Zylinderabmessungen 55 × 78,5 mm und einem gleichen Fahrgestell, diesmal allerdings mit einer einzelnen Querblattfeder vorne. Diese Wagen wurden vom Werk in den Rennen der Jahre 1929 und 1930 eingesetzt, wobei in der Tourist Trophy 1930 ein vierter Platz erreicht wurde. Obgleich dieses Modell in den Katalogen aufgeführt war, gab es keine Produktion für den Verkauf an Private.

Trotz vieler Gerüchte stimmt es nicht, daß die Fronttriebwagen die Firma Alvis nahe an den Bankrott gebracht haben sollen. Tatsache ist jedoch, daß sie eine erfahrene Hand am Lenkrad und eine noch größere Erfahrung und Kenntnis im Unterhalt forderten. Zweifellos war es übertrieben, wenn gesagt wurde, die Wagen hätten die schlechte Angewohnheit, «in Kurven geradeaus zu fahren». Der Nockenwellenantrieb und der geradeverzahnte Differentialantrieb waren aber sehr lärmig, und wollte man die vorderen Bremsen neu belegen, mußte der Motor ausgebaut werden. Die Fronttriebwagen waren auch sehr teuer in der Herstellung. Nach 1931 wurden sie nicht mehr angeboten.

Die andere Neuheit des Jahres 1928 war der erste Sechszylinderwagen von Smith-Clarke, der Typ 14,75. Er sollte den Weg zu einer Reihe von sehr berühmten Wagen weisen (14,75 PS nach der englischen Steuerformel und nicht etwa 75 Brems-PS, der Motor leistete in Wahrheit etwa 62 PS). Das neue Triebwerk besaß vier Kurbelwellenlager, und die hängenden Ventile wurden über Stoßstangen und Kipphebel betätigt. Der Motor hatte die Abmessungen 63 × 100 mm, entsprechend einem Hubraum von 1870 $cm^3$. Der Aufbau entsprach mit einem angekuppelten Kurbelwellen-Schwingungsdämpfer eigener Konstruktion und Magnetzündung der klassischen Bauweise. Die Einscheibenkupplung und das Vierganggetriebe waren wie üblich separat montiert. Das Fahrgestell war jenem des 12/50 sehr ähnlich, und der Radstand betrug 2,845 m. Damit war es bestens für den Aufbau geschlossener Karosserien geeignet. Bei einem Leergewicht von 1267 kg lag die Spitzengeschwindigkeit im Bereich von 110 km/h.

Bereits ein Jahr später wurde der Motor auf 67,5 mm aufgebohrt (2148 $cm^3$), und serienmäßig gelangte eine Doppelzündung in diesen ersten Silver-Eagle-Modellen zum Einbau, die bis 1936 in Produktion bleiben sollten. Der mit kurzem Fahrgestell gebaute Typ SD besaß eine auf 65 mm reduzierte Bohrung, damit der Wagen in der Zweiliterkategorie starten konnte. Dieses Modell hatte sehr ansprechende Leistungen und erreichte 130 km/h. Die späteren Wagen erhielten eine Silver-Eagle-(Silber-Adler-)Kühlerfigur anstelle des Hasen der früheren Tage. Der letzte Silver Eagle (1934/36) wies einen kreuzverstrebten Rahmen und ein vollsynchronisiertes Getriebe auf. Das Modell wurde dann durch den nichtklassischen Silver Crest mit 2,4- oder 2,8-Liter-Motor und unabhängiger Vorderradaufhängung ersetzt. Dieser Wagen, der Bendix-Bremsen und ein Getriebe mit nichtsynchronisiertem 1. Gang erhielt, war das Werk von George Lanchester und Harry Mundy. Der Preis von 545 Pfund (ungefähr der gleiche Preis, der für einen 12/50 im Jahre 1926 verlangt wurde) zeigt den Erfolg des Verbilligungsprozesses auf, aber in der Zwischenzeit war bei Alvis ein Wechsel in der Leitung erfolgt. Wie bei Lagonda hatte man beschlossen, sich nur noch auf die großen, sportlichen Sechszylindermodelle zu konzentrieren.

Der erste Schritt erfolgte Mitte 1931 mit der Ankündigung eines wahlweise erhältlichen 2511-$cm^3$-Motors für den Silver Eagle, der gleichzeitig Verfeinerungen wie Zentralchassisschmierung und hydraulische Stoßdämpfer erhielt. Eine solche Vergrößerung des Hubraums läßt vermuten, daß hier ein sportliches Modell angeboten wurde, aber dem war nicht so. Die Normalausführung erhielt einen Radstand von 3,125 m, und auf Wunsch war ein langes Fahrgestell mit 3,36 m für Limousinenkarosserien erhältlich – etwas, was bei Alvis

**2** 1930 trugen die Alvis Silver Eagles (und auch die anderen Modelle der Marke) noch den Hasen als Kühlerfigur. Zweitüriger Weymann Saloon.

**3** Ein Alvis Speed Twenty Drophead Coupé der Serie SA aus dem Jahre 1932, der deutliche Gebrauchsspuren aufweist und hier kurz vor dem Zweiten Weltkrieg an einem Rallye in Wales teilnahm. Die Motorradkotflügel verringerten das Gewicht, aber sie trugen nicht gerade zu einem besseren Aussehen bei.

2

3

4

5

vier Jahre früher undenkbar gewesen wäre. Dieses Modell war kaum ein großer Verkaufsschlager, trotzdem wurde es mit Repräsentationskarosserien bis in die Jahre 1939/40 angeboten.

Der Betriebserfolg betrug für 1930 nur noch 7000 Pfund, aber die Antwort von Smith-Clarke auf diesen Umstand war für den Londoner Salon von 1931 noch nicht bereit. Sie machte jedoch einen Monat später in Glasgow ordnungsgemäß ihre Aufwartung.

**4** Alvis Crested Eagle mit 2,5-Liter-Motor. Die viertürige Sports-Saloon-Karosserie auf dem kurzen Chassis stammt von Cross and Ellis (1935).

**5** Alvis Speed 25 (1937).

Der neue, Speed Twenty genannte Wagen war von Grund auf in 14 Wochen konstruiert worden. Er besaß den 2½-Liter-Motor des Silver Eagle mit Doppelzündung (Spule und Magnet), zwei Ventilen pro Zylinder und Pumpenkühlung. Mit drei SU-Vergasern betrug nun die Leistung 87 PS bei 3800 U/min. Die Brennstoffförderung aus dem hintenliegenden 70-Liter-Tank übernahm eine mechanische AC-Pumpe. Das angeblockte Vierganggetriebe besaß nicht nur einen geräuscharmen 3. Gang, sondern auch einen Mittelschalthebel, den man damals immer noch als für einen britischen Sportwagen unpassend betrachtete.

Noch bedeutungsvoller war das neue Fahrgestell: der Hilfsrahmen für den Motor war verschwunden, das Chassis – mit sechs Querstreben eine massive Angelegenheit – war über der Hinterachse gekröpft. Die hinteren Federn führten unter der Achse hindurch, und die offene Kardanwelle war so konstruiert, daß sie 6000 U/min aushalten konnte. Die Vierrad-Kabelbremsen hatten große Trommeln von 355 mm Durchmesser, und die Handbremse wirkte ebenfalls auf alle Räder. Der Wagen erhielt eine Zentralchassisschmierung sowie Hartford-Reibungsstoßdämpfer. Die ersten Wagen behielten den traditionellen flachen Kühler bei, aber Anfang 1932 erschien ein gemäßigter Spitzkühler, der in dieser Form bis 1935 bei allen Modellen eingeführt wurde.

Alvis baute die Karosserien nie selber. Es gab jedoch serienmäßige Ausführungen, und im Falle des Speed Twenty war es ein viersitziger Tourenwagen von Cross und Ellis aus Coventry. Es folgten weitere, noch ansprechendere Karosserien. Für einige davon stand Charles Follett, der Alvis-Vertreter in London, Pate. Es gab viertürige Sports-Saloon von Charlesworth, Mayfair sowie von Thrupp and Maberly, dann typisch englische vierplätzige Cabriolets von Charlesworth und Vanden Plas und ab 1933 einen wunderschönen zweitürigen, vierplätzigen Tourenwagen von Vanden Plas. Diese Karosserie wurde bereits auf dem Talbot 105 aufgebaut und sollte kurz danach auch auf dem von Rolls-Royce produzierten 3½-Liter-Bentley erscheinen. Einige ausländische Karossiers trugen ebenfalls Maßkleider für den Alvis Speed 20 bei. Am Pariser Salon 1935 war ein von Vanvooren gebautes Cabriolet ausgestellt, das von einem französischen Liebhaber erworben wurde, der durch die frostige Begrüßung am Bentley-Stand eine große Ernüchterung erfuhr! Im allgemeinen beschränkte sich aber der Vorkriegsexport vor allem auf die Länder des britischen Commonwealth, und die Marke erfreute sich in Australien großer Beliebtheit.

Der Speed 20 war eine beachtliche Errungenschaft, wenn man den beschränkten Hubraum und besonders die Gesamtabmessungen berücksichtigt. Der Radstand betrug 3,149 m, das Gewicht 1260 kg. Die ersten Wagen neigten zum Kühlersieden, die Lenkung war bei geringer Geschwindigkeit schwergängig, beim Gangwechseln mußte man sich Zeit lassen, und der erforderliche Bremspedaldruck war abnormal groß. Die erbrachten Leistungen waren jedoch so gut, daß sich der Wagen ohne weiteres unter die «grandes routières», die überragenden Reisewagen, einreihen konnte. Die Spitzengeschwindigkeit lag knapp unter 145 km/h, wobei im 3. Gang 110 km/h und mühelos eine Reisegeschwindigkeit von 110 bis 115 km/h erreicht werden konnte. Die Beschleunigung von 0 auf 130 km/h erforderte 32,6 Sekunden. Der «Autocar» meinte: «Dies ist der Typ Auto, der richtig aussieht, sich richtig anfühlt und insgesamt richtig liegt.» Die Handhabung des Wagens ließ keine Wünsche offen, und obgleich Alvis im Jahre 1932 nur 800 Wagen verkaufte, trug das neue Modell trotz seines hohen Preises von 695 Pfund runde 300 Wagen dazu bei. (Nebenbei darf erwähnt werden, daß mit gleich viel Geld drei Ford V8 gekauft werden konnten – sogar in Großbritannien.)

Während der Saison 1933 blieb der Speed Twenty unverändert, doch im Frühjahr machte Smith-Clarke einen weiteren Schritt vorwärts, indem er zu der unabhängigen Radaufhängung von 1928 zurückkehrte. Diesmal begnügte er sich, die Neuerung den Vorderrädern allein zukommen zu lassen, und verwendete die kräftige Einzel-Querblattfeder-Konstruktion, wie sie bei den Achtzylinder-Rennwagen angewendet worden war. Merkwürdigerweise wurde diese Aufhängung zuerst beim Crested Eagle eingeführt. Es war dies ein klarer und einfacher Luxuswagen und an sich schon eine Merkwürdigkeit für eine Firma, deren Interesse stets sportlichen Automobilen galt. (Das Modell hatte den Silver Eagle 20 aus dem Jahre 1931 abgelöst.)

Der neue Alvis hatte einen robusten Rahmen mit doppelten Querstreben vorne, Kreuzverstrebung und Längsträgern von beachtlicher Stärke. Im Gegensatz zum Speed Twenty wurde das Getriebe wieder getrennt eingebaut. Als Konzession an die weniger sportliche Kundschaft handelte es sich um ein Wilson-Vorwählgetriebe mit Lenkrad-Schalthebelchen. Der Spitzkühler besaß verchromte, thermostatisch betätigte Jalousien anstelle des Steinschlag-Schutzgitters des Speed 20. Für jedes Rad wurde ein separater Wagenheber eingebaut. Die Karosserien waren vierplätzige Saloons mit vier oder sechs Seitenfenstern, und dazu gab es noch eine Limousine auf dem langen Fahrgestell. Die Rudge-Whitworth-Drahtspeichenräder mit Zentralverschluß wurden natürlich beibehalten. Alvis sollte diese Räder bei allen Vorkriegsmodellen, mit Ausnahme des Silver Crest, verwenden. Erstaunlicher war, daß auch ein Tourenzähler eingebaut wurde. Serienmäßig wurde der Dreivergasermotor mit $2^1/_2$ Liter Hubraum verwendet. Im Hinblick auf den steuerbewußten Heimmarkt gab es allerdings auch eine Version mit dem 2,1-Liter-Motor des Silver Eagle, der nur 17 HP aufwies. Aufgrund des hohen Gewichts erreichte der Wagen bloß etwa 115 km/h, und der Crested Eagle war nie sehr populär. 1934 fanden nur 114 Wagen einen Käufer, und es ist nicht anzunehmen, daß diese Zahl in den folgenden Jahren übertroffen wurde.

Für 1934 verwandelte sich der Speed 20 vom Typ SA in den Typ SB mit dem neuen Chassis und der neuen Vorderradaufhängung des Crested Eagle. Bedeutungsvoller war der Umstand, daß der Wagen das erste serienmäßig eingebaute Vollsynchrongetriebe der Welt erhielt. Obgleich kein Zweifel besteht, daß das deutsche ZF-Getriebe schon 1931 perfekt war, ist zu beachten, daß es in keinem Wagen vor 1935 als serienmäßige Ausrüstung angeboten wurde. Weitere Verbesserungen waren die eingebauten Wagenheber, die Lucas-P-100-Scheinwerfer und ein Hilfsstartvergaser. 1935 wurde der Wagen weiter verfeinert. Der Typ SC erhielt kleinere 19-Zoll-Räder, fernbediente André-Stoßdämpfer hinten und vorne, eine Hardy-Spicer-Kardanwelle und eine Brennstofförderung mittels zweier elektrischer Pumpen. Das Gaspedal, das traditionsgemäß in der Mitte verblieben war – dies hatte unter Snobs in England etwa den gleichen Stellenwert wie der rechts außen liegende Schalthebel –, wurde auf die rechte Seite verschoben. Die Speed 20 Typ SD des Jahres 1936 waren an den tiefer nach unten gezogenen Seitenteilen der vorderen Kotflügel zu erkennen. Für diese letzten beiden Modelle gab es drei serienmäßige Karosserien: den Vanden Plas Tourer, einen Sports-Saloon und ein zweitüriges Cabriolet oder Drophead Coupé von Charlesworth.

Unglücklicherweise bedeutete wie bei vielen anderen englischen Wagen der Sonderklasse mehr Eleganz auch gleichzeitig mehr Gewicht. Ein Tourenwagen wog nun 250 kg mehr, was durch einen größeren Motor mit 2762 $cm^3$ Hubraum und 98 PS, wie er 1935 eingeführt wurde, nicht ausgeglichen werden konnte. Die späten Speed Twenty waren tatsächlich langsamer als ihre Vorfahren. Es gab nur einen einzigen Weg: einen noch größeren Motor. Im Jahre 1936 erfolgte mit einem $3^1/_2$-Liter-Triebwerk der Schritt in die obere Klasse, wodurch Bentley, Lagonda und der Daimler mit dem neuen Light-Straight-Eight-(Reihen-Achtzylinder-)Motor herausgefordert wurden.

Das Fahrgestell entsprach im wesentlichen den Spezifikationen von 1934 mit einem längeren Radstand von 3,226 m. Der Motor jedoch besaß nun eine völlig überarbeitete, siebenfach gelagerte Kurbelwelle, und die Zylinderabmessungen von $83 \times 110$ mm ergaben einen Hubraum von 3571 $cm^3$. Die dreifache SU-Anlage mit ihrem Starthilfevergaser wurde mittels zweier elektrischer SU-Pumpen gespeist, und erneut fand eine Doppelzündung Verwendung. Die Motorleistung wurde mit konservativen 103 PS bei 3600 U/min angegeben. Hier also hatte man ein herrliches Stück englischer Luxusmaschinenbaukunst, komplett mit Zentralchassisschmierung, eingebauten Wagenhebern, fernverstellbaren Stoßdämpfern, P-100-Scheinwerfern, Doppelfanfarenhörnern und einem Armaturenbrett, das sich über die ganze Breite des Wagens hinzog. Diesmal gab es keine Serienkarosserien. Saloon-Karosserien wurden von Charlesworth, Freestone and Webb, Arthur Mulliner und anderen geschaffen. Mayfair baute mindestens ein zweitüriges Coupé-de-Ville, nicht zu reden von dem viertürigen Coupé-Chauffeur. Nur wenige Tourenkarosserien wurden auf dieses Fahrgestell aufgebaut, das

6

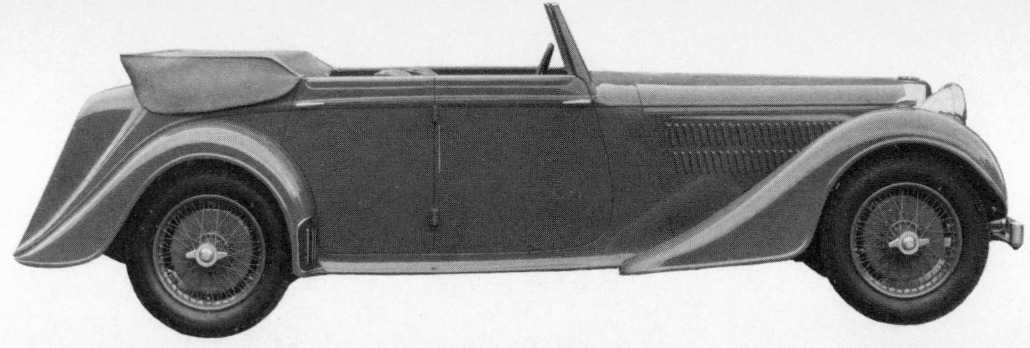

**6** 4,3-Liter-Alvis Convertible Sedan von Offord (1938).

**7** 4,3-Liter-Alvis, der 1937 neu an den schwedischen Rennfahrer Henken Widengren ausgeliefert wurde. Die Karosserie wurde von Enrico Bertelli, dem Bruder des bei Aston Martin berühmt gewordenen A. C. Bertelli, geschaffen. Seine bekanntesten Entwürfe waren jene für die «serienmäßigen» Aufbauten der Aston Martin.

7

8

9

neue Maßstäbe für die Laufruhe setzte und nebenbei eine Spitzengeschwindigkeit von sehr zufriedenstellenden 145 km/h erreichte. Der Wagen war aber auch sehr schwer und mit einem Preis von rund 1300 Pfund – etwa in der Mitte zwischen dem neuen Lagonda von W. O. Bentley und dem 3½-Liter-Bentley – sehr teuer. Gleichzeitig wurde auch der Hubraum des Motors vom Crested Eagle auf 2,8 Liter vergrößert, und sein Wilson-Getriebe mußte einem Vollsynchrongetriebe weichen.

1937 erhielten die klassischen Sechszylinder noch mehr Kraft. Der Crested Eagle war nun auch mit einem etwas gedämpften 3,6-Liter-Motor erhältlich. Der Speed 20 machte dem Speed 25 mit 3,6-Liter-Motor Platz. Die Karosserien wurden überarbeitet, doch ansonsten waren der Einbau von Luvax-Stoßdämpfern und längeren Hinterachsfedern, um die Fahrt noch komfortabler zu gestalten, die einzigen Änderungen.

All die verlorengegangene Leistung war wieder vorhanden. Der Speed 25 war zwar immer noch ein schwerer Wagen, aber sogar ein Saloon erreichte 155 km/h, und dies bei einem Brennstoffverbrauch von 15,5 l/100 km wie beim Speed 20 dank einer längeren Hinterachsuntersetzung (4,11:1). Die Feinheiten von früher waren wieder da, und die Lenkung arbeitete fühlbar leichter. Im Laufe des Jahres 1937 wurde eine Dewandre-Unterdruck-Bremshilfe beigefügt, womit die Beschwerden früherer Zeiten über unerhörten Bremspedaldruck verschwanden. Das Bremssystem arbeitete übrigens traditionsgemäß immer noch über die von Alvis bevorzugten Seilzüge. Dies waren eigentlich die einzigen mechanischen Änderungen, die bis 1940 gemacht wurden. Die letzten Wagen des Typs SC erhielten allerdings zwei Auspufftöpfe und eine verbesserte Formgebung mit helmartigen vorderen Kotflügeln ohne Trittbretter. In den letzten beiden Jahren vor Ausbruch des Krieges wurden 203 Alvis Speed 25 ausgeliefert.

Was das 3½-Liter-Modell anbelangt, so war ein bißchen mehr Dampf gefragt. Der 3,6-Liter-Motor konnte das Zweitonnenautomobil nicht auf die gewünschte Geschwindigkeit von 160 km/h beschleunigen. Deshalb wurde der Motor mit einer Bohrung von 92 mm auf 4387 $cm^3$ Hubraum vergrößert. Das Resultat war der 4,3-Liter, der berühmteste der klassischen Alvis. Sonst gab es keine wesentlichen Veränderungen. Der Radstand betrug immer noch 3,226 m, aber die Vakuum-Servobremsen wurden von allem Anfang an serienmäßig eingebaut. Der Magnet wurde fallengelassen, und das Aussehen des Wagens gewann durch die Heruntersetzung des Kühlers. Einmal mehr wurde eine Karosserieform in den Katalog aufgenommen. Es war ein kurzer Sports-Saloon von Charlesworth, den Alvis knapp unter 1000 Pfund anbieten konnte.

Das Resultat dieser Anstrengungen war bemerkenswert. Endlich war die magische Geschwindigkeit von 160 km/h (100 Meilen/h) in greifbare Nähe gerückt. Zur Zeit der Einführung war der 4,3-Liter-Alvis der schnellste kompressorlose geschlossene Wagen auf dem britischen Markt. Darüber hinaus konnte man ihn im direkten Gang auf 8 km/h verlangsamen. Der Preis für all das war ein erschreckender Durst – etwa 24 l/100 km. Wahrscheinlich wurden insgesamt weniger als 130 Wagen verkauft. Der Motor allerdings wurde im ersten einer langen Reihe von Alvis-Panzerspähwagen eingesetzt, dem Dingo der Kriegszeit. Das war aber noch nicht alles. Auf dem Ausstellungsstand von Vanden Plas an der London Show von 1937 war ein kurzer 4,3-Alvis-Sport ausgestellt. In seiner Standardausführung gab es nur wenige Motorveränderungen. Trotzdem stieg die Leistung von 123 auf 137 PS, und die Verwendung längerer und enger gestalteter Untersetzungsverhältnisse (3,8:1 im 4. und 5,46:1 im 3. Gang) half die Fahrleistungen verbessern. Der Radstand wurde auf 3,125 m verkürzt, und das Gewicht betrug mit voller Straßenausrüstung nur noch 1638 kg. Vanden Plas hatte für das neue Fahrgestell eine wunderschöne offene Tourenkarosserie mit heruntergeschnittenen Seiten, einem abfallenden Heck und helmartigen vorderen Kotflügeln geschaffen. Beim Straßentest wurde eine Spitzengeschwindigkeit von 165 km/h erzielt und eine für die damalige Zeit aufsehenerregende Beschleunigung von 7,6 Sekunden von 0 auf 80 km/h gemessen. Gleichzeitig ist zu beachten, daß der Preis nur 995

8 4,3-Liter-Alvis Drophead Coupé mit ganz versenkbarem Verdeck (1938).

9 4,3-Liter-Alvis-Viersitzer von Vanden Plas auf dem kurzen Spezialfahrgestell. Einer von insgesamt sechs hergestellten Wagen (1939).

Pfund betrug gegenüber 1480 Pfund für einen offenen 4¼-Liter-Bentley, 1600 Pfund für einen V12-Lagonda-Rapide und 2200 Pfund für einen 540-K-Mercedes-Benz Roadster in England. Der kurze 4,3-Alvis wurde nie offiziell in Rennen eingesetzt, aber auf der Brooklands-Rennbahn erreichte ein Exemplar, bei dem man die Lampen, Kotflügel usw. abmontiert hatte und dessen Motor ein höheres Verdichtungsverhältnis aufwies, eine Geschwindigkeit von 190 km/h. Nur sechs solche Wagen wurden gebaut.

Während des Krieges drehte sich die Werbung um das Thema «Wenn die Individualität zurückkehrt...» – und das tat sie ja dann auch. Der ausgezeichnete 3-Liter von 1950 brachte die Marke mit Auszeichnung über die Zeiten bis hin zur Einstellung der Produktion von Personenwagen im Jahre 1967.

# **Bentley** *Fünfmal siegreich in Le Mans*

Wenn der Bugatti Frankreich symbolisiert und der Mercedes Deutschland, dann müssen die «richtigen» Bentley, die zwischen 1920 und 1931 in Cricklewood gebaut wurden, als Urform des britischen Sportwagens gelten.

Walter Owen Bentley genoß eine Ausbildung als Eisenbahningenieur, was auf die massive Bauweise seiner Wagen einen gewissen Einfluß gehabt haben mag. In der Welt des Automobils machte er sich erstmals bemerkbar als Londoner Vertreter der bisher kaum bekannten französischen Marke DFP (Doriot, Flandrin et Parant, Courbevoie). Indem er die Hersteller davon überzeugte, die Entwicklung von Aluminiumkolben voranzutreiben, hatte er den DFP 12/40 bis zum Jahr 1914 in einen kleinen, vielversprechenden Sportwagen verwandelt. Bentleys Tätigkeit während der Kriegsjahre bestand in der Konstruktion von erfolgreichen Flugzeug-Sternmotoren für die britische Admiralität. 1919 war er aber wieder beim Automobil und eröffnete ein Geschäft an der New Street Mews in der Nähe der Baker Street in London. Hier schuf er im gleichen Jahr mit Unterstützung von F. T. Burgess (der für die Humber-Wagen der Tourist Trophy 1914 verantwortlich war) und Harry Varley von Vauxhall den ersten 3-Liter-Bentley. Im Oktober war der Motor auf dem Prüfstand, und Bentley konnte ein noch nicht ganz fertiggestelltes und nicht fahrbares Fahrgestell an der ersten Nachkriegs-London-Show ausstellen. Zwar wurde das Chassis EX.1 mit einer rohen viersitzigen Karosserie von Harrison (der später zum eigentlichen «Hauskarossier» werden sollte) am 11. Dezember 1919 für den Verkehr zugelassen, aber die eigentlichen Auslieferungen begannen erst im September 1921. Um diese Zeit hatte die Fabrik in Cricklewood ihre Arbeit aufgenommen.

Der 3-Liter diente als Basis für alle Bentley-Wagen, die bis 1931 hergestellt wurden. Der Motor widerspiegelte tatsächlich die Rennpraxis von 1914, war es doch ein Vierzylinder-Monoblock-Triebwerk mit festem Zylinderkopf und mit den klassischen Abmessungen 80 × 149 mm, entsprechend einem Hubraum von 2996 $cm^3$. (Eine solche Kombination von Bohrung und Hub war, nebenbei bemerkt, ideal für die britische Steuerformel, da diese allein auf der Bohrung und der Anzahl Zylinder basierte. 1939 bezahlten der Besitzer eines 3-Liter-Bentley und jener des damals geläufigen 1,5-Liter-Opel-Olympia genau gleich viel Jahressteuer!) Sowohl die Kurbelwelle wie auch die durch eine vorne am Block stehende Königswelle angetriebene Nockenwelle war fünffach gelagert. Für jeden Zylinder waren vier Ventile eingesetzt. Die Kolben waren selbstverständlich aus Aluminium, und für die Druckumlaufschmierung war eine separate Ölwanne angebracht. Bei den Produktionsmodellen kamen eine Doppelzündung mit zwei synchronisierten Magneten, die mittels Querwelle angetrieben wurden, und zwei Kerzen pro Zylinder zum Einsatz. Der Vergaser, ursprünglich ein einfaches Smith-Aggregat, wurde mittels Autovac vom hintenliegenden 50-Liter-Tank gespeist. Für die Kraftübertragung wurden eine Konuskupplung und ein separat montiertes Vierganggetriebe mit rechtsliegender Kulissenschaltung verwendet. Der Rahmen bestand aus U-förmigen Längsträgern und vier Querstreben sowie zwei rohrförmigen Stützen. Die Achsen waren an halbelliptischen Federn aufgehängt, und beide Bremsen wirkten auf die Hinterräder. Fünf Drahtspeichenräder mit Zentralverschluß und mit 820 × 120-Reifen bestückt, Reibungsstoßdämpfer und die elektrische Anlage waren im Fahrgestellpreis eingeschlossen. Eine 5-Jahres-Garantie wurde für alle Bentley-Chassis gewährt. Damit diese aber Gültigkeit erhielt, mußten Gewichtsbeschränkungen für die Karosserie berücksichtigt werden, und der fertig aufgebaute Wagen hatte einen Werkstest zu bestehen.

Frühe Straßenerprobungen erbrachten eine Spitzengeschwindigkeit um die 130 km/h, mit mehr als 100 km/h im 3. Gang und 77 km/h im 2. Gang. Das Dreilitermodell sollte der Marke die beiden ersten Siege in Le Mans bringen, nämlich im Jahre 1924 und dann in einem dramatischen Rennen von 1927 durch den unfallbeschädigten Wagen von Davis und Benjafield. Es wurde bis 1929 produziert, und insgesamt wurden 1622 Fahrgestelle ausgeliefert.

Während der Karriere des Dreilitermodells gab es eine Reihe von Typen, die sich voneinander – volkstümlich – durch die Farbe des Kühlerabzeichens unterschieden. Die «Short Standards» (und die mit einem höheren Verdichtungsverhältnis versehene TT-Replika-Version von 1922/23) hatten einen Radstand von 2,98 m und ein blaues Abzeichen. Vierradbremsen vom Typ Perrot wurden spät im Jahre 1923 eingeführt, und anschließend bot man die Wagen in zwei Grundvarianten an: den «Long Standard» (Blue Label) mit einfachem Vergaser, weitgestuftem Getriebe und 3,3 m Radstand und das «Speed Model» (Red Label – rotes Abzeichen) mit kurzem Radstand, zwei schrägstehenden SU-Vergasern und dem enggestuften Getriebe. Zusätzlich wurden 1925/26 noch 40 Light Tourers hergestellt, die für genau 1000 Pfund angeboten werden konnten und bei denen das kurze Fahrgestell mit dem niedrig verdichteten Motor kombiniert war. Die Motorleistung betrug 72 PS für den Standardmotor und 82 bis 85 PS für den Speed-Model-Motor, beide bei 3500 U/min.

Am anderen Ende der Reihe stand der seltene «Super Sport» (Green Label – grünes Abzeichen), von dem nur 15 Stück hergestellt wurden. Hier wurde der Radstand auf 2,75 m verkürzt, und das Verdichtungsverhältnis wurde von den 5,3:1 des Speed Model auf 6,1:1 erhöht. 160 km/h wurden garantiert, aber die Garantie wurde von fünf Jahren auf zwölf Monate reduziert.

Beständig verbindet man den Bentley-3-Liter mit den hervorragenden Tourenkarosserien von Vanden Plas, sei es mit Gewebe- oder Blechüberzug oder mit den ausgeschnittenen Türen und den außenliegenden Brems- und Schalthebeln auf dem Speed-Model-Fahrgestell. In Wirklichkeit wurden nur 507 Bentley «Red Label» hergestellt. Nicht weniger als 800 Chassis, also etwa die Hälfte der Gesamtproduktion, waren «Blue Label», viele davon mit höchst unpassenden Karosserien. Im Katalog von 1925 sind drei Saloon (einer mit Trennscheibe) und zwei Landaulette (!) abgebildet. Vanden Plas war jedoch mit 380 Wagen der größte Einzellieferant von Karosserien gegenüber den 142 von Gurney Nutting, der den zweiten Platz einnahm.

1

2

3

4

**1** Bentley-Dreilitermotor mit zwei Vergasern (1925).

**2** Der Bentley, wie er jedermann in Erinnerung ist. Eine zeitgenössische Aufnahme eines Speed Models 3-Liter aus den mittleren zwanziger Jahren.

**3** «The winged B», berühmtes Markenzeichen der Bentley-Wagen

**4** Bentley 3-Liter Speed Model Tourer (1925).

Um der Herausforderung von Vauxhall (deren 30/98 der stärkste Konkurrent des Dreilitermodells war) zu begegnen, entwickelte Bentley im Jahre 1927 seinen 4½-Liter (100 × 140 mm, 4398 cm³). Der Prototyp verunfallte bei seinem ersten Auftritt in Le Mans, aber noch im gleichen Jahr begannen die Auslieferungen. Bis zur Einstellung der Produktion im Jahre 1931 wurden insgesamt 665 Wagen dieses Modells hergestellt. Eigentlich handelte es sich dabei um einen vergrößerten 3-Liter, wobei natürlich die Vierradbremsen von allem Anfang an serienmäßig eingebaut wurden. Alle normalen, kompressorlosen Motoren hatten die Doppel-SU-Anlage. Der gleiche Radstand von 3,3 m genügte für jede Art von Karosserie. Es wurden lediglich zwölf kurze Fahrgestelle mit 2,97 m Radstand aufgrund einer Sonderbestellung angefertigt. Die frühen 4½-Liter hatten noch die Konuskupplung, die 1929 durch eine Scheibenkupplung ersetzt wurde.

Obgleich in gewissen Kreisen als ein Überbleibsel aus der «Edwardian»-Epoche abgetan, war der 4½-Liter wahrscheinlich der tauglichste Straßenwagen, der je in Cricklewood hergestellt wurde. In seiner Normalausführung betrug die Leistung etwa 105 bis 115 PS, aber man konnte den Motor sehr wohl frisieren. Einige der späten, mit Kompressor versehenen Triebwerke gaben 250 PS ab. Normalerweise wurde der Kompressormotor mit 182 PS eingestuft. Der Standard-Tourenwagen wog 1688 kg und verkaufte sich für 1295 Pfund, also nur wenig teurer als der 3-Liter. Der Wagen lief im 2., 3. und 4. Gang seine 57, 121 und 145 km/h, und dies mit dem «D»-Getriebe mit langen und enggestuften Untersetzungsverhältnissen. Wollte der Kunde eine geschlossene Karosserie aufbauen, so wurde das «C»-Getriebe mit weiter gestuften Untersetzungsverhältnissen eingebaut. Ein 4½-Liter gewann 1928 in Le Mans, und gleiche Wagen kamen auf den 2., 3. und 4. Platz hinter dem siegreichen «Speed Six» im Jahre 1930.

Die Kompressorausführung, die im Jahre 1929 von Amherst Villiers und Sir Henry Birkin (finanziert durch die Hon. Dorothy Paget) entwickelt wurde, fand keine Gnade bei W. O. Bentley. Trotzdem wurden 55 Wagen hergestellt und verkauft. Dieser Wagen besaß das normale Fahrgestell mit einer stärkeren vorderen Querstrebe, aber der Motor war völlig überarbeitet. Kurbelwelle, Motorblock, Pleuelstangen und Kolben sowie eine größere und gerippte Ölwanne waren neu. Der Kompressor und seine zwei SU-Vergaser waren vorne am Kühler unter einem Drahtgitter zwischen den Chassisholmen angebracht. Das Resultat dieser Modifikationen war eine Spitzengeschwindigkeit von mit kompletter Straßenausrüstung spielend erreichbaren 160 km/h. Die Rennsportwagen des Birkin-Paget-Teams waren gut für etwa 200 km/h, wobei sie nahezu 100 km/h in dem mit 9,342:1 untersetzten 1. Gang erreichten. Im weiteren konnte man den Kompressorwagen im 4. Gang auf 16 km/h hinunterfallen lassen. Mit geschlossenen Karosserien, wie sie recht häufig aufgebaut wurden, hieß es, sei das Modell infolge des großen Lärms nahezu «unbewohnbar» gewesen. Der Brennstoffverbrauch stieg von vernünftigen 17 l/100 km auf unmögliche 28 l/100 km. Die letzten mit normalem Saugmotor ausgerüsteten Wagen erhielten die schwere Kurbelwelle des aufgeladenen Motors.

Bentley glaubte stark an Superautomobile, und um 1925 herum war er bereit, den Luxuswagenmarkt anzugreifen. Auf weite Strecken waren seine Ideen richtig – der Erfolg seines Achtlitermodells während seines allzu kurzen Lebens gab ihm recht –, aber vorläufig war das Bentley-Image ausgesprochen sportlich, und er war nie in der Lage, Rolls-Royce, Daimler und Lanchester Kunden abspenstig zu machen. Nichtsdestoweniger war sein 6½-Liter, der ab 1926 ausgeliefert wurde, ein eindrückliches Stück schöner Maschinenbaukunst.

Ursprünglich mit einem 4,2-Liter-Motor (80 × 140 mm) ausprobiert, hatte der Wagen einen auf 100 mm aufgebohrten 6,6-Liter-Motor erhalten, als er zum Verkauf gelangte. Die Konstruktion basierte auf dem Dreiliterthema, wobei natürlich das Fahrgestell verlängert worden war. Der Radstand konnte bis zu 3,85 m betragen,

5 Der Bentley Speed Six war an seinen parallel verlaufenden Kühlermänteln erkennbar. Eine Bateau-Karosserie aus dem Jahre 1929.

6 Die niedrigen Windschutzscheiben und Fenster: Harrison Sports Saloon auf dem Bentley-6½-Liter-Fahrgestell (1928).

7 Saloon-Karosserien sahen auf dem 4½-Liter-Fahrgestell irgendwie fehl am Platz aus. Dieser Aufbau wurde von Weymann angefertigt (1930).

8 Weymann Sportsmans Coupé auf dem 6½-Liter-Chassis (1929).

5

6

7

8

wenn der Kunde einen Limousinenaufbau wünschte. Im weiteren war der Rahmen durch eine zusätzliche rohrförmige Querstrebe verstärkt worden. Die Vorderachse war eine sehr massive Angelegenheit aus 40-Tonnen-Stahl, damit die Kräfte der Perrot-Bremsen aufgenommen werden konnten. Die Bremsen erhielten übrigens vom Spätjahr 1927 an Dewandre-Servounterstützung. Der Nockenwellenantrieb mittels Kupplungsstangen erfolgte am hinteren Ende des Motors. Die ersten Wagen besaßen die glockenförmigen Kreuzgelenke des Dreilitermodells, doch führte der laufende Ersatzzwang ab 1928 zur Einführung von Hardy-Spicer-Gelenken, und die gleiche Änderung wurde auch beim 4½-Liter-Wagen vorgenommen.

Die Leistung des Triebwerks mit einem Einzelvergaser betrug 147 PS bei 3500 U/min, was gegenüber den 135 PS, die für den H6-Hispano-Suiza bei gleichem Hubraum angegeben wurden, einen Fortschritt bedeutete. Geschlossene Wagen, die um die 2½ Tonnen herum wogen, konnten von 5 bis 130 km/h im direkten Gang beschleunigt werden. Die nach unten leicht zulaufenden Kühlerrahmen unterschieden die späteren Standard Six von den sportlichen Speed-Six-Modellen, die 1929 folgten. Dabei handelte es sich um den erfolgreichsten Wettbewerbswagen der alten Firma, wurde doch damit Le Mans im Jahre 1929 und 1930 gewonnen. Ebenfalls 1930 ging der Speed Six siegreich aus dem «Double-Twelve»-Rennen von Brooklands (zweimal 12 Stunden) hervor, und ein Jahr später gewann ein Wagen das 500-Meilen-Rennen auf der gleichen Rennpiste. In einem einzigen Rennen, nämlich in seinem ersten, dem «Double-Twelve» von 1929, mußte ein Speed Six aufgrund von mechanischen Störungen aus dem Rennen genommen werden.

Äußerlich bestand die Abweichung zwischen den beiden großen Sechszylindermodellen darin, daß der Speed Six einen gerade nach unten verlaufenden Kühler und ein grünes Kühleremblem besaß, während die Normalausführung ein blaues Abzeichen trug. Doch wurde beim Speed Six das Kompressionsverhältnis von 4,4:1 auf 5,1:1 erhöht und eine Zweivergaseranlage eingebaut. Die Motorleistung betrug 160 oder, bei den späteren Triebwerken mit neuem Motorblock, 180 PS. Merkwürdigerweise war sogar ein kurzer Speed Six (3,57 m Radstand) länger als das vergleichbare Standardmodell (3,35 m). Dieser Umstand erklärt sich aus den in der damaligen Zeit sehr beliebten niedrigen Saloon-Karosserien mit Gewebeüberzug und den Sportsman-Coupés mit Motorradkotflügeln, Trittbrettern, hinten angehängten Koffern und den winzigen, schlitzartigen Windschutzscheiben. Dank leichteren Aufbauten konnte ein geschlossener Speed Six 145 km/h Spitzengeschwindigkeit übertreffen, und in Tourenwagenausführung waren 160 km/h möglich, wobei nichts von der Geschmeidigkeit verlorenging. Der «Motor» bemerkte: «Es ist schwierig, irgendeine Reisegeschwindigkeit als die beste für den 4. Gang zu nennen, da der Wagen in jeder Geschwindigkeit gefahren werden kann, die zur Straßenbeschaffenheit paßt oder nach welcher der Fahrer Laune hat.» 182 Speed Six und 363 Standardwagen wurden gebaut. Beide Typen blieben bis Ende 1930 erhältlich.

Doch der Speed Six war noch nicht Bentleys letztes Wort, sorgte er doch an der London Show 1930 mit seinem neuen 8-Liter für neue Aufregung. Eine Vergrößerung der Bohrung um 10 mm ergab einen Motor von 7983 cm³ Hubraum. Die Doppelzündung mittels Magnet und Spule, der feste Zylinderkopf und der Kupplungsstangenantrieb der Nockenwelle des 6½-Liter-Triebwerks wurden beibehalten, ebenso die Unterdruck-Servobremsen. Weitere Verbesserungen umfaßten Schwingungsdämpfer für die Kurbel- und die Nockenwelle, einen zusätzlichen Vergaser zu der Doppel-SU-Anlage für langsame Fahrt, thermostatisch betätigte Kühlerjalousien und eine großzügige Verwendung von Elektron-Leichtmetall zur Gewichtsreduktion. Dieser Werkstoff wurde für die Ölwanne, die Abdeckungen der Nockenwelle und der Ölpumpe sowie für die Getriebe- und Achsgehäuse, das Lenkgetriebe und das Armaturenbrett verwendet. Die Hinterachse erhielt nun einen hypoidverzahnten Antrieb.

Ausnahmsweise machte Bentley keine Vorschriften hinsichtlich des Karosseriegewichts im Zusammenhang mit der Fahrgestellgarantie. Die Auswahl zwischen einem Radstand von 3,658 und 3,9 m machte es möglich, jede beliebige Karosserie, ganz nach Wunsch des Kunden, aufzubauen. Im weiteren konnte das «F»-Getriebe mit drei verschiedenen Hinterachsuntersetzungen, nämlich 3,53 bis 3,78 oder 4,071:1, verwendet werden. Mit seinen 220 PS beschleunigte der 8-Liter nahezu jede nur denkbare Art von Karosserie mühelos auf eine Reisegeschwindigkeit von 120 km/h, wobei eine Spitzengeschwindigkeit von 160 km/h möglich war. Dies ungeachtet des Leergewichts von 2600 bis 2800 kg. Die Limousinen brachten es gar auf drei Tonnen. Obgleich die Karriere des 8-Liters im Frühsommer des Jahres 1931 zu einem abrupten Ende kam, waren 100 Fahrgestelle hergestellt und verkauft worden.

Bedauerlicherweise hilft bei einer chronischen Geldknappheit nichts – auch nicht das glänzende Aushängeschild der «Bentley Boys» (Birkin, Barnato, Kidston und die anderen) oder die fünf Siege in Le Mans. Der Prinz von Wales und der Herzog von Kent mochten zwar Bentley fahren, aber die ganze Tätigkeit des Unternehmens wickelte sich auf einer sehr schmalen finanziellen Basis ab. Sicher, das Einschießen von Bargeld durch den Millionär und Sportsmann Woolf Barnato verhütete im Jahre 1927 das Schlimmste. (Als Werksfahrer holte Barnato für Bentley die letzten drei

9 Bentley 8-Liter Convertible Victoria von Walter M. Murphy, Pasadena, California (1931).

10 Ein prachtvoller Bentley 8-Liter, hier mit einer später aufgebauten Replikakarosserie (1931).

11 Der legendäre Bentley 4½-Liter mit Kompressor und Sportkarosserie (1931).

9

10

11

Le-Mans-Siege, jeweils mit folgenden Partnern: Rubin, Birkin und Kidston.) Doch vier Jahre später empfahlen ihm seine Finanzratgeber, die Unterstützung abzubrechen, und im Mai 1931 ging Bentley Motors in die Liquidation. Ganz zum Schluß wurde noch ein Vierlitermodell lanciert, für welches eine verkürzte Version (3,14 oder 3,56 m Radstand) des 8-Liter-Fahrgestells, jedoch ohne Servobremsen, verwendet wurde. Der Motor bedeutete einen Bruch mit der Tradition, indem nicht nur der Zylinderkopf abnehmbar war, sondern nur die Einlaßventile, über Stoßstangen und Kipphebel betätigt, hängend angeordnet waren. Die Auspuffventile waren stehend und direkt von der seitlichen Nokkenwelle betätigt. Die Zylinderabmessungen betrugen $85 \times 115$ mm, entsprechend einem Hubraum von 3915 cm$^3$, und das Triebwerk gab die respektable Leistung von 120 PS ab. Wie bei so vielen Zeitgenossen war es leider auch hier ein Fall von Geldsparen auf Kosten von zusätzlichem Gewicht. Es wurden nur 50 Wagen hergestellt.

Ungeachtet des lebhaften Bietens seitens der Firma Napier, die nach einem Unterbruch von sieben Jahren wieder ins Automobilgeschäft einsteigen wollte, wurden die Aktivposten der alten Gesellschaft – und der Name und die Dienste von W. O. Bentley – von Rolls-Royce erworben. Obgleich er einen wesentlichen Anteil an den Vorserienversuchen des $3^{1}/_{2}$-Liter-Modells hatte, gefiel W. O. Bentley die neue Atmosphäre nicht

12

12 Der einzige echte Wettbewerbs-3½-Liter-Bentley mit Offord-Karosserie, wie er für E. R. Hall für die Tourist Trophy von 1934 bereitgestellt wurde.

13 Bentley 4¼-Liter mit der ungewöhnlichen Sedanca-Coupé-Karosserie von Barker, bei welcher der hintere Teil des Dachs nicht versenkbar war (1937).

14 Viersitziges Cabriolet auf dem 4¼-Liter-Bentley-Chassis (1937).

besonders, und so wechselte er denn 1935 zu Lagonda über.

Verständlicherweise waren die Ideen von Rolls-Royce nicht jene von W. O. Bentley. Zwar wurden einige Versuche mit einem 2,3-Liter-Kompressor-Motor gemacht, ehe man sich für eine Verbindung dieses Versuchsfahrgestells (mit dem Codenamen Peregrine) mit einer frisierten Version des 3,7-Liter-OHV-Motors mit sieben Kurbelwellenlagern des 20/25-Rolls-Royce entschied.

In der Bentley-Ausführung erhielt dieses Triebwerk ein höheres Kompressionsverhältnis (6:1 anstelle von 5,25:1), zwei Vergaser und eine einfache Spulenzündung. Beibehalten wurden jedoch das Rolls-Royce-Viergang-Synchron-Getriebe mit seinem rechtsliegenden Schalthebel und die mechanischen Rolls-Royce-Servobremsen. Eine hypoidverzahnte Hinterachse (von Rolls-Royce erst ab 1936 verwendet) wurde eingebaut, und der Bentley war ein leichterer und kürzerer Wagen mit einem Radstand von 3,2 m. Selbstverständlich gab es keine Serienkarosserien, aber einige «empfohlene Karosserietypen» wurden in beachtlichen Stückzahlen gebaut. Erwähnenswert sind der prachtvolle zweitürige Tourenwagen von Vanden Plas sowie der viertürige Saloon von Park Ward, der zwischen 1933 und 1939 dreimal modernisiert wurde. Die letztgenannte Ausführung wurde auf 529 der insgesamt 1177 Fahrgestelle des 3½-Liter-Bentley aufgebaut, nicht zu reden von den 530 weiteren Wagen von total 1234 Exemplaren des 4¼-Liter-Modells, das von 1936 an lief.

Der neue Bentley wurde mit dem Slogan «The Silent Sports Car» (Der lautlose Sportwagen) angepriesen, und das war er auch: bis zu Geschwindigkeiten von 120 bis 130 km/h. Obgleich nach Cricklewood-Maßstäben kaum sportlich zu nennen, war der Wagen gut für 145 km/h und beschleunigte aus dem Stillstand auf 100 km/h in weniger als 20 Sekunden. Das Modell war ohne Zweifel leistungsfähiger als die späten Alvis Speed 20, besaß Feinheiten, die dem Lagonda M45 abgingen, und zog mit dem Anglo-American-Railton gleich, mit Ausnahme der Beschleunigung aus dem Stillstand. Die anfängliche Schwäche im Vorderwagen wurde durch das Anbringen einer zusätzlichen Querversteifung ausgemerzt. Die vorgesehene Höchstdrehzahl von 4500 U/min wurde von den Motoren auf längere Zeit schlecht vertragen, und so kam es, daß die Autobahnepoche zu einigen Kurbelwellen-Lagerschäden führte. Wenn man allerdings den Motor nicht so hoch drehen ließ, erwiesen sich die Derby Bentley als erstaunlich langlebig und dauerhaft, und bei verhaltener Fahrweise betrug der Brennstoffverbrauch nur etwa 12,5 l/100 km. Recht anschaulich wurden die Möglichkeiten der neuen Bentley mit einem von Pourtout 1939 versuchsweise als Stromlinien-Saloon aufgebauten 4¼-Liter-Modell bewiesen. In Brooklands legte dieser Wagen während einer Stunde 183,525 km zurück, und im Jahre 1949 gelang es sogar, damit im 24-Stunden-Rennen von Le Mans einen sechsten Platz herauszufahren – dies, nachdem der Wagen bereits 100 000 km als Personenwagen zurückgelegt hatte. E. R. Hall belegte mit einem mit einer leichten Karosserie versehenen 3½-Liter je einen zweiten Platz in den Tourist-Trophy-Rennen von 1934 und 1935 und wiederholte diesen Erfolg im Jahre 1936, nachdem er einen 4¼-Liter-Motor eingebaut hatte.

Stoßdämpfer, deren Leistung der Fahrt angepaßt wurde und die durch eine vom Getriebe angetriebene Pumpe betätigt wurden, kamen im Jahre 1934 zum Einbau. Das Problem des immer noch wachsenden Gewichts der Karosserien mußte gelöst werden, und im Frühjahr 1936 erhielten sowohl der Bentley als auch der 20/25-Rolls-Royce einen 4¼-Liter-Motor mit 88,9 mm Bohrung. Damit wurden im Falle der Bentley rund 16 zusätzliche PS herausgeholt, allerdings auf Kosten besonderer Geschmeidigkeit. Sonst drängten sich keine wesentlichen Änderungen auf – bis zum Oktober 1938, als das Problem der Autobahnfahrten dadurch gelöst wurde, daß die Enduntersetzung von 4,1 auf 4,3:1 und der oberste Gang in einen Schnellgang (3,6:1) geändert wurden. Andere Verbesserungen an diesen letzten Vorkriegsmodellen betrafen die Lenkung, wo das Schnecke/Mutter-Getriebe durch eine Marles-Lenkung ersetzt wurde. Der Kühler erhielt Jalousieattrappen, während ein Thermostat im Kühlsystem selber eingebaut wurde.

Obgleich die ursprünglichen Bentley recht häufig exportiert wurden, erhielten sie selten andere als britische Karosserien. Im Gegensatz dazu trugen die in Derby hergestellten Wagen teilweise Karosserien von führenden Karossiers aus Frankreich, Deutschland und Belgien. Graber, Wichtrach, baute nur einen einzigen Wagen auf. Nicht weniger als 62 Bentley mit 3½- und 4¼-Liter-Motoren besaßen Vanvooren-Karosserien. Erdmann & Rossi, Berlin, die Rolls-Royce- und Bentley-Importeure für Deutschland, trugen weitere elf Karosserien bei.

Die kleinen Rolls-Royce-Wagen wiesen im Herbst 1938 Schraubenfedern für die unabhängigen Vorderräder auf, aber die Starrachsen wurden bei allen Vorkriegs-Bentley beibehalten, die öffentlich verkauft wurden. 1939/40 wurde jedoch ein kleines Los von elf Mark-V-Fahrgestellen gebaut, sie hätten die Modelle für 1940/41 werden sollen. Sie unterschieden sich von den früheren Ausführungen durch einen kürzeren Radstand (3,149 m) und 16-Zoll-Räder sowie einen kreuzverstrebten Rahmen und unabhängige Vorderradaufhängung. Die neuesten Sport-Saloon-Karosserien von Park Ward sollten als Prototypen für die Nachkriegsmodelle Mk VI dienen, wobei dieser Wagen bekanntlich einen neuen Motor gleichen Hubraums, jedoch mit OHV-Einlaß und SV-Auspuffventilen, erhalten sollte.

Ebenfalls für die Lancierung im Jahre 1940 vorgesehen war eine Hochleistungsausführung des Mk V, das Modell Corniche. Der Prototyp trug eine viertürige Saloon-Karosserie von Vanvooren mit einem häßlichen amerikanischen Kühlergrill. Er fiel einem deutschen Luftangriff auf Dieppe zum Opfer. Die Früchte dieser Entwicklungsarbeit wurden dann jedoch 1952 mit dem fabelhaften Bentley Continental Typ R mit 4,6-Liter-Motor geerntet – einem der letzten Bentley-Wagen mit echter Individualität.

**15** Der in Derby gebaute 4¼-Liter-Bentley erhielt eine etwas wuchtige Karosserie von Rippon, Huddersfield (1938).

15

# Daimler *Man lüftete respektvoll den Hut, für Krone ... oder Sarg*

Die deutschen und die englischen Daimler-Automobile sind schon seit einem Dreivierteljahrhundert nicht mehr miteinander verbunden. Die Bezeichnung «Coventry-Daimler» geriet in der Tat mit der Einführung des ersten Mercedes im Jahre 1901 in Vergessenheit.

Großbritanniens traditionellen königlichen Automobile – Edward VII. übernahm seinen ersten Daimler im Jahre 1900, als er noch Prinz von Wales war – waren gesegnet mit einer sonderbaren Zeitlosigkeit. Mit der Einführung des Knight-Doppelschieber-Motors im Jahre 1908 (Daimler lieferte ihn übrigens an verschiedene deutsche Fahrgestellfabrikanten) etablierte sich die Fabrik in Coventry mit einer langen Reihe vornehmer und förmlicher Luxuswagen, die alle an ihren gerippten Kühlern, den dreiteiligen Alligator-Motorhauben, den hintenliegenden und mittels Holzschildern geschützten Benzintanks und den nach vorne zu stoßenden Getriebehandbremsen erkennbar waren. Die Daimler wurden besonders auch von den Mietwagen- und Bestattungsunternehmen geschätzt, hatten sie doch den Vorteil, daß ganze Flotten gleichartiger Fahrzeuge mit Wagen von 1914, 1925 und 1929 gebildet werden konnten. So geringfügig veränderten Daimler-Wagen ihr Aussehen über die Jahre. Bis 1932 baute die Firma auch alle Karosserien selber auf.

Ungeheuer komplizierte Baureihen kennzeichneten die Daimler-Produktion. Als das Unternehmen in den zwanziger Jahren seinen Höhepunkt erreichte und die Produktion 5000 Wagen pro Jahr mühelos überstieg und gelegentlich sogar über 10 000 Einheiten betragen haben mag, war die Vielfalt schier unendlich. Im Jahre 1923 zum Beispiel gab es fünf Sechszylinder-Grundmodelle, angefangen beim kurzlebigen 1½-Liter, der übrigens auch als BSA hergestellt wurde, bis hin zum riesigen 7,4-Liter-Wagen mit 45 HP. Somit muß man sich grundsätzlich auf die eigentlichen Klassiker, nämlich die Wagen mit Motoren von über 3 Litern Hubraum, beschränken.

Die Daimler des Jahres 1919 waren im wesentlichen die gleichen Wagen, wie sie 1914 angeboten wurden, jedoch mit vollständiger elektrischer Ausrüstung versehen. Die Motoren waren vom Knight-Typ mit gußeisernen Schiebern sowie Pumpen- und Tauchschmierung, die durch das Betätigen des Gaspedals reguliert wurde. Für die Zündung wurde ein Magnet eingesetzt, und der Daimler-Mehrdüsenvergaser wurde mittels Luftdruck aus dem hintenliegenden Tank mit Benzin gespeist. Die Kraftübertragung erhielt eine Lederkonuskupplung und ein durch einen rechtsliegenden Schalthebel betätigtes Vierganggetriebe. Wie es sich für eine schwere Limousine gehörte, waren die Untersetzungsverhältnisse kurz und mit weiter Abstufung versehen. Der Achsantrieb erfolgte geräuschlos durch ein Lanchester-Schneckengetriebe. Das Fahrgestell war mit Bremsen auf die Hinterräder und das Getriebe ganz konventionell ausgelegt. Immerhin hatte Daimler schon lange die Fußbremse auf das Getriebe aufgegeben. Die Hinterachse war mittels Dreiviertel-Elliptikfedern aufgehängt, und die Daimler-Karosserien waren auf großen Gummiklötzen befestigt, wodurch die Straßenschläge wirkungsvoll gedämpft werden konnten. Zwei verschiedene Motorgrößen standen zur Auswahl, nämlich der 30 HP, ein Sechszylinder mit den Abmessungen 90 × 130 mm und 4962 cm³ Hubraum, und der 45 HP, ein 7,4-Liter-Sechszylinder. Die Vierzylindermodelle wurden nicht mehr aufgeführt. Der kleinere Sechszylinder mit einem Radstand von 3,27 m wurde als «Light»-Modell für Selbstfahrer angeboten. Der Typ 45 HP dagegen hatte normalerweise einen Radstand von 3,7 m, und sein Triebwerk erhielt bei lässigen 1500 U/min 80 PS zugesprochen. Der erste britische Nachkriegs-Daimler-Wagen für das Königshaus war ein Typ 30 HP mit Limousinenkarosserie, der 1920 an Prinzessin Mary ausgeliefert wurde. König George V. kaufte erst 1921 einen Wagen der neuen Modelle, und zwar einen 30 HP der Serie TL, wie immer mit einer Karosserie von Hooper. Wie bei allen königlichen Automobilen waren auch hier alle Teile, die normalerweise vernickelt oder verchromt wurden, schwarz lackiert.

Die beiden Modelle blieben während einiger Jahre unverändert im Programm. Beim kleineren zeichneten sich allerdings Zukunftspläne ab, als 1923 ein Monoblockmotor mit abnehmbarem Zylinderkopf, Autovac-Brennstoffförderung, Spulenzündung, Mittelschalthebel und halbelliptische Hinterachsfedern eingebaut wurden. Ein Jahr später wurden auf Wunsch beim großen 45 HP Vorderradbremsen angebracht. Die meisten der aufgeführten Verbesserungen wurden beim ersten der langlebigen 25-HP-Modelle – es wurde 1924 angekündigt – berücksichtigt. Dieses erhielt einen Motor mit den Abmessungen 81,5 × 114 mm (3568 cm³). Neu war ebenfalls ein 35-HP-Modell mit einem Zweiblockmotor von 5,8 Litern Hubraum (97 × 130 mm), das mit Vierradbremsen und mit einem angeblockten Getriebe und Halbelliptikfedern ausgerüstet war.

Ebenfalls im Jahre 1924 erschienen die ersten Nachkriegs-Sonderwagen für das Königshaus. Es waren dies vier Landaulette und zwei Shooting Brakes für König George V. Damit verbunden war die Rückkehr zu wahrhaftig urtümlichen Proportionen aus der «Edwardian»-Epoche mit einem mächtigen, siebenfach gelagerten 9,4-Liter-Sechszylinder-Motor und einem Radstand von 4,11 m. Die Landaulette maßen 5,67 m in der Länge, waren 1,94 m breit und konnten trotz einer hohen Achsuntersetzung von 3:1 im 4. Gang mit 5 km/h vornehm und schier geräuschlos durch Straßen und Alleen gleiten, oder vielmehr kriechen. Eine kleine Anzahl dieser 57-HP-Wagen wurde auch für den öffentlichen Verkauf abgezweigt. In den Verkaufskatalogen allerdings war das größte angebotene Modell ein «verlängerter und vergrößerter» 45 HP mit einer Bohrung von 117,5 mm, entsprechend einem Hubraum von 8,5 Litern. Ein Exemplar dieser Ausführung existiert heute noch im Dutch Nationaal Automobiel Museum in Leidschendam. Dieser Wagen stammt nicht aus dem Königshaus.

Von 1924 bis 1926 wurden verschiedene wesentliche Verbesserungen eingeführt. Die wichtigste war der Wechsel von gußeisernen Schiebern auf leichte Stahlschieber für den Motor. Damit, so hieß es, würden Drehzahlen bis zu 4000 U/min möglich mit einer gleichzeitigen dramatischen Steigerung der Leistung. Ein 3,6-Liter-Motor von 1926 leistete dem Vernehmen nach gleich viel wie ein 5,8-Liter-Triebwerk von 1924. Daneben wurde ebenfalls eine starke Verringerung des Ölverbrauchs angekündigt. Ein alter Spaß besagte, der Anblick eines Umzugs von Daimler-Wagen, die eine Rauchschwade nach sich zogen, kündigten entweder die Ankunft des Königs oder eines Begräbnisses an! Ende 1926 gehörten auch Vierradbremsen, Balloon-Reifen und Reibungsstoßdämpfer zur Normalausrüstung aller Daimler-Wagen.

Die Produktionsreihe hatte ihren Zenit an Vielfältigkeit erreicht, indem 74 verschiedene Modelle erhältlich waren. Ein Beispiel mag dies verdeutlichen: Allein der Typ 25 HP konnte mit sieben verschiedenen Fahrgestellen mit vier verschieden langen Radständen – 3,46, 3,61, 3,66 und 3,85 m – bestellt werden. Zusätzlich zu den Saloons und Tourenwagen für Selbstfahrer offerierte die Fabrik ihre Limousinen und Landaulette mit niedriger oder hoher Gürtellinie, letztere, um den Passagieren eine größere Zurückgezogenheit zu bieten.

1927 wiesen die größeren Daimler serienmäßig Unterdruck-Servobremsen auf. Die große Neuheit wurde kurz nach der Ernennung von Laurence H. Pomeroy zum Chefkonstrukteur bekannt. Pomeroy hatte sich bekanntlich einen großen Namen bei Vauxhall gemacht, ehe er nach Amerika zog, um Versuche mit einem Vollaluminiumautomobil für die Aluminium Corporation of America durchzuführen. Seine erste Aufgabe bei Daimler war es, deren neuen Double-Six-Zwölfzylindermotor produktionsreif zu machen. Obgleich Daimler damit zehn Jahre nach der Pionierleistung von Packard ein solches Triebwerk baute, muß dieser V12 als erster europäischer Serienmotor dieser Bauweise gelten. Die Lieferung von vier Super-Fiat zwischen 1921 und 1923 kann kaum als Serienproduktion gewertet werden. Der Voisin V12 existierte bis in die späten zwanziger Jahre nur als Prototyp, und es ist eine Ansichtssache, ob der Lancia und der Lorraine-Dietrich in endgültiger Form je auf die Straße kamen. (Der Daimler-Motor könnte gut am Zylinderrennen, das von den Amerikanern gerade begonnen wurde, teilgenommen haben. John N. Willys hatte Montagepläne – oder mindestens die ernsthafte Absicht, Fahrgestelle zu importieren – im Jahre 1929.)

Das Aussehen des neuen Wagens war zweifellos typisch Daimler. Das kann auch von der über dem Rahmen angeordneten Hinterachse mit Schneckenantrieb, den Dewandre-Servobremsen, der rechts angeordneten Stoßhandbremse und dem separat eingebauten Vierganggetriebe mit Mittelschalthebel gesagt werden. Das Ganze war allerdings nach einem elefantenhaften Maßstab gebaut.

1

**1** Der Daimler 35/120 war normalerweise zwar ein Wagen, der von einem Chauffeur gefahren wurde. Dieser ungewöhnliche Tourenwagen auf dem kurzen Fahrgestell entstand 1928.

**2** Daimler Double-Six-50-HP-Limousine mit Werkskarosserie (1928-29).

**3** Daimler Double-Six 30 HP (3,7 Liter Hubraum) mit Weymann-Sportsmans-Coupé-Karosserie (1929).

2

3

4 Imposantes Fahrgestell des Daimler-Zwölfzylinder-40/50-HP-Modells (etwa 1930).

5 Dies war kein echter Daimler Double-Six mit dem niedrigen Chassis. Vielmehr handelt es sich um einen Wagen auf dem normalen 50-HP-Fahrgestell, der aufgrund eines Sonderauftrags von Martin Walter von Folkestone entstand.

6 Einer der von Barker anläßlich der Automobilausstellung von 1934 in London gezeigten Wagen: ein Daimler V26 der ersten Serie von Achtzylindermodellen mit Sedanca-Karosserie.

Der neue Motor wies einen Gabelwinkel von 60° auf und besaß mit den Abmessungen 81,5 × 114 mm einen Hubraum von 7136 cm³. Die Bezeichnung Double Six war sehr zutreffend, bestand doch das Triebwerk tatsächlich aus einem Paar von Doppelblöcken des 25-HP-Modells. Jeder davon erhielt seine eigene Doppelzündung mit Magnet und Spule, seinen Vierdüsenvergaser und eine Wasserpumpe. Die Zylinderköpfe waren abnehmbar, und sowohl das Kurbelgehäuse als auch die Kolben bestanden aus Aluminium. Kurze Pleuelstangen betätigten die Stahlschieber. Die siebenfach gelagerte Kurbelwelle hatte einen Lanchester-Schwingungsdämpfer, und die Wasserpumpen wurden über zwei Querwellen mittels Winkelantrieb bedient. Die riesige Breite des Triebwerks erforderte ein kompliziertes Lenkgetriebe mit einer Winkelkupplung.

Das Fahrgestell konnte wahlweise mit einem Radstand von 3,95 oder 4,15 m bestellt werden, und komplett aufgebaute Wagen wogen zwischen 2½ und 3 Tonnen. Trotzdem war eine Limousine zum Preis von 2800 Pfund noch ein bißchen billiger als ein durchschnittlicher Rolls-Royce Phantom I. Auf dem kurzen Chassis offerierte Daimler einen Sports-Saloon mit angehängtem Koffer, der 350 Pfund billiger war. Die Geschmeidigkeit des neuen Motors war mit einem Geschwindigkeitsbereich von 5 bis 130 km/h für den 4. Gang recht erstaunlich. Man sprach nicht viel über den Brennstoff-

verbrauch, der selten günstiger als 28 l/100 km ausfiel, aber der neue Daimler zog bald das Interesse des Königshauses auf sich. König George V. ließ seine bestehenden 57-HP-Wagen für 500 Pfund pro Wagen mit neuen Motoren ausrüsten. Es dauerte allerdings bis 1928, bis der Hof vollständige Double-Six-Daimler-Wagen in Auftrag gab, und dann waren es sogar nur die neuen und verhältnismäßig kleinen und kostengünstigen 30-HP-Modelle. Diese besaßen einen aus zwei 16-HP-Motorblöcken geschaffenen Motor mit einem Hubraum von nur 3,7 Litern. Solche Wagen erreichten 120 km/h, und in der kurzen Fahrgestellversion (3,335 m) waren sie geeignet für Selbstfahrerkarosse-

6

rien. Es gab aber auch drei längere Fahrgestelle mit Radständen bis zu 3,68 m für jene Kunden, die Limousinenkarosserien bevorzugten. Bei den Wagen des Jahres 1928 wurde auch eine verchromte Mittelstrebe beim Kühler der Zwölfzylindermodelle angebracht, um sie von den Sechszylindertypen zu unterscheiden. Dies sollte allerdings nicht lange das Merkmal der Double Six bleiben. 1933 war sogar der bescheidene OHV-15-HP-Typ auf diese Weise ausgezeichnet, und ein Jahr später besaßen überhaupt alle Daimler die Mittelstrebe, wie sie die überlebenden Exemplare noch aufweisen.
Trotz ihres steifen und formellen Images waren beileibe nicht alle Daimler entweder steif oder saftlos. Joseph Mackle von Stratton-Instone, der als Londoner Vertreter alle Aufträge des Hofes bearbeitete, gab mehr als eine sportliche Ausführung für seine persönliche Verwendung in Auftrag. Der erste war ein Boattail-Speedster auf einem kleinen 2,6-Liter-20/70-HP-Fahrgestell. 1929 ersetzte er ihn durch den «Magischen Teppich» (Magic Carpet), einen Double Six 30 HP, der mit einer gleichartigen Karosserie versehen wurde und der angeblich 145 km/h Spitzengeschwindigkeit erreicht haben soll. Sogar normale 35/120-HP-(5,8-Liter-)Sechszylinder-Limousinen, die 2½ Tonnen wogen, schafften 115 km/h, obgleich sie selten von ihren Besitzern selber gefahren wurden, und natürlich schon gar nicht mit diesen Tempi! 1930 entwickelte die Firma Thomson and Taylor von Brooklands einen Wagen, der als letzte Vollendung des «langen, niedrigen Aussehens» gelten muß – den Double Six 50 HP Sport mit einem 7,1-Liter-Motor.
Dieser Wagen erhielt einen unter den Achsen liegenden Rahmen mit 3,815 m Radstand, wobei hinten auch die Federn über den Rahmen gelegt wurden. Nachdem bereits 150 PS zur Verfügung standen, erübrigte sich ein ernsthaftes Frisieren des Motors. Die knappen Karosserien saßen auf dem hinteren Teil des Fahrgestells, und davor erstreckte sich über sieben Fuß (2,1 m) die Motorhaube. Kein Wunder, daß daneben ein Cord direkt einfältig ausschaute. Dem Durst von etwa 56 l/100 km angemessen, belief sich das Fassungsvermögen des Tanks auf 46 Gallonen (etwa 220 Liter). Das Lenkrad mit einem Durchmesser von 50,8 cm hätte einem Bus keine Schande gemacht. Die niedrige Linie der Motorhaube erforderte die Montage des Lenkgetriebes an der Spritzwand, die ihrerseits einen «Muskelwulst» in der Motorhaube bildete! Bei einem *Chassis*-Preis von 2000 Pfund muß man sich nicht wundern, daß höchstens drei dieser herrlichen Monstren gebaut wurden. Allerdings beauftragte ein Enthusiast die Karosseriefirma Martin Walter in Folkestone, auf dem serienmäßigen Double-Six-Fahrgestell einen viertürigen Sports-Saloon aufzubauen, bei welchem die niedrige Linie des Special Sport von 1930 nachgeahmt wurde. Das Resultat war bemerkenswert erfolgreich. Allerdings fanden die Mitarbeiter der Konstruktionsabteilung, daß die Anpas-

sung der doppelhäutigen Daimler-Motorhaube einen unvergeßlichen Alptraum bedeutete!
1930 schuf Pomeroy eine Aluminiumversion des 25-HP-Motors, wobei der Block aus diesem Leichtmetall gefertigt wurde. Als Ergebnis entstand ein viel leichterer Selbstfahrer-Sports-Saloon, der gute 115 km/h lief. Ein konventionelles, separat eingebautes Vierganggetriebe wurde bei den ersten Wagen verwendet. Im Verlaufe des Jahres führte Daimler allerdings das erste ihrer Vorwählgetriebe nach den Vulcan-Sinclair-Patenten ein, das auch ein Flüssigkeitsschwungrad enthielt.
Ursprünglich war das Getriebe für die Verwendung in Autobussen vorgesehen. Seit 1912 war dies nämlich eine gewinnträchtige Seitenlinie von Daimler. Die Busse des Jahres 1930 waren übrigens mit den 35/120-HP-Personenwagen-Motoren ausgestattet. Das neue Vorwählgetriebe also bot stoß- und kratzfreies Schalten und war für wirklich große und schwere Fahrzeuge besser geeignet als das bekanntere Wilson-Getriebe. Anfänglich wurde es nur bei den Double-Six-Modellen angeboten, doch 1931 kam es serienmäßig auch bei den 25-HP-Modellen zum Einbau. Um diese Zeit hatten Leichtmetall-Motorblöcke bei den Zwölfzylindermotoren die früheren Ausführungen ersetzt. Diese neuen, leichteren Triebwerke erhielten doppelte Spulenzündung, und die zweite Ölpumpe bediente auch den Ölkühler (Daimler-Motoren hatten seit 1926 Druckumlaufschmierung erhalten). Der Hubraum wurde reduziert, und zwar auf 5,3 Liter für das 30/40-HP-Modell und auf 6,5 Liter für das Spitzenmodell 40/50 HP. Änderungen wurden auch für die Brennstofförderung vorgenommen, die nun mittels Unterdruck funktionierte, und serienmäßig gelangte ein Flüssigkeitsschwungrad zum Einbau. Es handelte sich hierbei um die letzten

7 Daimler Double-Six 50 HP mit OHV-Motor und Limousinenkarosserie (1935).

8 Eine wunderschöne Tourenlimousine von Rippon auf dem Daimler 32 HP mit Reihenachtzylinder-4½-Liter-Motor (1938).

9 Daimler Light 8 mit 3,4 Litern Hubraum und pfostenloser viertüriger Saloonkarosserie von Vanden Plas (1938).

7

8

wirklich neuen Knight-Daimler-Schiebermotoren in der Kategorie der schweren Luxuswagen. Die Produktion wurde bis ins Jahr 1935 in bescheidenem Maße fortgesetzt, wobei der Radstand bis zu 4,03 m betragen konnte. Der 40/50 HP war im Jahre 1931 Gegenstand eines weiteren Auftrags für den Königshof. Der Staatswagen von König George V. wies nicht weniger als 1,7 m Kopffreiheit auf, denn der König glaubte daran, daß er von seinen Untertanen gesehen werden wollte. Die letzten Schieber-V12-Motoren, ab 1933, besaßen mechanische Benzinpumpen.
Doch der Knight-Schiebermotor hatte die Grenzen der Entwicklung erreicht. Es gab nun bessere Möglichkeiten, die Lautlosigkeit sicherzustellen. In Amerika hatte

9

Willys die Baureihe Willys-Knight bereits aufgegeben, womit Daimler, Panhard & Levassor und Minerva die einzigen überlebenden Verfechter des Schiebermotorsystems blieben. Einmal mehr wurde der von Pomeroy geschaffene Ersatz, ein Sechszylinder-OHV-Motor mit 6,6 Liter Hubraum, zuerst in den Autobussen ausprobiert. 1931 wurde dieses Triebwerk in Doppeldeckerbusse eingebaut. 1933 war die Konstruktion genügend erprobt. Als erster Wagen erhielt ein einfacher und preiswerter 15-HP-Daimler einen kleinen Sechszylinder-OHV-Motor von 1805 $cm^3$ Hubraum. Daneben besaß er derart moderne Einrichtungen wie servounterstützte hydraulische Bremsen und einen kreuzverstrebten Rahmen. Der «Fifteen» und seine Nachfolger sollten für viele Jahre zum Eckstein der Daimler-Personenwagen-Produktion werden. Der Hubraum wuchs stetig: bis auf 2½ Liter und eine Leistung von 66 PS im Jahre 1939. Schon ein Jahr früher erschienen die Wagen mit unabhängiger Vorderradaufhängung. Dieses Konstruktionsmerkmal sollte allerdings bei den großen, klassischen Modellen erst ab 1946 Eingang finden.

Der Einfluß dieses neuen Modells machte sich schon rasch bemerkbar. Für die London Show 1933 wurde der Schiebermotor «Twenty» durch eine vergrößerte Version des 15 HP ersetzt. Mitte 1934 ersetzte Pomeroy den gleichfalls sehr treuen 25 HP durch den neuen Typ V26. Reihen-Achtzylinder-Modelle waren in England nicht richtig erfolgreich. Die britische Steuergrundlage war für diese Bauweise ungünstig. Daimler jedoch war besser dran als jeder andere frühere Versuch durch britische Firmen in dieser Richtung. Man verwendete eine moderne Konstruktion mit Stoßstangen, Kipphebeln und hängenden Ventilen. Der Motor hatte die Abmessungen 72 × 115 mm, entsprechend 3746 $cm^3$ Hubraum. Der Zylinderkopf war abnehmbar, die Kurbelwelle lief in neun Hauptlagern, und die Zündung übernahm eine 12-Volt-Spule. Der traditionelle Daimler-Vergaser hatte einem moderneren Doppelfallstromvergaser von Stromberg Platz gemacht. Das Vierganggetriebe mit Flüssigkeitsschwungrad (serienmäßig seit 1932 bei allen Daimler-Wagen eingebaut) und die über dem Rahmen liegende, mit Schneckenantrieb versehene Hinterachse wurden beibehalten. Pomeroy zog bei den großen Wagen mechanische Servobremsen der hydraulischen Ausführung vor. Hydraulische Bremsen hatten ein kurzes Leben, wenigstens bei Daimler. Die Getriebehandbremse wurde fallengelassen, doch behielt man bei den ersten V26-Wagen die alte Stoßbetätigung bei. Es war dies der letzte Daimler mit dieser verwirrenden Anordnung. Es wurde nur eine Radstandlänge offeriert, nämlich 3,62 m, und die Achtzylinderwagen besaßen ungeachtet ihres Gewichts von über 2 Tonnen recht gute Handhabungseigenschaften und eine ordentliche Fahrleistung mit einer Spitzengeschwindigkeit von über 120 km/h. Die meisten Wagen wurden als Limousinen und Landaulette durch Karosseriefirmen wie Barker, Hooper, Arthur Mulliner und Windover aufgebaut. Es wurden jedoch auch einige sehr attraktive Sport-Saloon-Karosserien für das V26-Fahrgestell geschaffen. Für die 1936-Modelle wurde der Hubraum auf 4624 $cm^3$ vergrößert. Sonst gab es keine wesentlichen Veränderungen. Später wurde eine längere Ausführung mit 3,837 m Radstand für ausgesprochen förmliche Karosserien gebaut. Die königliche Familie Großbritanniens führte den Achtzylinder-Daimler bald ein. Der erste königliche Kunde war H.R.H. The Duke of Connaught, der seinen V26 innerhalb weniger Wochen nach dem ersten Erscheinen des Modells in Auftrag gab. Der König selber folgte bald darauf wie auch sein Nachfolger, König Edward VIII., während seiner kurzen Herrschaft. Stratstone (wie die frühere Firma Stratton-Instone Ltd nun hieß) baute gar eine vierfenstrige Limousine im Stil des Buick von 1936 auf dem Daimler-4,6-Liter-Fahrgestell auf eigenes Risiko, in der Erwartung, den neuen Monarchen dafür interessieren zu können. Dieser zeigte jedoch keinerlei Kauflust. Die Wagen, welche er aus dem Exil in Auftrag gab, waren alles Buick der 90er Serie! Ein anderer großer Kunde war die berühmte Firma Daimler Hire Ltd in Knightsbridge, London. Ihre Flotten von Limousinen (35/120 HP und später Reihen-Achtzylinder-Modelle) waren das anerkannte Transportmittel für Diplomaten, Debütanten und andere, die es aus irgendwelchen Gründen unpassend fanden, selber Luxuswagen in ihren Stadtwohnungen zu halten. Eine Flotte von nicht weniger als 150 verschiedenen Daimler-Wagen wurde für die Krönung von König George VI. im Mai 1937 gemietet.

1935 erschien der letzte Daimler Double Six, der mittels hängenden Ventilen modernisiert worden war. Allerdings behielt man die 6,5-Liter-Zylinderkapazität des alten Schiebermotors 40/50 HP bei. Die Motorblöcke waren aus Grauguß, Kurbelgehäuse und Kolben aus Leichtmetall, aber im übrigen ähnelten die Spezifikationen jenen des V26. Der Hauptunterschied betraf das Beibehalten der Getriebehandbremse. Die Presseinformation von Daimler nannte den Wagen «den größten Personenwagen in der Welt» – was nicht stimmte! Der Hispano-Suiza 54 CV mit langem Fahrgestell übertraf ihn sowohl hinsichtlich Hubraum als auch Chassisabmessungen. Mit einem Radstand von 4,03 m war der Daimler aber immer noch eine fürchterlich riesige Angelegenheit, für welche kein Preis genannt wurde. Es wurde oft die unbewiesene Behauptung aufgestellt, dieses Modell sei für gekrönte Häupter reserviert gewesen. Die Hooper-Limousine der Königin Mary war auf dem Karosseriestand der London Show von 1935 ausgestellt. Daimler selber zeigte nur einen Motor. Ein Schwesterwagen dazu war das letzte Fahrzeug, das an George V. vor dessen Tod im Januar 1936 abgeliefert wurde. Die Unterlagen zeigen jedoch, daß darüber hinaus weitere sieben solcher Daimler gebaut worden sind. Einer erhielt eine Limousinenkarosserie von Charlesworth, ein anderer wurde als privater Krankenwagen komplett mit normal langem Bett von Lancefield an der Automobilausstellung 1936 ausgestellt.

Neben den Repräsentationsmodellen mit Achtzylinder- und Zwölfzylindermotoren wagte Daimler auch einen Abstecher in den Markt der sportlichen Selbstfahrerwagen, und zwar mit dem Light Straight 8, der für 1936 angekündigt wurde. Dieses Modell war, im ganzen gesehen, ein einfacherer Wagen. Der Motor besaß eine nur fünffach gelagerte Kurbelwelle und einen festen Zylinderkopf, was ihn bei den Mechanikern unbeliebt machte. Der Hubraum betrug 3,4 Liter. Die Einzelheiten des Fahrgestells entsprachen weitgehend jenen des großen Achtzylindermodells mit Flüssigkeitsschwungrad und Vierganggetriebe, Gangwählhebel am Lenkrad und mechanischen Unterdruck-Servobremsen. Der Radstand betrug 3,149 m, und ein viertüriger Saloon wog 1764 kg. Dieser Wagen lief 145 km/h und fand, zu einem Preis, der um einiges unter demjenigen des Derby Bentley lag, recht viele Käufer. Einmal mehr gab es eine Anzahl «empfohlener» Karosserieausführungen, darunter zwei- und viertürige Cabriolets von Salmons-Tickford.

Wie Packard hatte auch Daimler eine «Junior»-Limousine für jene Kunden bereit, die zwar die Daimler-Qualität suchten, aber nicht unbedingt 1700 Pfund für einen 4,6-Liter-Achtzylinder auszugeben gewillt waren. Dieser Typ EL24 war durch die weiter nach vorne gerückte Position des Motors gekennzeichnet. Der OHV-Sechszylinder-Motor wies sieben Kurbelwellenlager und 3,3

10 Daimler-Tourenwagen DB-18 Dolphin Sports (1939).

11 Daimler ES-24 Saloon (1939).

Liter Hubraum auf und folgte im übrigen den üblichen Daimler-Konstruktionsmerkmalen. Die niedrige Bauweise verschaffte dem Fahrzeug ein ausgezeichnetes Fahrverhalten, und das Modell wurde insbesondere von bürgerlichen Würdeträgern sehr geschätzt. Es gab auch eine selten gesehene Variante Typ ELS24 mit dem längeren Radstand des großen Achtzylindermodells. Der vorstehende Kühler gab dem Wagen ein sonderbares Aussehen, aber es wurden wenigstens zehn Exemplare gebaut, eines davon für Königin Mary. Schließlich war da noch der Typ ES24, eine fünfsitzige Saloon-Ausführung auf dem kurzen Chassis, die gerade vor Ausbruch des Zweiten Weltkriegs angekündigt wurde. Dieses Modell ist deshalb von Interesse, weil hier erstmals der gekrümmte Kühler verwendet wurde, der bei den Nachkriegsmodellen mit großen Sechszylinder- und Achtzylindermotoren wieder erschien.

Der EL24 und die Achtzylindermodelle wurden bis 1940 angeboten, wobei das zunehmende Gewicht Daimler zwang, wie Alvis und Rolls-Royce größere Motoren anzubieten. Der Chauffeurwagen mit dem 4,6-Liter-Motor brauchte keine solche Verbesserung, aber die 1939er Ausführung des Light Straight Eight erhielt einen Vierlitermotor (77,5 × 105 mm) und Kolbenstoßdämpfer. Diese Vierlitermodelle wurden häufig mit sehr eleganten Karosserien ausgestattet, darunter auch einem pfostenlosen Saloon von Vanden Plas.

Der vielleicht aufregendste Daimler feierte sein Debüt anläßlich des RAC-Rallyes im Frühling 1939. Dieser 2½-Liter-Special-Sport (DB18) war eine Weiterentwicklung des wenig begeisternden Typs 15 HP von 1933, der in der Zwischenzeit einen Motor mit 2522 $cm^3$ Hubraum erhalten hatte. Die Girling-Bremsen wurden über Stangen betätigt, und der kreuzverstrebte Rahmen war unter der Hinterachse angebracht. Die unabhängige Vorderradaufhängung nach André-Girling wies Schraubenfedern auf und wurde durch einen Stabilisator unterstützt. Ein weiterer Stabilisator wurde zur Unterstützung der Halbelliptikfedern der Hinterachse eingesetzt. Sogar in seiner serienmäßigen Ausführung war der DB18 Saloon ein Wagen mit straffem Fahrverhalten, und er erreichte mühelos 115 km/h.

Der Special Sports war jedoch ein ganz anderes Fahrzeug. Ein neuer Zylinderkopf, verbesserte Ansaug- und Auspuffkanäle und ein neuer Vergaser ließen die Motorleistung von 66 auf 90 PS anwachsen. Der 4. Gang wurde mit einem Untersetzungsverhältnis von 3,53:1 als Schnellgang ausgebildet. Es war möglich, in diesem Gang mit 300 U/min daherzuschleichen, aber auch eine Dauerreisegeschwindigkeit von 115 km/h aufrechtzuerhalten. Die Standardkarosserie war ein echter Dual Cowl Phaeton nach amerikanischer Manier mit zwei herunterklappbaren Windschutzscheiben. Der Wagen war mit seinen 1424 kg Leergewicht weder besonders leicht noch, mit 140 km/h Spitzengeschwindigkeit, außerordentlich schnell. Seine direkte Lenkung machte ihn jedoch zu einem Liebling der Presseleute. C. M. Simpson, der Pomeroy als Chefkonstrukteur ersetzt hatte, konnte mit vollem Recht stolz sein auf seine neue Schöpfung.

Ein Los von 25 Wagen wurde in Produktion genommen und noch vor Kriegsausbruch fertiggestellt. Die Hälfte davon wurde indessen durch feindliche Aktionen im Krieg zerstört. Ebenfalls noch fertiggestellt wurde eine kleine Anzahl von Prototypen des dreisitzigen Barker-Special-Sports-Cabriolets auf dem gleichen Fahrgestell. Diese Ausführung sollte nach Kriegsende im Jahre 1948 in Produktion genommen werden.

# **Invicta** *Sogar zusammengebaute Wagen können herrlich sein*

Der Invicta ist ein Stück Zeitgeschichte. Von Enthusiasten für Enthusiasten gebaut, wurde er vor einem Hintergrund von persönlicher Dienstleistung geschaffen. Das Instruktionshandbuch wurde vom Gönner und Förderer der Marke, dem Zuckermagnaten Sir Oliver Lyle, entworfen, und dies mit der ausdrücklichen Absicht, daß es auch für einen Laien verständlich sein sollte. Obgleich die Wagen maßgeschneidert wurden, ließ die Firmenleitung keine Zweifel darüber offen, welche Extras sie als passend und richtig erachtete. Der rechtsliegende Schalthebel wurde dem Mittelschalthebel vorgezogen, obgleich Invicta auf Bestellung auch Wagen mit Linkslenkung lieferte. Die Achsuntersetzung sollte nach Meinung der Firma so kurz wie nur möglich statt so lang wie möglich gewählt werden. Ausländische Kunden, die übergroße Räder wünschten, wurden gewarnt, daß «der Wagen nicht ganz so sicher auf der Straße liegen würde und daß die Lenkung nicht ganz so gut wäre». Vor der Einführung des Typs S im Jahre 1930 weigerte sich Invicta rundweg, einen Tourenzahlmesser in irgendeinen Wagen einzubauen, mit der Begründung, daß dieses Instrument «überhaupt nichts beweise».

Während ihrer ganzen Karriere waren die Invicta immer zusammengebaute Automobile. Meadows lieferte den Großteil der Motoren, Moss und ENV die Getriebe und Alford and Alder die Achsen. Die Rahmen wurden ursprünglich von Thompson und später von Rubery Owen hergestellt. Es war sehr unfreundlich, als gesagt wurde, in dem kleinen Betrieb an der Portmouth Road (A3) in Cobham, etwa 30 km südwestlich von London, werde nichts anderes gemacht, als «die Nieten hineingeschlagen». Damit nahm man Bezug auf die in Rolls-Royce-ähnlicher Manier verwendeten Nieten, die die Motorhaube verschönerten.

Was aber die Gebrüder Lyle und Noel Macklin produzierten, waren Vollblutwagen der Spitzenklasse, auch dann, wenn sie niemanden reich machten und im Verlaufe von zehn Jahren nicht mehr als etwas über tausend Wagen verkauft wurden.

Noel Campbell Macklin und Hugh Eric Orr-Ewing hatten sich mit der Herstellung von kleinen, hauptsächlich aus zugekauften Teilen bestehenden Sportwagen beschäftigt. Aus leicht ersichtlichen Gründen wurden diese Eric-Campbell getauft. Verwendet wurde ein seitengesteuerter 1½-Liter-Vierzylinder-Coventry-Simplex-Motor in einem Swift-Chassis. Der Zusammenbau erfolgte in einem Winkel der Handley-Page-Flugzeugfabrik in Cricklewood, London, und zwar von 1919 bis 1921. Wie so viele der Nachkriegsunternehmungen, wollte auch diese nicht zum Blühen kommen. Man wird sich allerdings daran erinnern, daß ein Eric-Campbell in der Targa Florio 1919 startete, zu einem Zeitpunkt also, als keine einzige andere britische Firma auch nur an Rennen dachte. Die Rechte von Eric-Campbell gingen an die Vulcan Iron and Metal Works von Southall über, welche den Wagen noch bis 1926 anbot.

In der Zwischenzeit hatte sich Macklin mit einem

sportlichen Modell des Eric-Campbell, der als Silver Hawk bekannt war, beschäftigt. Diese Wagen wurden in seinem eigenen Heim in Cobham, nicht weit von den nachmaligen Invicta-Werkstätten, zusammengebaut. Auch dieses Wagnis hatte nur ein kurzes Leben, ungeachtet des Umstands, daß ein Wagen für die französische Coupe-des-Voiturettes gemeldet wurde. Etwa ein Dutzend Silver Hawk, die leicht an ihren hohen und schmalen Kühlern mit rechteckiger Form zu erkennen waren, wurde gebaut. Hier findet sich eine Vorahnung des späteren Invicta-Stils.

Der Invicta selber wurzelt im Glauben von Oliver Lyle, der steif und fest behauptete, von der Million Gangwechsel, die er während einer Fahrt über anderthalb Kilometer auszuführen gezwungen wurde, seien wenigstens 90 Prozent überflüssig gewesen. Macklin nahm diese Herausforderung an. «Ich werde für Sie einen Wagen bauen, bei dem Sie überhaupt nicht mehr zu schalten brauchen», versprach er.

Das Ziel war gesteckt und wurde eifrig verfolgt. Lyle und Macklin machten Versuche mit einem amerikanischen Doble-Dampfwagen, doch fanden sie ihn zu kompliziert. Dann wandten sie sich einem konventionellen Wagen zu, der nach ihren Ideen durch William Watson konstruiert wurde. Dafür wurden ein 2-Liter-Sechszylinder-Motor Coventry-Simplex und ein Bayliss-Thomas-Rahmen verwendet. Hätten nicht die ersten sechs fertiggestellten Chassis nach einer empfindlich kalten Winternacht infolge Frosts gesprengte Motorblöcke gehabt, wären möglicherweise daraus die ersten Invicta entstanden. So wie die Dinge lagen, mußte nochmals von vorne begonnen werden.

Das fertige Modell wurde im Jahr 1925 angekündigt. Es war ein in jeder Beziehung gradliniger, klar aufgebauter Wagen. Das robuste Chassis besaß Halbelliptikfedern und Hartford-Reibungsstoßdämpfer vorn und hinten, eine Hinterachse mit spiralverzahntem Antrieb und stangenbetätigte Vierradbremsen mit Trommeln von 305 mm Durchmesser. Das Vierganggetriebe wies für die damalige Zeit recht enggestufte Untersetzungen auf. Als Triebwerk wählten Lyle und Macklin den hervorragenden Meadows-Sechszylindermotor mit hängenden Ventilen, 2692 $cm^3$ Hubraum, einer vierfach gelagerten und ausgewuchteten Kurbelwelle, Magnetzündung und zwei Solex-Vergasern, die von einem 50-Liter-Tank gespeist wurden. Das Fahrgestell wurde mit einem Radstand von 2,845 oder 3,048 m geliefert, und wahlweise konnte man entweder Artillerie-Stahlspeichenräder oder Drahtspeichenräder mit Zentralverschluß haben. Für die Wagen wurde eine Garantie für drei Jahre oder 32 000 km eingeräumt, aber nur, sofern die Karosserie nicht mehr als 450 kg wog. Invicta baute natürlich keinerlei Karosserien selber. Die meisten Aufbauten stammten von Firmen, die sich auf sportliche Karosserien spezialisiert hatten, wie Cadogan, Carbodies und Vanden Plas.

In seiner ursprünglichen Form zeichnete sich der 2½-Liter-Invicta nicht durch spektakuläre Fahrleistungen aus. Ein Tourenwagen, ausgerüstet mit der niedrigsten Achsuntersetzung von 4,5:1, wurde 1925 durch den «Autocar» getestet und erreichte nur knapp 100 km/h Spitzengeschwindigkeit. Was die Wagen jedoch besaßen, so der Verkaufskatalog, war «die Flexibilität der guten amerikanischen Wagen». Es zeigte sich, daß es möglich war, im 4. Gang aus dem Stillstand anzufahren, und dieser besondere Vorzug wurde von Invicta unablässig gepriesen. Die Firmenleitung mochte nichts von Drehzahlmessern halten, wenn es aber darum ging, eine außergewöhnliche Leistung zu dokumentieren, wurden ausnahmslos die Umdrehungen pro Minute beigezogen, die der Motor ausführte, wenn der Wagen im 4. Gang lief!

Es gab eine ganze Menge von sehr gut publizierten Marathonfahrten. Immer war eine junge Dame namens Violet Cordery mit im Spiel. Sie hatte im Jahre 1920 auf einem Eric-Campbell ein Autorennen für Damen in Brooklands gewonnen und war einer der ersten Invicta-Kunden. Im Jahre 1926 nahmen sie und ein Team von vier Männern einen leichten viersitzigen Tourensportwagen mit dem neuesten Dreilitermotor nach Monza, wo sie mit einem Schnitt von 90,3325 km/h den allerersten 100 000-Meilen-Rekord (160 000 km) der Welt aufstellten. Im gleichen Jahr unterwarf Miss Cordery ihren Invicta einem durch den RAC überwachten 8000-Kilo-

1 Invicta 2½-Liter mit eher gesetzter zweisitziger Karosserie von May and Jacobs, Guildford, wie er 1926 vom Rennfahrer J. G. Parry Thomas gekauft wurde.

meter-Test in Brooklands. Die Prüfung wurde erfolgreich mit einem Schnitt von 112 km/h abgeschlossen, was der Marke Invicta ihre erste Dewar-Trophäe für außerordentliche Errungenschaften auf dem Gebiet des Automobils eintrug.

Im Jahre 1927 wurde von ihr ein anderer Invicta-Wagen für eine 16 000-km-Tour um die ganze Welt und durch alle fünf Kontinente eingesetzt. Diese Tour wurde mit einer Durchschnittsgeschwindigkeit von 39,36 km/h oder – wie Invicta Cars es auslegten – mit 1800 U/min im 4. Gang abgeschlossen. Man kann bezweifeln, ob Miss Cordery bei den Straßenverhältnissen in Afrika im Jahre 1927 wirklich die ganze Zeit im 4. Gang fahren konnte. Sicher ist indessen, daß sie einen der späteren 4½-Liter-Invicta über eine ausgewählte Strecke von 17 km im Londoner Verkehr wirklich nur im 4. Gang fuhr. Dies war ein Teilstück eines weiteren Marathons, der folgende Strecken umfaßte: London–Monte Carlo im 3. Gang, London–John O'Groats und zurück im 2. Gang und schließlich London–Edinburgh im 1. Gang. Der Plan, mit dem Wagen noch 40 km auf der Brooklands-Piste im Rückwärtsgang zurückzulegen, wurde, vielleicht glücklicherweise, fallengelassen. Sie gewann jedoch für Invicta die zweite Dewar-Trophäe mit einer weiteren Langstreckenfahrt, «30 000 Meilen in 30 000 Minuten» (50 000 km mit einem Schnitt von knapp unter 100 km/h), im Jahre 1929. Bei dieser Gewaltsleistung wurde sie von ihrer Schwester Evelyn un-

1

2

terstützt. Daß der Invicta ungestraft für solche Einsätze verwendet werden konnte, zeigte sich, als Donald Healey einen gleichen 4½-Liter-Wagen für einen Klassensieg in der Österreichischen Alpenfahrt 1930 benutzte. Dabei war nicht nur überragendes Fahrkönnen für diese Leistungen verantwortlich. Eine Tante des Autors, die beileibe kein Hexenmeister am Lenkrad war, erinnert sich daran, von Kingston on Thames nach Maidstone über eine hügelige Strecke im 4. Gang gefahren zu sein, um eine 5-Pfund-Wette zu gewinnen. Rennen interessierten Invicta allerdings nicht, obgleich Versuche mit einem italienischen F.A.S.T-Vierzylindermotor mit 3 Liter Hubraum, der sich jedoch als ungenügend flexibel erwies, durchgeführt wurden. Im weiteren zeigte J. G. Parry Thomas, der selber einen 2½-Liter-Invicta besaß, kurz vor seinem tragischen Tod Interesse an frisierten Versionen.

Im Jahre 1927 verwendete Invicta eine Dreiliterversion des Meadows-Motors mit Doppelzündung. Die Armaturenbretter, vorher in polierter Aluminiumausführung erhältlich, waren nun alle schwarz lackiert – diese seien leichter sauberzuhalten, hieß es. Ein Jahr später folgte ein noch vielversprechenderes Triebwerk, der Meadows 6ESC mit 4467 $cm^3$ Hubraum (88,5 × 120 mm). Anfänglich war dieser Motor eine Exklusivität von Invicta, später gelangte er auch in den 4½-Liter-Lagonda, einigen leichten Panzerwagen und Motorbooten zum Einbau. Wie der kleinere Sechszylindermotor wies er ebenfalls vier Kurbelwellenlager, Dural-Pleuelstangen und -Stoßstangen sowie Kipphebel für die Ventilbetätigung auf. Die Leistung betrug etwa 110 bis 115 PS. Bei einem Untersetzungsverhältnis von 3,63:1 im 4. Gang beschleunigte dieser Motor den Wagen auf eine Spitzengeschwindigkeit von 145 km/h. Um das zusätzliche Gewicht zu verkraften, wurden Rahmen und Aufhängung verstärkt. Die tieferen Längsholme waren über der Vorderachse gekröpft, und auch die Kreuzverstrebung war verstärkt. Um die erhöhten Belastungen der größer dimensionierten Vorderradbremsen auszugleichen, wurde die Vorderachse ebenfalls verbessert. Das daraus entstandene Modell NLC mit seinem Kühlerrahmen aus massivem Nickel-Silber war eine herrliche Maschine. Ein offener Tourenwagen kostete 1475 Pfund, also mehr als ein 4½-Liter-Bentley. Ohne Zweifel waren die

2 Der Monza-Rekordwagen von Violet Cordery, der im Invicta-Katalog von 1926-27 als 2+2sitziger Stromlinienwagen beschrieben wurde.

3 Dieser 4½-Liter-Invicta mit hohem Chassis wurde mit einer Cabrioletkarosserie von Harrison, der besser für seine Aufbauten auf Bentley-Fahrgestelle bekannt war, versehen (1928).

4 Ein Invicta S mit niedrigem Chassis an den Boxen anläßlich des Double-Twelve-Rennens in Brooklands (1931).

3

4

Invicta-Wagen der Jahre 1929 und 1930 die feinsten in der Gattung der Tourenwagen. Dann kam die Krise. Ein Invicta Saloon Typ A des Jahres 1931 konnte für den halben Preis eines Tourenwagens aus dem Vorjahr erworben werden. Doch die Motoren wurden nicht mehr total von Hand zerlegt, wenn sie von Meadows eintrafen, das Armaturenbrett war eine billigere Angelegenheit, und die elektrische Ausrüstung kam von Lucas statt von Rotax.

Für jene Kunden jedoch, die das Beste wünschten, gab es den Typ S, der anläßlich der London Show vorgestellt worden war. Dies war nun ein wirklicher, unverkappter Sportwagen. Allerdings war die Geschmeidigkeit im 4. Gang immer noch erhalten geblieben, und bei einer Reisegeschwindigkeit von 100 km/h drehte der große Meadows-Motor mit lässigen 2000 U/min.

In seiner letzten Ausführung mit dem Doppelkerzenkopf und zwei SU-HV5-Vergasern leistete dieser Motor vermutlich 115 bis 120 PS. Gegen Ende der Produktion des Typs S wurden aber sicher 140 PS erreicht. Neu war der Fahrgestellrahmen aus Chromnickelstahl, der vorne über und hinten unter der Achse geführt wurde. Er wurde mit drei massiven rohrförmigen Querstreben versehen, und die hinteren Federn waren außen am Rahmen montiert. Dank des Hypoidantriebs der Hinterachse konnte die Höhe gering gehalten werden. Vorne und hinten wurden hydraulische und Reibungsstoßdämpfer eingesetzt, und die stangenbetätigten Bremsen arbeiteten in Trommeln von 356 mm Durchmesser. Auch Aluminium wurde großzügig eingesetzt, unter anderem für die Spritzwand, das Kurbelgehäuse, die Ölwanne und das Getriebegehäuse. Der niedrigere Kühler trug nun ein mit Flügeln versehenes Emblem anstelle des länglichen Markenzeichens mit blauen Buchstaben der Modelle mit den hohen Fahrgestellen, und verchromte Auspuffrohrschläuche sprossen aus der Motorhaube. Als Standardkarosserie wurde ein offener Viersitzer von Vanden Plas angeboten, daneben gab es aber auch ein paar Coupés und mindestens ein sehr knapper zweitüriger Saloon.

Der Typ S wurde als «100 m.p.h. Invicta» verkauft, und obgleich er in seiner normalen Ausführung nicht ganz 160 km/h erreichte, waren für ihn 145 bis 150 km/h kein Problem, und im 3. Gang lief der Wagen sehr nützliche 123 km/h. Trotz einiger von der Presse ausgiebig verbreiteter Gerüchte, die dem Wagen ein gefährliches Fahrverhalten anlasten wollten, erwies sich der 100-m.p.h.-Invicta als ein bewundernswert schneller Tourenwagen mit einer ausgezeichneten Liste von Rallye-Erfolgen. 1931 gelang Donald Healey ein Gesamtsieg (erst der zweite für Großbritannien) im Monte-Carlo-Rallye, und ein Jahr später belegte er den 2. Platz. In der Internationalen Alpenfahrt von 1932 gewann Invicta drei Gletscherpokale. Raymond Mays, der eng mit dem Entwicklungsprogramm für den Typ S verbunden war, stellte eine neue absolute Bestzeit für Sportwagen im Bergrennen Shelsley Walsh auf. Es wurde schon oft gesagt, daß 77 Exemplare des 4½-Liter-Invicta mit niedrigem Chassis gebaut worden sind. Der Autor glaubt indessen, daß nicht mehr als 55 dieser Wagen wirklich fertiggestellt wurden. Einige davon wurden in Lohnarbeit durch Beverley-Barnes montiert, deren Reihen-Achtzylinder-Motor mit zwei obenliegenden Nockenwellen nach Konstruktionsplänen von Petit keine Käufer fand. Sowohl die mit hohem als auch mit niedrigem Fahrgestell versehenen 4½-Liter-Invicta blieben bis zum Schluß erhältlich. Die letzten paar Exemplare wurden noch in der Servicewerkstatt der Firma in Chelsea montiert, nachdem der Betrieb in Cobham für die Produktion des auf dem Hudson basierenden Railton abgetreten worden war.

Im Jahre 1932 bestanden Pläne, einen wirklichen Rennsportwagen zu bauen, den Typ SS. Dies wäre eine Weiterentwicklung des Typs S gewesen. Geplant war jedoch der Einsatz eines 4,9-Liter-Sechszylinder-Motors mit zwei obenliegenden Nockenwellen und drei Ventilen pro Zylinder, hydraulischen Bremsen und einem Fünfgang-Vorwählgetriebe. Man hörte von Spitzengeschwindigkeiten um 210 km/h, doch obgleich die Gerüchte von zwei tatsächlich gebauten Fahrgestellen wis-

**5** Typ S in Miniatur — aber der Invicta 12/45 HP mit seinem OHC-Motor mußte hart arbeiten, um 110 km/h zu erreichen (1932).

**6** Der Invicta, der keiner war! Aus dem für das Jahr 1938 herausgebrachten Katalog. Der Wagen wurde «Diane» genannt und glich aufs Haar der Schöpfung von Chapron für das D6-70-Fahrgestell von Delage. Der mechanische Teil stammte allerdings vom Talbot-Lago.

5

6

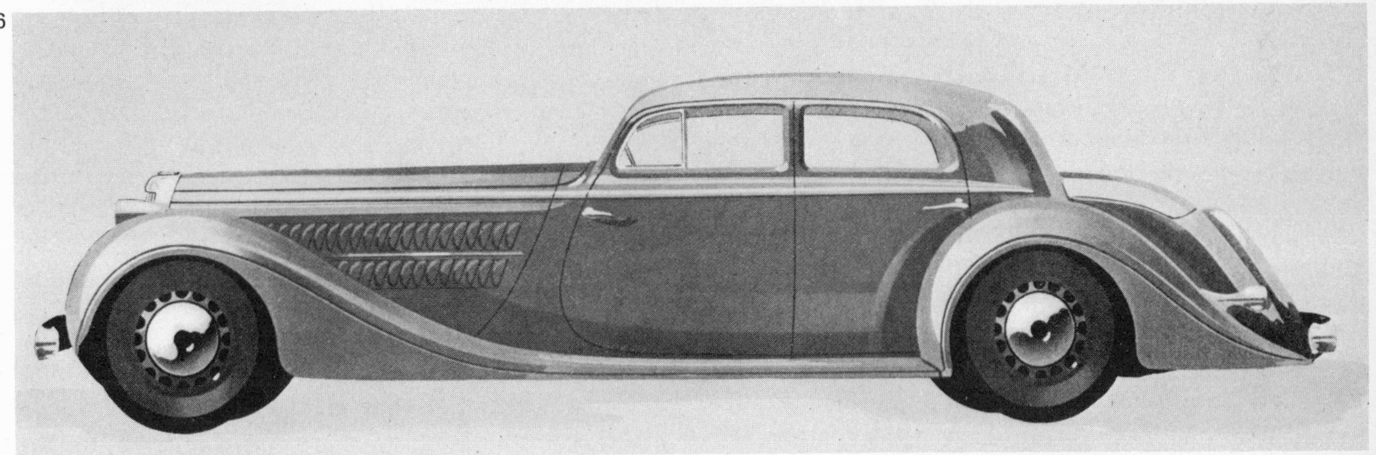

sen wollen, scheint es, als ob nie jemand diese tatsächlich gesehen hat.
In der Zwischenzeit hatte die Firma die Antwort auf die große Wirtschaftskrise in Form des «Small Invicta» (Kleiner Invicta) gefunden. Der 1500-$cm^3$-Motor in einem Fahrgestell mit 3 m Radstand war in der Tat klein. Unglücklicherweise waren die übrigen Teile eine verkleinerte Ausführung des 4½-Liter-Modells, und zwar bis zu den massiven Rahmen mit fünf Querstreben und den gerippten riesigen Bremstrommeln von 356 mm Durchmesser des großen Bruders. Das Lenkrad hatte einen Durchmesser von 43,2 cm. Der Blackburne-Sechszylinder-Reihenmotor mit obenliegender Nockenwelle war ein herrliches Stück Mechanik. Er erhielt Spulenzündung, und für die Brennstoffförderung verwendete man eine elektrische Pumpe. Das Viergang-getriebe besaß einen Mittelschalthebel, allerdings immer noch mit Kulisse, und wies einen geräuscharmen 3. Gang auf.
Doch leider war der Small Invicta mit seinen 1260 kg viel zu schwer für den kleinen Blackburne-Motor, der nur 43 PS leistete. Man kann dankbar sein, daß die ursprünglichen Absichten, einen Motor von weniger als 1,3 Litern Hubraum zu verwenden, aufgegeben worden waren. Als Preis für die traditionelle Flexibilität im obersten Gang mußte eine mit 6:1 schrecklich groß

dimensionierte Hinterachsuntersetzung in Kauf genommen werden. Trotz seiner zwei Ölpumpen erhielt der Wagen bald den sehr wohl begründeten Ruf, ein großer Ölverbrenner zu sein. Man klammerte sich an einen letzten Strohhalm und rüstete die Modelle für 1933 mit einem Vorwählgetriebe aus, aber es wurden nur noch etwa 50 Wagen verkauft. Im gleichen Jahr wurde der Reihe eine Kompressorversion beigefügt, die als 12/90 bezeichnet wurde. Der Motor leistete jedoch die vorgegebenen 90 PS nicht, und der Wagen erreichte die Spitzengeschwindigkeit von 90 mph (145 km/h) noch viel weniger. Diese wurde vielmehr durch das Gebläse von 105 auf 112 km/h angehoben. Nachdem die Aufladung den Preis des Wagens um etwa 35 Prozent erhöhte, wundert es nicht, daß nur sechs Exemplare des 12/90 gebaut werden konnten.

Ein noch schlimmeres Schicksal erwartete den aufregenden 12/100, der erstmals an der Olympia Show 1932 gezeigt wurde. Es handelte sich dabei um eine Miniaturausgabe des SS mit unter der Hinterachse geführten Rahmen wie beim großen Typ S und einem mit Kompressor versehenen $1^{1}/_{2}$-Liter-Doppelnockenwellen-Sechszylinder-Motor von Blackburne sowie einem Wilson-Vorwählgetriebe. Eine Version mit 1657 $cm^3$ Hubraum, der 14/120, war ebenfalls geplant, wurde jedoch nie gebaut. Auch der 12/100 lief nie mit eigener Kraft. Nach der Schließung der Cobham-Werke im Jahre 1933 wurde der Wagen von einem gewissen Herrn Sebag-Montefiore, der einen aufgeladenen 2-Liter-Lagonda-Motor einbaute, erworben. Er taufte den Wagen in F.M. (Fenson-Montefiore) um.

Die Tätigkeit in Chelsea war auf einen ganz geringen Umfang zurückgegangen. Schließlich fand das Lager an übriggebliebenen Invicta-Bestandteilen den Weg in das Servicedepot von Nash in Euston. Enthusiasten, die im Bilde waren, konnten dort die Teile zu Schrottpreisen erwerben. Es gab allerdings im Jahre 1938 einen merkwürdigen Versuch, die Marke zu neuem Leben zu erwecken. Verkaufskataloge wurden gedruckt, die ein neues Dreilitermodell zeigten. Die abgebildeten Wagen glichen jedoch unheimlich den D6-70-Delage, die Coachcraft für den englischen Markt baute.

Nicht daß der mechanische Teil etwa von Delage gestammt hätte, denn ein näheres Studium zeigte, daß sie identisch waren mit jenen des Talbot 17CV aus Suresnes mit Querblattfeder, Viergang-Synchrongetriebe und Bendix-Bremsen. Nur ein einziger Invicta-Talbot wurde auch wirklich gebaut. Er besaß den schräggestellten Kühler, der bei dem totgeborenen Nachkriegsmodell «Black Prince» wieder erschien.

Der Black Prince selber war das traurigste Nachwort einer Marke, das man sich vorstellen kann. Diese war immer noch in Surrey, nämlich in Virginia Water, an der A30, etabliert, und der Wagen war immer noch durch William Watson konstruiert. Der Motor kam ebenfalls immer noch von Meadows.

Alles andere war nicht mehr identisch. Das Fahrgestell war eine kreuzverstrebte Angelegenheit mit unabhängiger Radaufhängung ringsum. Das Prinzip des «Eingangwagens» war ins Extreme gesteigert worden. Anstelle der alten Vierganggetriebe trat ein hydraulischer Brockhouse-Turbo-Drehmomentwandler, der nur je einen Vorwärts- und Rückwärtsgang enthielt, wobei letzterer nur selten funktionierte. Ein 24-Volt-Dyna-Motor und eine ebensolche elektrische Anlage sowie Radio und Heizung waren serienmäßig eingebaut. Drei Jahre und zwei Dutzend Wagen später war alles vorüber. Frazer Nash Cars, die das übriggebliebene Inventar übernahmen, bemerkten, daß «riesige Mengen von Teilen und Stücken vorhanden waren, und dies von Dingen, die normalerweise von Firmen, die solche Spezialfahrzeuge herstellen, nur in kleinen Stückzahlen eingekauft werden. Invicta besaß aber Lager, die für Jahre ausgereicht hätten.»

7

7 Wie 100 000 Pfund verloren wurden. Eines der seltenen Coupés Invicta «Black Prince» Byfleet Drophead (1948).

# **Lagonda** *Von Motorrädern zu klassischen Zwölfzylinderwagen*

Finanzielle Forderungen zwangen manchen Automobilfabrikanten, sich zunehmend den billigeren Marktsegmenten zuzuwenden. Lagonda, obwohl finanziell nie eine besonders sichere Firma, verbrachte die ersten vierzig Jahre seiner Existenz damit, ständig teurere, leistungsstärkere und aufwendigere Modelle auf den Markt zu bringen.
Der Markenname kommt aus der Indianersprache. Lagonda hieß ein kleiner Fluß des Firmenbegründers Wilbur Gunn in dessen Heimatstaat Ohio. Er war Opernsänger und hatte sich um die Jahrhundertwende in Staines an der Themse niedergelassen. Staines war damals ein Zentrum der Linoleumproduktion und liegt nur einige Kilometer vom heutigen Londoner Flughafen entfernt. Anfänglich baute er dort kleine Dampfboote und später dann Motorräder. Ein Lagonda vertrat Großbritannien im ersten International-Cup-Rennen von 1904. Es folgten Motordreiräder, ehe im Jahre 1907 der erste ausgewachsene Motorwagen auf den Markt kam. Anschließend wurden einige recht große Sechszylindermodelle gebaut, von denen die meisten nach Rußland exportiert wurden. Sie waren in England nie sehr bekannt. Der Ruf der Marke wurde mit einem leichten 11,1-HP-Wagen begründet, der 1913 eingeführt und bis 1926 ständig weiterentwickelt wurde. Es handelte sich dabei um ein Fahrzeug mit einem teilweise selbsttragenden Aufbau, und der Motor wies hängende Einlaßventile auf. Es war bestimmt kein Klassiker, und seine Marktdurchdringung verringerte sich unter dem Ansturm der massenproduzierten Wagen wie Morris und Clyno ständig.
Die Geschichte der klassischen Modelle beginnt mit dem 14/60 HP, der von Arthur Davidson konstruiert und als neues Modell im Jahre 1926 angekündigt wurde.
Es war kein Sportwagen, und im Katalog wurde ein viereckiger, viertüriger Saloon gezeigt, der Artillerie-Stahlspeichenräder besaß und 1463 kg wog. Größeres Gewicht als auf hohe Leistung wurde auf einen geringen Brennstoffverbrauch gelegt, der 9,5 l/100 km betrug.
Unter der Schale hatte der 14/60-Lagonda allerdings eine stattliche Menge von Leistungsfähigkeit. Das Fahrgestell war konventionell mit Reibungsstoßdämpfern und Halbelliptikfedern hinten und vorn. Die hinteren Federn wurden unter der Achse hindurchgeführt. Die Lenkung war vom Typ Marles, die Vierradbremsen wurden über Kabelzüge betätigt, und der Hinterachsantrieb war spiralverzahnt. Die Einplatten-Trockenkupplung (mit verstellbarem Kupplungsanschlag) und das Vierganggetriebe mit rechtsliegendem Schalthebel wurden getrennt vom Motor eingebaut. Die Getriebeabstufungen waren, der vorherrschenden britischen Mode entsprechend, weit gestaffelt.
Das Triebwerk war von beträchtlichem Interesse. Der Monoblock-Vierzylindermotor hatte die Abmessungen 72 × 120 mm (1954 $cm^3$). Die Kurbelwelle war fünffach gelagert, die Zündung übernahm ein Magnet, und der

Horizontalvergaser wurde mittels Vakuum mit Brennstoff versorgt. Am oberen Ende allerdings fand sich ein abnehmbarer Zylinderkopf mit halbkugelförmigen Brennräumen und zwei hoch angebrachten Nockenwellen in der Art der Riley-Motoren, also nicht obenliegende doppelte Nockenwelle.

Ein Speed-Model-2-Liter wurde 1927 eingeführt. Dieser erhielt die modische, von Bentley beeinflußte gewebeüberzogene Sport-Tourenwagen-Karosserie mit langen, geschwungenen Kotflügeln. Der Motor wurde im Rahmen weiter zurückversetzt eingebaut. Die Kombination von erhöhtem Kompressionsverhältnis und enger gestuften Gängen ermöglichte Geschwindigkeiten von 128, 112, 77 und 48 km/h in den vier Getriebestufen. Die Flexibilität im 4. Gang war erstaunlich gut, konnte man doch den Lagonda bis auf 16 km/h hinunterfallen lassen. Ein Speed Model belegte den 11. Platz im Rennen von Le Mans im Jahre 1928. Der Wagen kann als englisches Gegenstück von Wagen wie dem 2LTS von Ballot und dem Tipo 665 von O.M. betrachtet werden. 1929 gab es ebenso ansprechende gewebebezogene Saloons und Sportsman Coupés in der Reihe.

Das Gewicht war ein Problem, allein der Motor wog 227 kg. Zwar verhalf der Einbau von zwei Vergasern den Wagen mit niedrigem Chassis von 1930 bis 1933 zu mehr Leistung. Ab 1931 waren diese Ausführungen, erkennbar auch an ihren Motorradkotflügeln, auch mit einem Cozette-Kompressor erhältlich, der senkrecht eingebaut und durch eine Verlängerung der Lichtmaschinenachse angetrieben wurde. Die Beschleunigung verbesserte sich, und die Spitzengeschwindigkeit betrug ehrliche 145 km/h, dies bei einem immer noch mäßigen Verbrauch von 14 bis 15 l/100 km. Die letzten Serien des Continental (Mitte 1932) erhielten schräggestellte Kühler mit verchromten Jalousien und Karosserien mit Metallblechen. Lagonda, das ist dazu zu sagen, baute diese Karosserien selber und fuhr damit fort bis 1939/40.

Ab 1927 gab es auch das Modell 16/65 HP mit einem OHV-Sechszylindermotor von 2,4 Litern Hubraum und Thermosyphonkühlung, die durch einen Ventilator unterstützt wurde. Das Fahrgestell folgte weitgehend dem Muster des Zweilitermodells, aber der Radstand von 3,278 m machte es geeigneter für den Aufbau von Sa-

1

loon-Karosserien. Erst 1929 offerierte Lagonda einen sportlichen Sechszylinderwagen, den 3-Liter, erneut mit den Abmessungen 72 × 120 mm, entsprechend einem Hubraum von 2931 cm³. Dieses Modell besaß den gleichen Radstand wie der 16/65, doch wurde auf Wunsch auch ein Fahrgestell mit 3,505 m Radstand angeboten, und es wurden auch tatsächlich einige siebensitzige Karosserien montiert. Eine Limousine wurde noch im Katalog von 1934 abgebildet. Es gab aber natürlich die mit niedrigem Chassis versehenen Speed-Modelle ab 1930 mit enggestuftem Getriebe und den gleichen Karosserien wie beim 2-Liter-Speed-Model. Der Preis lag um 1000 Pfund und wurde im Laufe der Wirtschaftskrisenjahre laufend reduziert. 1932 folgte der «Selector Special», ein Speed Model, mit dem Maybach-Doppelschnellgang-Getriebe ausgerüstet, das acht Vorwärts- und vier Rückwärtsgänge aufwies. Dieser Wagen brachte das erschreckende Gewicht von 1804 kg auf die Waage. Dreißig Wagen wurden verkauft, ehe die hohen Einfuhrzölle auf den Getrieben und deren mechanische Kompliziertheit Lagonda überzeugten, daß das ENV-Wilson-Vorwählgetriebe vorzuziehen sei.

1 Lagonda-2-Liter-Tourenwagen auf dem hohen Chassis. Die gewebebezogene Karosserie hat große Ähnlichkeit mit jenen der Bentley (1928).

2 Lagonda 3-Liter mit Sportsmans-Saloon-Werkskarosserie (1931).

3 Schwerer geworden! Einer der letzten Vierzylinder-2-Liter-«Continental»-Lagonda-Tourenwagen (1932).

4

5

6

7

8

9

Die großen Vierzylinderwagen waren aus der Mode gekommen, und im Sommer 1932 beugte sich Lagonda dem Wunsch nach einem Sechszylindermodell mit 2 Liter Hubraum. Beim neuen Modell wurde das Zweiliterfahrgestell mit seinen Kabelzugbremsen, den unter der Achse geführten hinteren Federn und der Mischung von konventionellen und rohrförmigen Querstreben beibehalten. Der Motor wurde von Crossley in Manchester erworben, die ebenfalls unter fallenden Verkaufszahlen litt. Es war ein gradliniges Triebwerk mit vier Kurbelwellenlagern, über Stoßstangen und Kipphebel betätigten Ventilen, Magnetzündung und den Abmessungen 65 × 100 mm. In der normalen Sportausführung leistete der mit zwei SU-Vergasern bestückte Motor 61 PS bei 4500 U/min. Für die Brennstofförderung wurde eine elektrische Pumpe eingesetzt. Dieser 16/80-Motor, wie er von Lagonda getauft wurde, erhielt anfänglich ein unsynchronisiertes Vierganggetriebe zugesellt. Ab 1933 konnte man auf Wunsch auch ein Vorwählgetriebe haben, und in den nächsten beiden Jahren wurde dieses serienmäßig eingebaut. Allerdings wurde ein rechts im Wagenboden montierter Wählhebel mit einer Kulisse verwendet.

1934 folgte etwas viel Besseres hinsichtlich fertig gekaufter Triebwerke, nämlich der 4467-cm³-Meadows-Motor Typ 6ESC, wie er von Invicta verwendet worden war. Diese Firma stellte um jene Zeit nur noch wenige Wagen her. Dieser große Motor mit hängenden Ventilen und Stoßstangen/Kipphebel-Betätigung kam in der von Invicta gewählten Ausführung mit einem Zwölfkerzen-Zylinderkopf und doppelter Zündung (Magnet und Spule) zum Einbau. Er leistete etwa 115 PS. Ein kräftigeres Fahrgestell wies Duplex-Hartford-Reibungsstoßdämpfer und Dewandre-Servobremsen auf. Die Servounterstützung war wohl angebracht und notwendig bei einem so schweren Fahrzeug (1650 kg wog der Tourenwagen), das fast 160 km/h lief. Die serienmäßigen Karosserien umfaßten einen mit Blech bezogenen Tourenwagen mit langen Kotflügeln und einen eleganten viertürigen und pfostenlosen Saloon. Die Vierganggetriebe enthielten nun einen geräuscharmen 3. Gang.

Der Lagonda-4½-Liter Modell M45 war ein echter Männerwagen mit ausgezeichneter, wenn auch nicht sehr raffinierter Leistung. Im 3. Gang waren 130 km/h erreichbar, und von 0 auf 115 km/h beschleunigte der Wagen in 20 Sekunden. Der Motor hatte kaum Mukken, und während er bis etwa 60 bis 70 km/h recht fein und leise drehte, zeigte er eine gewisse Rauheit bei höheren Tempi. Noch schneller war der erste Lagonda Rapide (Typ M45R), der ab Herbst 1934 angeboten wurde. Der Motor war weitgehend überarbeitet worden. Er besaß schwerere Pleuelstangen, die Kurbelwelle und deren Lager waren größer dimensioniert, und das Verdichtungsverhältnis betrug nun 7:1. Diese Änderungen vermittelten dem Triebwerk eine Höchstleistung von 119 PS. Ein verkürztes Chassis mit 3,125 m Radstand, wie es beim neuen Modell Z mit 3½-Liter-Motor üblich war, wurde verwendet. Die Kraftübertragung erhielt einen Freilauf, und es wurden sowohl hydraulische als auch verstellbare Reibungsstoßdämpfer eingebaut sowie Girling-Bremsen eingesetzt.

Der Rapide war einer der schnellsten Straßenwagen des Jahres 1935. 160 km/h konnten überschritten werden, und während eines Versuchs auf der Rennbahn wurde mit einem Wagen bei strömendem Regen ein Schnitt von 145 km/h über 800 km erzielt. Für die Beschleunigung von 0 auf 80 km/h benötigte der Rapide 9,4 Sekunden gegenüber 10 Sekunden des normalen M45. Mit einem speziell präparierten leichten Rapide von Arthur Fox, bekannt für seine Roesch Talbot, erzielten J. S. Hindmarsh und Luis Fontes 1935 einen Überraschungssieg im 24-Stunden-Rennen von Le Mans. Fox hatte sich den Lagonda zugewandt, als der Roots-Konzern den Talbot-Betrieb in Kensington übernahm.

Der kurzlebige 3½-Liter wurde nur gerade für die Saison 1935 als Ersatz für das Dreilitermodell hergestellt.

4 Lagonda 3-Liter mit pfostenloser Werks-Saloon-Karosserie und Wilson- statt Maybach-Getriebe (1934).

5 Ein typisch britisches Armaturenbrett. Lagonda-M45-4½-Liter (1934).

6 Lagonda-M45-4½-Liter-Tourenwagen (1934).

7 Dieser Rapier entstand, nachdem die Produktion bereits durch die Rapier Cars Ltd übernommen worden war (1937).

8 Lagonda-M45-Rapide-Tourenwagen. Am Lenkrad ist Leslie Charteris, Schöpfer der Romanfigur «Saint», der gelegentlich selber einen Lagonda fuhr (1935).

9 Lagonda-V12-Motor (1938—40).

Der Hubraum mit einer Zylinderbohrung von 80 mm betrug 3,6 Liter. Es wurden das gleiche Fahrgestell und die gleichen Karosserien wie für den Rapide verwendet. Der Wagen kostete nur 695 Pfund gegenüber dem Preis von 1000 Pfund für den Rapide. Nur wenige wurden fertiggestellt, ehe Lagonda den Konkurs anmelden mußte – fast gleichzeitig, als einer ihrer Wagen als Sieger in Le Mans abgewunken wurde. Es war dies der erste britische Sieg seit den Tagen der Bentley-Wagen.

Man kommt in Versuchung, die Pleite mit I.T. Ashcrofts interessantem kleinem Rapier, der ebenfalls 1934 neu auf den Markt gekommen war, in Verbindung zu bringen. Der Markt für kleine Sportwagen mußte eine Herausforderung gewesen sein in den ruhigen Tagen der MG-, Singer- und Riley-Modelle. Lagonda-Kunden hatten ein Anrecht, etwas Aufregenderes zu erwarten als einen PA Midget oder einen Le Mans Singer Nine. Wie Invicta baute auch Lagonda ihr Baby nach Art der Schlachtschiffe. Die dreifach gelagerte Kurbelwelle war nach den Maßstäben des $4^{1}/_{2}$-Liter-Motors gefertigt, und der Rahmen mit seinen sechs Rohrquerstreben hätte ohne weiteres etwas mehr getragen als einen 1100-$cm^3$-Sport-Tourenwagen mit einem Radstand von 2,52 m. Mit den Spezialkarosserien von Abbott, Newns, Maltby und anderen war der Rapier einer der elegantesten 10-HP-Wagen seiner Zeit.

Der Motor hätte einen Uhrmacher erfreut. Die Zylinderabmessungen betrugen $62{,}5 \times 90$ mm, entsprechend einem Hubraum von 1104 $cm^3$. Dies war eine recht sonderbare Wahl, gab es doch damals eine Rennkategorie für 1100-$cm^3$-Wagen, für welche das neue Modell wie gerufen kam. Die zwei obenliegenden Nokkenwellen wurden mittels Ketten angetrieben. Der abnehmbare Zylinderkopf war für Querströmung mit halbkugelförmigen Brennräumen ausgelegt, und es wurden doppelte Ventilfedern verwendet. Magnetzündung, zwei Vergaser und elektrische Benzinpumpe entsprachen der normalen Lagonda-Praxis. Über ein Viergang-Vorwählgetriebe (wiederum mit dem am Wagenboden angebrachten Wählhebel wie beim 16/80) wurde die spiralverzahnte Hinterachse mittels einer offenen Kardanwelle angetrieben. Die über Stangen betätigten Girling-Bremsen mit Trommeln von 330 mm Durchmesser waren von hervorragender Leistungsfähigkeit.

Der Motor entwickelte ohne Mühe 60 PS und konnte in den indirekten Gängen problemlos auf 5500 U/min hochgedreht werden. Mit der Hinterachsuntersetzung von 5,28:1 (es gab auch andere Untersetzungen) erreichte man spielend 120 km/h, und dies ungeachtet des Gewichts von rund einer Tonne. Der Rapier war sehr dauerhaft, aber leider kostete er 375 Pfund gegenüber den 220 Pfund für einen MG oder einen Singer, und Leute, welche die Lagonda-Qualität zu schätzen wußten, wünschten sich häufig etwas Größeres. Wagen für einen zukünftigen Sammlermarkt zu bauen ist nicht besonders gut für die Aktionäre, und sogar spezielle Leichtgewichtmodelle mit 62,3 mm Bohrung (1098 $cm^3$) und unsynchronisierten Getrieben erreichten wenig.

Der Lagonda-Zusammenbruch führte zu einer Reorganisation. Der neue Besitzer, Alan P. Good, war ein begeisterter Lagonda-Fahrer, und seine erste Maßnahme bestand darin, W. O. Bentley als Chefkonstrukteur einzustellen. Dies war eine hervorragende Wahl, denn tatsächlich hatten die Lagonda M45 dort begonnen, wo Bentleys eigene $4^{1}/_{2}$-Liter-Wagen 1927 aufgehört hatten. Bentley strich das ganze Programm – Rapier, 16/80 und $3^{1}/_{2}$-Liter –, um sich voll und ganz auf die großen Wagen zu konzentrieren.

Der Rapier allerdings war noch nicht tot. Sein Konstrukteur, Ashcroft, und W. H. Oates gründeten die Rapier Cars Ltd in der früheren Lagonda-Servicestation in London. Eine verfeinerte Version des Modells 1934 wurde dort bis 1939 weitergebaut. Sie boten sogar eine Kompressorausführung an, welche 145 km/h schnell war. Insgesamt wurden etwa 300 Rapier in Staines und London hergestellt.

Inzwischen war die Version des $4^{1}/_{2}$-Liter-Wagens von Bentley, der LG45, für die London Show 1935 bereitgemacht worden. Die mechanischen Änderungen waren nicht dramatisch. An die Stelle der gemischten Doppelzündung mit Magnet und Spule traten zwei Magnete. Der Motor wurde flexibel montiert und erhielt eine automatische Zündverstellung. Neu war das Synchrongetriebe, allerdings immer noch mit rechtsliegendem Schalthebel und dem traditionell zwischen Brems- und Kupplungspedal angeordneten Gashebel.

Bentley begnügte sich jedoch nicht damit, den $4^{1}/_{2}$-Liter in einen Herrenwagen zu verfeinern, sondern er ver-

**10** Lagonda V12 Drophead Coupé. Häufig wurden die Speichenräder mit Scheiben abgedeckt (1938).

**11** Lagonda V12 in der Rennsportausführung. Einer der beiden Wagen, die 1939 in Le Mans eingesetzt waren.

10

11

schaffte ihm auch eine neue, aparte Eleganz. Dank einer doppelten Spritzwand gelangte die Motorhitze nicht mehr in den Passagierraum. Die letzten Karosserien, ein viertüriger Saloon, ein Cabriolet und ein Tourenwagen, waren attraktiver denn je, und man traf sie in der damaligen Zeit häufig in «High-Society»-Filmen aus Großbritannien und Amerika. Ein sonderbarer Einfall war die Verwendung von zwei seitlich montierten Reserverädern in lackierten Behältern. Eines der «Reserveräder» war allerdings «blind», und die Hülle enthielt das Werkzeug! Von der letzten Version des Meadows-Motors hieß es, sie leiste 140 PS – dies war vielleicht etwas optimistisch, aber trotz einer Gewichtszunahme um 140 kg erreichte der neueste Tourenwagen 158 km/h, und die Beschleunigung war mit jener des M45 vergleichbar. 1937 erhielt der LG45 ein Getriebe mit synchronisiertem 2. Gang, und es gab eine Rückkehr in die Zeiten des alten Dreilitermodells mit einem wahlweise erhältlichen Fahrgestell mit langem Radstand. Nur wenige Herrschaftswagenkarosserien wurden auf dieses Chassis aufgebaut.

Der Star des Jahres 1937 war indessen ein neuer Rapide, der LG45R mit dem normalen Radstand von 3,28 m. Der neue Motor mit hohem Verdichtungsverhältnis wurde mit einer Leistung von 150 PS bedacht, was sehr unwahrscheinlich ist, denn die Rennsportversionen gaben nur 145 PS ab. Trotzdem, die Fahrleistungen waren hervorragend. Bei einem Gewicht von 1462 kg und mit einer Hinterachsuntersetzung von 2,31:1 betrug die Spitzengeschwindigkeit 173 km/h, und im 3. Gang lief der Wagen 131 km/h, während im 2. Gang 100 km/h erreicht wurden. Die Beschleunigung von 0 auf 80 km/h war ebensogut wie beim ursprünglichen Rapide. Diese Wagen erhielten ansprechende viersitzige Fließheckkarosserien ohne Trittbretter, und die Reserveräder wurden im Heck versteckt. Mindestens eine solche Karosserie wurde 1939 auf einem V12-Rapide-Chassis montiert. Die späten Tourenwagen, die man selten sah, neigten zu einer etwas gekünstelten Linie.

Auf dem Lagonda-Stand an der Ausstellung von 1936 wurde auch der erste V12 gezeigt. Er wurde als «W. O. Bentleys Meisterwerk» angekündigt, bis Rolls-Royce als Besitzer der Bentley-Namensrechte Einspruch erhoben. Der ausgestellte Saloon zeigte wenig einfallsreichen Stil, und der Großteil des Motors, der hinter verglasten Motorhauben-Seitenteilen ausgestellt war, bestand in Wirklichkeit aus Holz. Die allerersten V12-Lagonda-Wagen sollten nicht vor November 1937 ausgeliefert werden. Aber Bentley, unterstützt durch Stuart Tresilian, hatte hier in der Tat ein Meisterwerk geschaffen.

Für den Motor hatte er die nahezu quadratischen Abmessungen von 75 × 84,5 mm, entsprechend einem nur wenig größeren Hubraum als beim Meadows-Triebwerk von 4480 cm³, gewählt. Der Motor leistete seine 180 PS bei der hohen Drehzahl von 5500 U/min. Die beiden Blöcke waren in einem Gabelwinkel von 60° angeordnet, und jeder besaß eine obenliegende, mittels Zahnrädern und Ketten angetriebene Nockenwelle, die je einen Zündverteiler bediente. Die Zylinder erhielten je zwei Ventile. Die ausgewuchtete Kurbelwelle aus nitriertem Stahl drehte in vier Lagern, das Kühlsystem besaß einen Thermostat, und die beiden SU-Vergaser waren zwischen den Blöcken untergebracht. Die Brennstofförderung aus dem 100-Liter-Tank übernahmen zwei elektrische Pumpen. Das Vierganggetriebe war separat montiert und besaß Synchronisation in den drei oberen Gängen. Schließlich beugte man sich auch der Konvention und stattete den Wagen mit Mittelschalthebel und rechtsliegendem Gaspedal aus. Die Hinterachse besaß einen hypoidverzahnten Antrieb.

Das Fahrgestell war völlig neu. Der Rahmen war kreuzverstrebt und hatte zusätzlich eine K-förmige Verstrebung hinten. Die Längsträger waren 26,3 cm stark. Während hinten konventionelle Halbelliptikfedern, außerhalb des Rahmens montiert, eingesetzt wurden, erhielt der Wagen vorne eine neue, unabhängige Aufhängung mit Torsionsstabfederung. Die hydraulischen Bremsen hatten zwei Hauptzylinder, und die Trommeln maßen 406 mm im Durchmesser. Drahtspeichenräder

12 Lagonda V12 mit «De Ville»-Karosserie. Nur eine der Reserveradhüllen enthielt auch tatsächlich ein solches (1939).

13 Die Antwort auf den Stromlinien-Bentley: Der Spezial-Lagonda V12 Saloon mit vier Vergasern, der von W. O. persönlich im Sommer 1939 getestet wurde. Das ursprüngliche Kühlergrill sah ein bißchen anders aus.

12

(üblicherweise hinter Scheiben versteckt), Zentralchassisschmierung und eingebaute Wagenheber wurden vom alten LG45 übernommen. Um eine möglichst große Anzahl verschiedener Karosserien aufbauen zu können – der Katalog erwähnte alles von einem Tourenwagen bis zu einer Limousine –, gab es den V12 mit drei verschiedenen Radstandlängen, nämlich 3,149, 3,36 und 3,5 m. Für jene Kunden, die ein modernstes Chassis ohne die mechanische Kompliziertheit und die hohen Unterhaltskosten haben wollten, gab es zwei Fahrgestelle mit 3,24 oder 3,45 m Radstand für den al-

13

ten Meadows-Sechszylindermotor. Diese Wagen trugen die Bezeichnung LG6 und waren im übrigen gleich wie die Zwölfzylindermodelle.
Trotz eines Gewichts in der Gegend von 2 Tonnen waren die Fahrleistungen des Lagonda V12 ebensogut wie jene der besten schnellen Tourenwagen des Jahres 1960 – mit einer Ausnahme, nämlich der Bremsen. Die Saloons erreichten Spitzengeschwindigkeiten von über 160 km/h und beschleunigten auf 80 km/h in weniger als 10 Sekunden. Lord Howe legte in Brooklands in einer Stunde 162 Kilometer zurück, und dies in einem serienmäßigen Wagen. Allerdings mußte man diese Leistung mit einem Benzinverbrauch von etwa 25 l/100 km bezahlen. Wie die Leistungskurve des Motors zeigte, passierte unterhalb von 3000 U/min nicht sehr viel, und deshalb mußte man, im Gegensatz zu den großen klassischen Zwölfzylindermodellen aus Amerika, die einzelnen Gänge ausfahren. Die neuesten Karosserien waren niedriger und eleganter. Der schönste Wagen von allen war der letzte der Vorkriegs-Rapide, ein zweisitziges Cabriolet auf dem kürzesten Fahrgestell, das 1600 Pfund kostete. Hier war eine Hinterachsuntersetzung von 3,31:1 serienmäßig eingebaut, während die normalen V12 eine solche von 4,27:1 besaßen und für die langen Fahrgestelle eine solche von 4,45:1 gewählt werden konnte.
Angeblich wurden nur sechs der insgesamt etwas über 300 Lagonda V12 in der Rapide-Ausführung fertiggestellt, aber die gleiche Karosserie gab es auch für das LG6-Chassis. Der Sechszylinder-Lagonda war nicht wesentlich langsamer als der Zwölfzylinderwagen. Straßentests ergaben eine Spitzengeschwindigkeit von 150 bis 155 km/h bei mäßigerem Brennstoffverbrauch. Beide Modelle blieben bis zum Kriegsausbruch in Produktion.
1939 wurden zwei Zwölfzylinderwagen mit Viervergasermotoren von 220 PS und leichten Rennsportkarosserien in Le Mans eingesetzt. Trotz des hastigen Entschlusses mit großen Anstrengungen in letzter Minute hielten sich die beiden Lagonda gut und beendigten das Rennen auf dem 3. und 4. Platz.
Dieser Motor mit vier Vergasern bildete die Grundlage für einen speziellen aerodynamischen Saloon mit zwei Türen auf dem kurzen Fahrgestell. Dies war Bentleys Antwort auf Walter Sleators speziellen Hochleistungs-Bentley-4¹/₄-Liter-Wagen mit der Karosserie von Pourtout. Der Lagonda in Sonderausführung war 252 kg leichter als der reguläre V12 Saloon. Während der Versuche auf der Rennpiste von Montlhéry legte W. O. Bentley selber fünf Runden mit einem Durchschnitt von knapp unter 200 km/h zurück. Wohlgemerkt, mit drei Passagieren im Wagen. Der Krieg verunmöglichte eine weitere Entwicklung dieses Wagens, der jedoch immer noch existiert.
In dem veränderten Wirtschaftsklima nach dem Krieg glaubte Bentley, daß es nicht klug gewesen wäre, den V12 wieder einzusetzen (später sollte er dies zwar bereuen). Statt dessen entwickelte er einen neuen 2¹/₂-Liter-Sechszylinder-Motor mit zwei obenliegenden Nockenwellen. Das Fahrgestell erhielt unabhängige Radaufhängung vorne und hinten. Konstruktion und Herstellung dieses Wagens wurden 1947 durch die David-Brown-Gruppe übernommen. Das Triebwerk mit 2580 cm³ Hubraum sollte natürlich unter den Motorhauben der späteren Aston Martin weltberühmt werden.

# Lanchester *«Zu oft der Erste»*

Bis zu ihrem Ableben im Jahre 1956 hatte die Marke Lanchester vielleicht das höchste Anrecht, als älteste Großbritanniens zu gelten. Auch wenn die eigentliche Produktion erst 1900 begann, hatte Frederick Lanchester, mit der Unterstützung seiner beiden Brüder Frank und George, schon 1895 einen Motorwagen auf der Straße. Im Vergleich dazu erschien der erste Dreirad-Wolseley erst 1896, und der britische Anteil an den ersten Coventry-Daimler-Wagen war sehr beschränkt. Im übrigen lehnten sich die anderen englischen Pionierfirmen stark an die vorhandenen Konstruktionen aus Deutschland und Frankreich an, während die Schöpfungen der Gebrüder Lanchester eigenständig waren und niemandem etwas schuldeten.

Lord Montagu hat den Lanchester in knappster Form beschrieben als «den Wagen mit zu vielen erstmalig verwendeten Lösungen», und das ist wahrscheinlich eine ebenso faire Einschätzung wie jede andere. Er war zu «verschieden» für die Mehrheit, doch hatte er auch seine Verehrer, unter ihnen sogar den damals berühmten Schriftsteller Rudyard Kipling.

Betrachten wir einige Neuerungen der Marke. Um die Jahrhundertwende besaßen die Lanchester Hinterachsen mit geräuschlosem Schneckenantrieb, direkte oberste Gänge (ehe Louis Renault überhaupt schon einen Wagen gebaut hatte), Cantilever-Aufhängung und Gaspedale. Abnehmbare Räder, die von den Bremstrommeln getrennt waren, und Vorwahlgangschaltung für das vorhandene Planetengetriebe erschienen 1901. Eine Getriebescheibenbremse folgte 1904. Frederick Lanchesters Schwingungsdämpfer für die Kurbelwellen – vielleicht die beste Kur für die schrecklichen «Unebenheiten», welche die frühen Mehrzylindermotoren auszeichneten – kam 1909.

Lanchester hatte, sogar nach der Einführung von stehend eingebauten Motoren, echte «Frontlenkung», wobei die beiden Passagiere auf den vorderen Sitzen beidseits des Triebwerks untergebracht waren. Diese Anordnung verband vorzügliche Sicht mit einer wirtschaftlichen Nutzung der verfügbaren Chassisabmessungen.

Die Verantwortlichkeit für die Konstruktion war um 1910 herum von Frederick auf seinen Bruder George übergegangen. Bedauerlicherweise bestanden die kaufmännisch gesinnten Direktoren auf «einem Wagen, der aussah wie ein Automobil». Der sportliche 40 HP, der einige Monate nach dem Kriegsausbruch im Jahre 1915 angekündigt wurde, war ein Fahrzeug mit konventionellem Aussehen und besaß unter der langen Motorhaube einen 5,6-Liter-Sechszylinder-Motor mit stehenden Ventilen. Glücklicherweise wurden das Planetengetriebe, die Cantilever-Hinterachsfedern und der klassische Kühler mit dem Schauglas im Spritzwandtank beibehalten. Unter den Opfern des Profitdenkens war ein Lanchester-Dochtvergaser, der durch einen orthodoxen Smith-Vergaser mit fünf Düsen ersetzt wurde.

Zur Freude Lanchesters wurde dieses Modell kaum je richtig produziert. Die Firma kam jedoch 1919 mit einem stark verbesserten 40 HP ähnlicher Bauweise, jedoch mit einem größeren Motor, wieder auf den Markt. Dieses neue Triebwerk mit den Abmessungen 101,6 × 127 mm (6177 cm³) erhielt eine obenliegende Nockenwelle, die durch eine vorne am Motor stehende Königswelle angetrieben wurde. Die Zylinder waren in Paaren gegossen, und die Zündung übernahmen ein Hochspannungsmagnet und eine Spule. Die Kurbelwelle drehte in sieben Hauptlagern. Eine kluge Einrichtung waren die Käfige für die Einlaßventile. Damit konnte die Notwendigkeit der kompletten Demontage des Triebwerks mit festem Zylinderkopf umgangen werden, wollte man den Kopfteil des Motors überholen.

Das Fahrgestell mit gitterartigem Kastenmittelteil ähnelte jenem aus dem Jahre 1915. Es besaß hinten Cantilever-Aufhängung und ein Dreigang-Planetengetriebe, das speziell durch Motorenöl geschmiert und mittels rechtsliegenden Schalthebels bedient wurde. Die ebenfalls rechts liegende Handbremse wirkte auf die hinteren Räder, während mit dem Pedal die Getriebefußbremse betätigt wurde. Die Kunden hatten die Wahl zwischen Drahtspeichenrädern mit Zentralverschluß und mit Muttern befestigten Scheibenrädern. Ebenfalls zur Auswahl standen zwei Chassislängen mit einem Radstand von 3,582 oder 3,815 m. Auf Wunsch wurden die Wagen auch mit Linkslenkung ausgerüstet, und einige solcher Wagen des Modells 40 HP wurden in den frühen zwanziger Jahren an den amerikanischen Vertreter der Marke, die Firma Brewster in New York, geliefert.

Die Firma baute ihre Karosserien selber. Diese bestanden aus leichten Gerippen aus Aluminiumlegierungs-Gußteilen und Dural-Blechen mit geschweißten Verbindungen. Gelegentlich bauten sie sogar das Chassis einer anderen Marke auf, und im Archiv befindet sich das Bild eines Fiat Tipo 510 mit einer Cabrioletkarosserie aus der Zeit um 1921 herum. Auf ihrem Stand an der Olympia Show 1920 war ein prachtvoll kurvenreicher zweitüriger Saloon mit Armsesseln hinten, verschließbaren ovalen Klappen für die zwei Bullaugen-Heckfenster und einem Interieur, das aus ausgesuchtem Masernußbaumholz und Einlegearbeit bestand, ausgestellt. (Als man ihm dieses 3000-Pfund-Stück zeigte, soll König George V. zu George Lanchester bemerkt haben: «Ein sehr feines Automobil, Mr. Lanchester, aber finden Sie nicht auch, daß es eher zu einer Prostituierten als zu einem Prinzen paßt?») Nicht daß dies die königlichen Hoheiten davon abgehalten hätte, Lanchester-Wagen zu kaufen. Prinz Chichibu von Japan besaß einen 40 HP, der Inder Jam Sahib of Nawanagar (besser bekannt als «Ranji der Kricketspieler») hatte einen ganzen Stall voll der Marke, und der Sohn des Königs von England, der Herzog von York (später George VI.), erwarb seinen ersten Lanchester im Jahre 1924. Dieser sollte von zahlreichen weiteren gefolgt sein, eingeschlossen die weniger ausgezeichneten «billigen» Daimler-Modelle der dreißiger Jahre.

Über die zwei Spezialrennausführungen hinaus – einer dieser Wagen diente dazu, zahlreiche internationale Klassenrekorde im Jahre 1924 aufzustellen, und legte 600 km mit einem Schnitt von über 157 km/h zurück – war der gewöhnliche Lanchester 40 ein Wagen mit guter Fahrleistung. Der normale Tourenwagen wog etwas über 2 Tonnen, und der Geschwindigkeitsbereich des obersten Ganges betrug 5 bis 121 km/h. Dabei bedeutete das Dreiganggetriebe keinerlei Handicap, leistete der Motor doch etwa 100 bis 105 PS oder, mit anderen Worten, einiges mehr als die etwas über 70 PS der späten Rolls-Royce-Silver-Ghost-Motoren. Das Triebwerk mit obenliegender Nockenwelle war indessen nicht so leise wie der seitengesteuerte Rolls-Motor. Der Lanchester 40 blieb in regulärer Produktion bis ins Jahr 1929 und konnte aufgrund von speziellen Aufträgen sogar noch bis 1931 bezogen werden. Etwa 400 Wagen dieses Modells wurden insgesamt hergestellt, darunter auch einige 6 × 4-Panzerwagen. Es waren dies die ersten solchen Geländefahrzeuge, die an die britische Armee geliefert wurden.

Ein bedrückendes Wirtschaftsklima ließ Lanchester einen kleinen Wagen einführen. Der Typ 21 HP wurde im Herbst 1923 vorgestellt. Dieses Modell stand in direkter Konkurrenz zum Rolls-Royce Twenty und hatte dabei den zusätzlichen Vorteil, daß das Fahrgestell genau 50 Pfund billiger war.

Die Konstruktion war grundsätzlich eine Verkleinerung des Typs 40 HP. Allerdings waren nun die Zylinder in einem Block gegossen, und der Zylinderkopf war abnehmbar. Der Nockenwellenantrieb erfolgte hinten, und eine einfache Magnetzündung mußte genügen. Mechanische Vierradbremsen wurden angebracht, wobei es verwunderlich ist, daß es ein weiteres Jahr dauerte, bis diese Verfeinerung auch dem großen Modell zuteil wurde. George Lanchester war der Ansicht, daß der große 40 HP in erster Linie als Chauffeurwagen gedacht sei und deshalb nicht in einer Weise gefahren würde, die den Einbau von zusätzlichen Bremskräften rechtfertigen würde. Der neue, kleine Wagen erhielt ein konventionelles Vierganggetriebe, das zusammen mit der Einplattenkupplung und dem Motor verblockt war. Die Untersetzungen – 4,86, 8,2, 11,5 und 17,5:1 – waren keinesfalls sportlich, und bei Geschwindigkeiten über 50 km/h war die Verwendung des 4. Ganges fast zwingend. Ausgeglichen wurde dieser Umstand natürlich durch eine ausgezeichnete Geschmeidigkeit, und mit dem Lanchester 21 HP konnte man den ganzen Tag lang 90 bis 95 km/h fahren. Die ersten Wagen hatten einen Hubraum von 3 Litern, aber 1925 wurde die Bohrung von 76,2 auf 78,7 mm vergrößert, was einen Hubraum von 3,3 Litern und etwas zusätzliche Kraft ergab. Die Spitzengeschwindigkeit belief sich nun auf 105 bis 110 km/h, je nach Karosserie.

Bis 1928 umfaßte die serienmäßige Produktion die beiden Modelle 21 und 40 HP. Der große Wagen erhielt im Laufe des Jahres 1925 ebenfalls Vorderradbremsen. Gleichzeitig wurde die bisherige Vorderachse mit I-Profil durch eine solche in Rohrform ersetzt, um das zusätzliche Drehmoment aufzunehmen. Anfänglich bevorzugte Lanchester – wie Frantisek Kec von Praga – die ungewöhnliche Kombination von mechanischer Betätigung und hydraulischem Servomotor. 1927 wurde diese komplizierte Einrichtung jedoch durch das einfachere Unterdruck-Servosystem von Dewandre ersetzt.

Für die Saison 1929 brachte Lanchester einen der wenigen europäischen nichtsportlichen Reihen-Achtzylin-

1 Lanchester 21 HP mit steifer Brougham-Karosserie von Vanden Plas, London (1924).

1

der-Wagen, der erfolgreich war. Viel zu viele der Reihen-Achtzylinder-Modelle der späten zwanziger Jahre schienen einzig und allein aus dem Grunde geschaffen worden zu sein, einen großen Wagen noch länger zu machen. Der neue Lanchester 30 HP dagegen war eine Vergrößerung des 21-HP-Modells. Der neue Motor besaß eine zehnfach gelagerte Kurbelwelle, einen Zenith-Doppelvergaser und Autovac-Brennstoffförderung. Wie der 40 HP besaß das neue Modell ebenfalls Doppelzündung, und der Achsantrieb erfolgte wie üblich mittels Schnecke. Beibehalten wurden auch die Dewandre-Bremsen und die hinteren Cantilever-Federn. Einmal mehr war das konventionelle Vierganggetriebe mit einem rechtsliegenden Schalthebel versehen. Der 4. und 3. Gang waren nun mit einem Untersetzungsverhältnis von 3,78 und 6,25:1 etwas enger gestuft. Das Armaturenbrett war Teil des Fahrgestellrahmens, und der Wagen war mit einer Chassisschmierung in Gruppen versehen.

Ein Saloon mit einem Radstand von 3,616 m erwies sich als 130 km/h schnell, und mit offenen Wagen konnten 140 km/h und mehr erreicht werden. Die Meinungen über den leisen Gang des neuen Wagens waren allerdings geteilt. Ein Sachverständiger attestierte dem Lanchester 30 HP, «den leisesten Motor zu besitzen, den er bisher angetroffen habe», während ein anderer den Lärm des Nockenwellenantriebs als störend empfand.

Wie dem auch sei, der Lanchester 30 HP hatte nie eine Chance. Die Firma hatte die zwanziger Jahre erfolgreich überstanden, aber Anfang 1931, als die große Krise am schlimmsten war, weigerte sich ihre Bank, eine damals recht bescheidene Überziehung der Kredite gutzuheißen, und so blieb nichts anderes übrig, als das Unternehmen an Daimler zu verkaufen. Dies ausgerechnet zu einem Zeitpunkt, als sich sowohl das neue Modell wie auch der 21 HP recht gut verkauften. Zum Schluß erhielt der 21 HP Drahtspeichenräder anstelle der früheren Scheibenräder als serienmäßige Ausrüstung und darüber hinaus eine Chassisschmierung in Gruppen, gehärtete trockene Zylinderlaufbüchsen und thermostatisch kontrollierte Kühlerjalousien.

2

Unter der Leitung von Daimler wurden die Werke in Birmingham geschlossen. Große Lager an Bestandteilen, einige davon für die Modelle von 1902/03 (Lanchester behauptete, Ersatzteile für jeden je gebauten Wagen liefern zu können), wurden verschrottet. Die Produktion des 21 HP wurde eingestellt, nachdem insgesamt 725 Exemplare gebaut worden waren. Einige wenige 30-HP-Modelle wurden aus den vorhandenen Teilen im Jahre 1932 zusammenmontiert, so daß am Ende etwa 125 solcher Wagen fertiggestellt wurden.

Was die nachfolgenden Lanchester angeht, so waren diese nichts mehr als kleine und billige Daimler, deren Konstruktion durch die Kostenstellenbuchhalter diktiert wurde. Auf jeden Fall ist es schwer zu glauben, die Modelle der Jahre 1932 bis 1935 seien von zwei so talentierten Konstrukteuren wie George Lanchester aus der alten Firma und Laurence Pomeroy von Daimler entwickelt worden. 1936 waren bekanntlich beide weggezogen, und die Marke erlebte einen langsamen Niedergang, der durch die wirtschaftlichen Schwierigkeiten, die Großbritannien nach 1945 befielen, noch beschleunigt wurde. Die Lanchester-Kunden waren großteils Rentner, die von einem festen Einkommen lebten. Ihre kleinen Lanchester, die sie im Jahre 1939 300 Pfund gekostet hatten, wurden zehn Jahre später zum dreifachen Preis verkauft. Die Verkäufe waren bescheiden, und bis 1953 erfolgten sie nur noch tröpfelnd. Die Marke hatte schließlich einen spektakulären und katastrophalen Abgang mit ihrem 1,6-Liter-Sprite-Saloon aus den Jahren 1955/56. Es war dies ein sehr frühes Beispiel eines kleinen Wagens mit vollautomatischem Getriebe. Eine sechsstellige Rechnung für Einrichtungen, Lehren und Werkzeuge ergab eine Produktion von etwa zehn Wagen. Mit anderen Worten: jeder dieser Produktionsprototypen kostete eine ganze Menge mehr Geld als sogar ein Ferrari Superamerica. Eine drastische Reorganisation bei Daimler spülte den

2 Lanchester 21 HP Coupé, ein typisches Beispiel der Werkskarosserien (1925).

3 Die großen Lanchester 40 HP wurden in den zwanziger Jahren ohne viele ersichtliche Änderungen gebaut. Dieses Landaulett wurde im Werk aufgebaut (1926).

3

Lanchester weg, und keiner der nachfolgenden Besitzer der Gruppe (Jaguar und dann Leyland) zeigten je ein Interesse daran, die Marke wieder aufleben zu lassen. Es gab allerdings einige klassische Lanchester – dem Namen nach auf jeden Fall – nach 1932. Verschiedene illustre Kunden – hauptsächlich in Indien, obgleich auch der Herzog von York dazugehörte – blieben der Marke treu. Deshalb wurde eine kleine Anzahl von 32-HP-(4,6-Liter-)Reihenachtzylinder-Daimlern mit Lanchester-Kühlern ausgestattet. Die für Indien bestimmten Wagen erhielten sportliche Karosserien von Vanden Plas. Jene für die britische Königsfamilie dagegen, es waren vier Exemplare, wurden alle von Hooper aufgebaut. Der letzte wurde im Jahre 1940 ausgeliefert. Ein endgültiger Nachsatz kam noch im Jahre 1948 von Jam Sahib of Nawanagar, der ein Paar großer, offener Tourenwagen in Ming-Blau mit silbernen Kotflügeln in Auftrag gab. Einmal mehr hieß der Karossier Vanden Plas, aber diesmal wurde das kleinere Fahrgestell vorgeschrieben, nämlich der Daimler Typ DE 27 mit Sechszylinder-OHV-Motor und 4 Liter Hubraum, wie er von 1946 bis 1952 gebaut wurde.

**4** Lanchester 40 HP mit Vierradbremsen (1927-28).

**5** Der Lanchester 30 HP mit Achtzylindermotor wurde vom Werk serienmäßig sowohl in gewebebezogener als auch in blechverkleideter Form karossiert. Hier ein Selbstfahrer-Saloon in der zweitgenannten Ausführung.

**6** Ein prachtvolles Cabriolet von Vanden Plas auf dem Lanchester-32-HP-Fahrgestell (1937).

4

5

6

# MG *Achtecke für die Welt*

Das MG-Achteck bedeutet «Sportwagen» für Enthusiasten in fünf Erdteilen. Die Wagen mögen keine Klassiker im amerikanischen Sinn des Begriffs sein. Der längste Radstand, der in der Zwischenkriegszeit verwendet wurde, betrug 3,125 m, und der größte Motor hatte einen Hubraum von bloß 2,6 Litern. Doch die MG waren zweifellos Klassiker der Sportwagenkonstruktion, und es ist schwer, irgendwo zwischen dem Zulässigen und dem Unzulässigen eine Grenze zu ziehen.
Cecil Kimber und William Lyons hatten verschiedene Eigenschaften gemeinsam. Beide schufen preisgünstige sportliche Wagen aus wenig aufregenden Tourenmodellen, beide bevorzugten geometrische Motive für ihr Kühlerabzeichen. Während jedoch beim SS das Schwergewicht stets beim Sechszylinder lag, verlegte man sich in Abingdon vor allem auf die Klasse unter 1500 $cm^3$. Die Wagen wurden mit einem der wirkungsvollsten Slogans aller Zeiten, «Safety Fast» (etwa «schnelle Sicherheit»), angepriesen. (Der Slogan hatte in den dreißiger Jahren sogar noch eine größere Bedeutung, weil damals der rechtsgerichtete britische Premierminister Stanley Baldwin seine Wahlkampagnen unter dem Banner «Safety First» – also «zuerst die Sicherheit» – führte.) In diesen Tagen der massenproduzierten Sportwagen ist es interessant festzustellen, daß die Vorkriegsproduktion von MG insgesamt auf weniger als 23 000 Wagen beziffert wird. Nur 12 000 Exemplare davon waren mit dem legendären Motor mit obenliegender Nockenwelle versehen, und für diese werden heute von den Sammlern bekanntlich außerordentlich hohe Preise bezahlt.
Kimber war der Generaldirektor der Morris Garages (man beachte die Initialen). Diese hatte die Vertretung für die Morris-Wagen in deren Heimatstadt Oxford inne, und das Unternehmen war in der Tat ein direkter Zweig des ersten Fahrradgeschäfts von W. R. Morris. Eine kleine Anzahl von leicht frisierten Morris-Cowley-Wagen mit im Ort gebauten leichten und sportlichen Karosserien wurde 1922 angeboten. Es scheint aber gerecht zu sein, den Beginn von MG als Marke ins Jahr 1924 zu verlegen. (MG erhielt jedoch erst 1927 das Anrecht auf einen eigenen Ausstellungsstand in der Abteilung für Automobile der London Show.) 1924 war indessen das Achteck-Markenzeichen erstmals auf Karosserien zu sehen und übrigens auch auf Zubehören, die von den Morris Garages verkauft wurden. Nicht alles hatte jedoch einen sportlichen Einschlag, denn das Markenzeichen erschien auch auf einem Morris-Oxford-Landaulett mit Spezialkarosserie.
Der echte MG, der uns interessiert, wurde von 1924 an offeriert. Er besaß einen leicht modifizierten 1,8-Liter-Morris-Oxford-Vierzylinder-Motor mit stehenden Ventilen und auf Wunsch Vierradbremsen. Das verblockte Dreiganggetriebe und die nasse Scheibenkupplung wurden beibehalten. In den frühen Zeiten wurde die Motorleistung laut Morris-Katalog mit 28 PS angegeben. Die mechanischen Änderungen beschränkten sich

dem Nitrozellulose-Finish der Karosserie, Dewandre-Vakuum-Servobremsen und Barker-Scheinwerfern. Der Abblendmechanismus dieser Lampen wurde mittels eines rechts im Wagenboden angeordneten Hebels stattlicher Abmessungen betätigt. Die späteren Bullnose-(Stiernase-)MG erreichten Spitzengeschwindigkeiten von 100 km/h, und insgesamt fanden sich dafür etwa 400 Kunden. Als Morris für die Saison 1927 zu einem flachen Kühler und halbelliptischen Hinterachsfedern wechselte, folgte MG dem Beispiel auf dem Fuß. Von diesem überarbeiteten Modell wurden bis 1929 nochmals etwa 900 Wagen gebaut.

Nebenbei bemerkt ist der mit Rennspitz versehene Bullnose-Zweisitzer, der von British Leyland aufbehalten und oft als «MG Nr. 1» bezeichnet wird, nichts dergleichen. Sein genauer Platz in der Folge von Wagen und Modellen ist nicht genau bekannt. Sicher ist hingegen, daß er im Frühling 1925 montiert wurde, um Cecil Kimber einen Wagen für die Zuverlässigkeitsfahrt London–Lands End zur Verfügung zu stellen. Übrigens ist der 1548-cm³-Motor mit hängenden Ventilen nicht auf den Einbau von geraderen Federn, einer schräger gestellten Lenksäule, eines rechts angeordneten Gaspedals (Morris hielt merkwürdigerweise an der Mittelposition desselben bis 1934 fest), eines höheren Hinterachs-Untersetzungs-Verhältnisses und von Hartford-Reibungsstoßdämpfern hinten. Der eigentliche Anreiz ging von den in poliertem Aluminium ausgeführten sportlichen Karosserien aus. Die Kotflügel und der oberste Teil der Karosserien waren lackiert, die Windschutzscheibe war schräggestellt und erhielt seitliche Dreieckscheiben. Die serienmäßigen Stahlartillerieräder des Morris wurden hinter Aluminium-«Suppenteller»-Scheiben versteckt. Drahtspeichenräder mit offen sichtbarer Nabe folgten erst 1926 zusammen mit

**1** MG-14/28-HP-Viersitzer aus dem Jahre 1926. Früher war dieser Wagen im Besitz des bekannten Motorrad-Renn- und Rekordfahrers Eric Fernihough.

**2** MG-18/80-Mk.-II-Cabriolet. Die besondere Verstrebung der Scheinwerfer ist gut zu erkennen (1931).

**3** MG-Midget-Typ-D-Viersitzer (1932).

**4** MG-Magnette-K3-Rennsport-Zweisitzer mit Kompressormotor von 1087 cm³ Inhalt in seiner ursprünglichen Ausführung mit senkrechtstehendem Tank und voller Straßenausrüstung, wie er im Katalog angeboten wurde (1933). Die an der Mille Miglia des gleichen Jahres eingesetzten Werkswagen sahen etwa so aus.

wirklich ein Morris-Cowley, sondern vielmehr eine OHV-Version des Cowley-ähnlichen Motors, der 1920 von Hotchkiss in Coventry für die vergessene schottische Marke Gilchrist entwickelt worden war. Der rote Zweisitzer mit seinen geschwungenen Kotflügeln hat in der Hauptlinie der MG-Geschichte keine Bedeutung.
Der mit flachem Kühler versehene 14/40 (diese Bezeichnung wurde erst gegen Ende des Jahres 1927 verwendet) war viel mehr als ein sportlich karossierter Morris. Schon hatte das Achteck-Emblem das frühere, runde aus den Tagen des Bullnose-Modells verdrängt. Die von den Morris-Werken gelieferten Fahrgestelle wurden zerlegt und neu aufgebaut. Gleichzeitig wurden Verbesserungen an den Bremsen vorgenommen und Marles- anstelle der unpräzisen Morris-Lenkung eingebaut. Ab 1928 wurden die Wagen dann wirklich von Grund auf aus Bestandteilen gebaut. Die steigende Nachfrage forderte größere Räume, als sie in der kleinen Werkstätte im Herzen von Oxford zur Verfügung standen. Bis 1929 erwiesen sich eine Ecke in der Morris-Kühlerfabrik im Norden der Stadt und dann auch eine neue Fabrik, die für 10 000 Pfund in Cowley gebaut worden war – und das war damals eine Menge Geld –, als zu klein. In diesem Jahr zügelte Kimber erneut, und zwar an die am Flußufer gelegene Stadt Abingdon. Dies sollte bis zum heutigen Tag die Heimat für MG bleiben. (Dieser Umzug nach Abingdon bildete den Beginn einer amüsanten Geste: Von da an sollten alle Seriennummern für jede neue Reihe von MG-Wagen mit «0251» beginnen. 251 war die Telefonnummer der Fabrik! Bedauerlicherweise scheint British Leyland diese Gewohnheit fallengelassen zu haben.)
An der London Show 1928 sah man einen neuen Kühler mit einer senkrechten Mittelrippe (jede Verwandtschaft mit Morris fehlte) sowie zwei neue MG mit obenliegenden Nockenwellen. Diese Entwicklung war das Resultat der Übernahme von Wolseley durch Morris im Jahre 1926. Zusammen mit der bankrotten Firma hatte er auch eine Motorkonstruktionsabteilung und eine erfolgreiche Reihe von Vier- und Sechszylindermotoren mit obenliegenden Nockenwellen erworben. 1928 kam der erste serienmäßig hergestellte Morris Six, der

4

Typ JA mit 2468 $cm^3$ Hubraum, heraus. Dieser Motor wies vier Kurbelwellenlager auf, und die Nockenwelle wurde mittels Kette und nicht wie bei Wolseley üblich durch Königswelle angetrieben. Der Wagen besaß ein verblocktes Dreiganggetriebe und halbelliptische Federn vorne und hinten. Diese wenig begeisternde Maschine wurde von Kimber in das Modell 18/80 HP umgemodelt, von dem zwischen 1929 und 1933 etwa 700 Exemplare gebaut wurden.

Die Zylinderabmessungen des Morris Six betrugen 69 × 110 mm, und in der MG-Form mit zwei SU-Vergasern (ebenfalls ein Produkt des Morris-Reichs) und einem Kompressionsverhältnis von 5,8:1 betrug die Leistung 60 PS bei 3200 U/min. Die Spulenzündung, die nasse Scheibenkupplung und das verblockte Dreiganggetriebe waren Morris-Bauteile. Das Benzin wurde aus dem hintenliegenden Tank mittels elektrischer Autopulsepumpe gefördert.

Beim Chassis bemerkte man sehr wenig Morris-Einfluß. Der aus U-Profilen gebildete Rahmen war vorne und hinten hochgekröpft. Die Morris-Bremsen wurden durch ein neues, von MG entwickeltes Bremssystem ersetzt, bei dem sowohl Hand- als auch Fußbremse über Kabelzüge auf alle vier Räder wirkten. Diese Bremskonstruktion sollte für alle Modelle bis zur Einführung der hydraulischen Bremsen im Jahre 1936 überleben. Die Achsaufhängung erfolgte durch Halbelliptikfedern und Hartford-Reibungsstoßdämpfer. Der 18/80 sah gut aus und besaß sowohl Geschmeidigkeit als auch gute Fahrleistungen. 8 bis 120 km/h waren im 3. Gang möglich. Mit einem Gewicht von 1265 kg war der Saloon nicht überaus schwer. Die attraktive Reihe von Karosserien wurde 1930 noch ergänzt durch das Speed Model. Dieses hatte eine sportliche offene Karosserie mit Gewebeüberzug in der Art des 4½-Liter-Bentley oder 2-Liter-Lagonda und meistens Vakuumservobremsen.

Die weitgestuften Untersetzungen des Dreiganggetriebes bedeuteten jedoch eine gewisse Einschränkung, und Ende 1929 kam deshalb der Mk. II mit vier Vorwärtsgängen heraus. Das neue Modell unterschied sich von seinem Vorgänger durch die kreuzweise verstrebten Scheinwerfer, eine größere Spurweite bei gleichbleibendem Radstand von 2,846 m, die außerhalb des Rahmens befestigten Hinterachsfedern und die Verwen-

5

6

7

10

dung eines schwereren Chassis mit einer kastenförmigen Mittelpartie. Der Wagen war dadurch aber auch 200 kg schwerer geworden, was erklärt, weshalb einige Enthusiasten später das Vierganggetriebe in ihre Mk.-I-Wagen einbauen ließen, um damit das Beste beider Welten zu haben! Der Mk. III war ein Rennsport-Spezial-Viersitzer mit Trockensumpfschmierung, Spezialkurbelwelle und -kolben. Der Motor leistete 96 PS, und der Wagen war sehr teuer. Es wurden nur fünf Exemplare davon gebaut.

Das zweite neue Modell für 1929 war der legendäre Typ M Midget, der auf dem neuen Kleinwagen von Morris, dem Minor mit seinem 847-cm³-Motor mit obenliegender Nockenwelle, basierte. Es sollte dies der erste von rund 8500 Midgets mit obenliegender Nokkenwelle sein, die in den nächsten acht Jahren produziert wurden. Vom Typ M allein wurden bis 1932 nicht weniger als 3235 Wagen verkauft, auf jeden Fall ein eindrückliches Ergebnis.

Der neue MG/Morris-Motor wies eine Königswelle zum Antrieb der obenliegenden Nockenwelle, einen durch Gefälle gespeisten SU-Vergaser, 6-Volt-Spulenzündung und Thermosyphonkühlung auf. Die Kurbelwelle besaß zwei Lager und war druckumlaufgeschmiert. Die Motorleistung betrug bescheidene 20 PS bei 4000 U/min, und die Einscheiben-Trockenkupplung sowie das verblockte Dreiganggetriebe waren normale Morris-Bauteile. Die anfänglich verwendeten Morris-Bremsen mit Stangen und Kabelbetätigung wurden schon bald durch das MG-System mit Kabelzügen ersetzt. Das einfache und leichte Fahrgestell erhielt Halbelliptikfedern. Die leichte, gewebebespannte Karosserie hatte einen Rennspitz und eine zweiteilige, keilförmige Windschutzscheibe und erinnerte an die

**5** MG Magna Typ L Continental Coupé (1934).

**6** MG Magnette KN-Serie mit viertüriger, pfostenloser Saloon-Karosserie (1935).

**7** MG PB – der letzte mit obenliegender Nockenwelle (1936).

**8** MG Midget PA Airline Coupé (1935).

**9** Äußerlich gleicht der MG TA dem weltberühmten TC, aber die ersten hatten noch kein Synchrongetriebe, und die langhubigen Motoren drehten nicht so willig wie die späteren Ausführungen.

**10** MG 2-Liter-Modell SA Sports Saloon (1937).

Amilcar und Salmson einer früheren Epoche. Im Laufe des Jahres 1929 ergänzte ein zweisitziges Coupé die Reihe.
Der MG besaß im Gegensatz zu seinen französischen Vorfahren massenproduzierte Teile, und die Service- und Unterhaltsarbeiten konnten in jeder Morris-Vertretung ausgeführt werden. Dank des geringen Gewichts von nur 504 kg erreichte der kleine Flitzer 100 km/h, und im 2. Gang hatte man eine nützliche Spitzengeschwindigkeit von 65 km/h zur Verfügung. Der Brennstoffverbrauch war 7 bis 8 l/100 km, und der Wagen konnte sehr preisgünstig hergestellt werden. MG zahlte nur 6 Pfund für die zweisitzige Karosserie an ihren Lieferanten, die Firma Carbodies in Coventry. Später steigerte man die Motorleistung auf 27 PS, und eine Kompressorausführung konnte bestellt werden. Es gab auch einige «Double Twelve Replicas» (Zweimal-12-Stunden-Rennen von Brooklands), die auf dem Typ M Midget basierten, welche im Jahre 1930 mit Erfolg in diesem Rennen eingesetzt waren.
MG gewann die Tourist Trophy im Jahre 1931 dank einer neuen Anstrengung des Chefkonstrukteurs H.N. Charles, der eine Kurzhubausführung des Midget-Motors mit 73 statt 83 mm Hub herausbrachte. Dadurch konnte der Wagen in der 750-cm³-Kategorie starten und stand damit in Konkurrenz zu den Austin Seven. Dieser Typ C erhielt einen Fallstromvergaser, und ein Powerplus-Kompressor wurde zwischen die Chassisholme vor dem Kühler montiert. Die Karosserie war aus Blech (wie auch bei den späten Wagen Typ M). Andere Verbesserungen waren die Doppelscheibenkupplung, die elektrische Benzinpumpe und – wie es sich für einen Rennwagen gehörte – ein gradverzahnter Hinterachsantrieb. Der Rahmen wurde hinten unter der Achse hindurch geführt. Kompressorwagen erreichten 137 km/h und leisteten 52 PS. Die kompressorlose Ausführung brachte es auf 44 PS. Der Typ C wurde mit kompletter Straßenausrüstung verkauft.
1932 wurde der Typ M immer noch angeboten, doch daneben baute MG eine Serie von 250 Wagen des Typs D. Diese trugen Coupé- oder Tourenkarosserien. Das Chassis wurde vom Typ C übernommen, wobei allerdings der Radstand auf 2,134 m verlängert war. Andere Besonderheiten des Typs D waren der hinten

11

montierte Benzintank und ein Vierganggetriebe – wie beim Typ C – mit nach hinten versetztem Schalthebel und sichtbarer Schaltkulisse. Es war der erste Midget, der die berühmten waagrechten Choke- und Gasgestänge erhielt.
Bessere Sachen waren bereits unterwegs! Im Laufe des Jahres erschien der klassischste aller Midgets, der Typ J. Er hatte den Radstand von 2,184 m der späten Typ-D-Wagen sowie das Vierganggetriebe mit dem versetzten Schalthebel. Die Reihe umfaßte den J1 mit Viersitzer- und Coupékarosserien sowie ein Paar Super-Sport-Kompressor-Wagen mit 746 cm³ Hubraum, der J3 und J4, doch wurden weitaus am meisten Wagen in der Version J2 produziert (2083 von insgesamt 2507 Wagen).
Ein neuer Zylinderkopf, bei dem Einlaß- und Auspuffkanäle einander gegenüberlagen, und zwei SU-Vergaser steigerten die Leistung des normalen Motors auf 36 PS bei 5500 U/min. Alle Verbesserungen des Typ-D-Wagens wurden beibehalten und noch durch eine 12-Volt-Anlage ergänzt. Die Karosserie war ein prachtvoll funktioneller Zweisitzer mit gebuckeltem Armaturenbrett, tief ausgeschnittenen Türen, versenktem Verdeck, Motorradkotflügeln und einem flachen, hochkant montierten 60-Liter-Tank im Heck. Diese Art Benzintank wurde unter der Bezeichnung «Le-Mans-Tank» bekannt, obgleich in Tat und Wahrheit kein J2 je in diesem Rennen startete. Dem heutigen Leser mögen die Untersetzungen – 5,37, 7,31, 11,5 und 19,24:1 – sehr kurz vorkommen, aber man muß sich daran erinnern, daß die Konstruktion von kleinen britischen Sportwagen in den dreißiger Jahren stark beeinflußt war durch die einheimischen Sport-Trials, in denen schier senkrechte und mit schlechter Oberfläche versehene Bergstrecken bezwungen wurden. Für einen Preis von weniger als 200 Pfund übernahm der J2 die Rolle eines Transportmittels, kombiniert mit der Möglichkeit, ohne große Belastung an einigen Sportanlässen teilzunehmen. Es war etwas unglücklich, daß die Presse ihre Versuche mit einem stark frisierten Exemplar ausführen konnte, das 130 km/h erreichte. Solche Tempi vertrug der Motor mit nur zweifach gelagerter Kurbelwelle normalerweise nicht, und das Ganze schadete mehr, als es nützte. Die ehrlich erreichte Spitzengeschwindigkeit von 112 km/h war nichtsdestoweniger ganz respektabel.
Spät im Jahre 1933 erhielt der J2 lange, geschwungene Kotflügel und Trittbretter, aber ein Ersatzmodell war schon unterwegs. Der Typ P war, insgesamt besehen, ein stärkerer Wagen. Die dreifach gelagerte Kurbelwelle war eine schon überfällige Verbesserung. Im übrigen wurde der Rahmen leicht verlängert und allgemein verstärkt, hinten wurden nun hydraulische Stoßdämpfer eingesetzt, der Motor erhielt eine flexible Aufhängung, und die neue Morris-Lenkung ersetzte die bisher verwendete Marles-Ausführung. Alle Karosserien besaßen nun Trittbretter. Eine ungewöhnliche Ausführung war das Airline-Coupé mit dem modischen Fließheck, das Zelluloidfensterchen im Dach aufwies (solche fanden sich auch bei den Magnette-Saloons). Die Spitzengeschwindigkeit stieg auf 122 km/h, wobei die Reisegeschwindigkeit etwa 95 km/h betrug und der Wagen von 0 auf 80 km/h in 17 Sekunden beschleunigte. Vom ursprünglichen Typ PA wurden rund 2000 Wagen gebaut. Der letzte der «Nockenwellen»-Midget-Reihe war der Typ PB im Jahre 1935, der eine Antwort auf die Her-

12

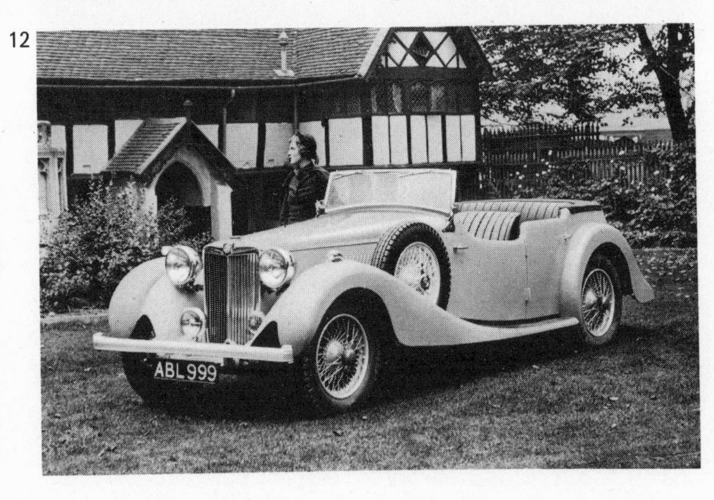


11 MG 2-Liter Typ SA mit Tickford-Cabriolet-Karosserie. Aus der Vogelschau zeigen sich die herrlichen Proportionen — aber auch der beängstigende Überhang vorne und hinten. Die Gesamtlänge des Wagens betrug fast 4,9 m (1938).

12 MG 2-Liter Typ SA mit serienmäßiger Tourenkarosserie von Charlesworth (1938).

ausforderung durch den Singer 972 cm³ Le Mans Nine bedeutete. Kimber und Charles begnügten sich damit, die Kabelzugbremsen beizubehalten, obgleich Singer bei seinen Sportmodellen hydraulische Bremsen einsetzte. Der Motor jedoch wurde auf 939 cm³ Hubraum (60 × 83 mm) vergrößert, und die Leistung kletterte weiter auf 43 PS. Ein verbessertes Armaturenbrett und ein Kühlersteinschutz aus senkrechten Stäben unterschieden den neuen PB vom früheren PA. In weniger als zwölf Monaten wurden 526 Wagen verkauft. Die letzten Ausführungen der 746-cm³-Rennreihe waren die Typen Q und R der Jahre 1934/35. Der letztgenannte war ein Monoposto-Rennwagen ausschließlich für Rennstrecken und bemerkenswert vor allem wegen seiner unabhängigen Radaufhängung vorne und hinten. Der Typ Q war eine Miniaturausführung des K3 Magnette. Sein Motor besaß ein zusätzliches Kurbelwellenlager, Magnetzündung und einen Zoller-Kompressor. Der Wagen hatte ein Wilson-Viergang-Vorwählgetriebe. Mit seinen 113 PS lief er mühelos über 160 km/h. Normalerweise erhielt dieser Wagen jedoch keine elektrische Einrichtung, aber etwa sieben Exemplare wurden für den Straßengebrauch umgebaut.

In der Zwischenzeit hatte der Wolseley-Sechszylinder-Hornet-Motor mit 1271 cm³ Hubraum aus dem Jahre 1930 zu einer Mode der Miniatur-Sechszylindermotoren geführt. Im Sommer 1931 lancierte MG den Typ F Magna. Der Motor entsprach im wesentlichen dem Hornet, mit Königswelle nach Wolseley-Art und obenliegender Nockenwelle, vier Kurbelwellenlagern und Thermosyphonkühlung, unterstützt durch einen Ventilator. Das Fahrgestell kann als verlängertes Typ-D-Chassis beschrieben werden, mit einem Radstand von 2,4 m. Das Resultat war ein hübscher kleiner Wagen, der sogar in Coupéform nur 1,35 m hoch war. Er erreichte bei einer Hinterachsuntersetzung von 4,78:1 eine Geschwindigkeit von 112 km/h, aber mit den verfügbaren 37 PS war er kaum ein Wagen von überragender Fahrleistung. Ursprünglich wurden nur ein Tourenwagen und ein Coupé angeboten, aber der F1 wurde später durch den F2 ergänzt, und dieser erhielt eine Zweisitzerkarosserie ähnlich jener des Typs J2. Die Produktion erreichte 1250 Einheiten und dazu nochmals 576 Wagen des L-Typs (1933/34). Diese hatten Zylinderköpfe mit gegenüberliegenden Einlaß- und Auspuffkanälen wie der Typ J, Doppelscheibenkupplungen und elektrische SU-Benzinpumpen. Der Hubraum war auf 1087 cm³ reduziert worden. Magna-Wagen wogen etwa 895 kg, und ihre Preise betrugen zwischen 250 und 345 Pfund, je nach Aufbau.

Wenn der Magna lediglich ein sportlicher Wagen war, so bildete das Modell Magnette bereits ein weit ernster zu nehmender Vorschlag. Es erschien im Oktober 1932. Die 171 Wagen der Tourenwagenserie K bilden jedoch eine recht komplizierte Geschichte für sich. In der kurzen Zeitspanne bis Anfang 1934 verwendete MG zwei verschiedene Motoren (den 1271-cm³-Typ KD und den 1087-cm³-Typ KA/KB), Zwei- und Dreivergaseranlagen, Viergangnormal- und -vorwählgetriebe (letzteres mit im Wagenboden montiertem Wählhebel) und zwei verschiedene Radstandlängen (2,75 m für Saloons und Tourenwagen und 2,405 m für den mit Hecktank ausgerüsteten Zweisitzer Typ K2). Alle frühen Magnette unterschieden sich von den Magna durch Pumpenkühlung, Magnetzündung und 330-mm-Bremstrommeln anstelle der kleineren 305-mm-Ausführung. Der

13

**13** Der letzte der großen Sechszylinderwagen von MG, der 2,6-Liter Typ WA mit Tickford-Cabriolet. Dieses Modell ist an dem seitlich montierten Reserverad und dem leicht keilförmigen Kühler zu erkennen (1939).

**14** MG Midget TA mit Tickford-Cabriolet-Karosserie (1939).

Magnette-Saloon war eine pfostenlose Ausführung, wog 1059 kg und erreichte 112 km/h Geschwindigkeit im 4. und 88 km/h im 3. Gang. Um die Verwicklung noch zu vergrößern, wurden einige der frühen Typ-N-Wagen mit übriggebliebenen Karosserien aus der K-Reihe versehen!

Von der N-Reihe gab es auch wieder Untervarianten, doch wurden immerhin größere Stückzahlen gebaut, nämlich 738 Wagen zwischen 1934 und 1936. Der Motor besaß 1271 cm³ Hubraum, hatte nunmehr Spulenzündung und eine Leistung von 57 PS. (Sonderbarerweise gaben die Verkaufskataloge von MG dem Typ N einen um 1 mm größeren Hubraum und einen um 16 cm³ größeren Inhalt. Vermutlich ging es darum, die Gerüchte zu entkräften, daß es sich hier erneut um ein auf dem Hornet basierendes Triebwerk handle!) Die Wagen des Typs N hatten die gleichen grundsätzlichen Chassisverbesserungen wie die P Midgets. Einscheiben-Trockenkupplung und normales Getriebe waren serienmäßig eingebaut. Es waren ausgezeichnete und schnelle Tourenwagen. Sie erreichten 130 km/h mit einem eher langen 3. Gang (100 km/h) und einem Benzinverbrauch von ungefähr 11,7 l/100 km. Der Rennsportwagen Typ NE (72 PS) war ein ausgesprochener Werkswagen für die Tourist Trophy 1934, welche damit gewonnen wurde. Der Typ KN dagegen war ein Saloon, für den man die mechanischen Teile des Typs N und Fahrgestelle des K1 mit langem Radstand verwendete, um die überzähligen Karosserien aufzubrauchen.

Alle diese Modelle waren Straßenausführungen (ausgenommen der NE). In den Jahren 1932 bis 1934 hatte jedoch die Firma ihren höchstentwickelten Straßenrennwagen mit obenliegender Nockenwelle, den Typ K3 Magnette, hergestellt. Sein Preis betrug nur 795 Pfund gegenüber einem solchen von über 1500 Pfund für einen ERA und dem noch teureren Maserati. In jenen Tagen schloß der Preis auch die Kotflügel, Scheinwerfer, Anlasser und Doppelhorn ein. Der Motor hatte einen Hubraum von 1086 cm³, doppelte Ventilfedern, einen Powerplus-Flügelkompressor, der direkt an der Nase der Kurbelwelle angetrieben wurde, ein Verdichtungsverhältnis von 6,2:1 und entwickelte etwa 120 PS. Der SU-Vergaser befand sich vorne beim Kompressor, und diese Wagen besaßen Magnetzündung und das

14

Wilson-Vorwählgetriebe des Typ-K-Tourenwagens. Der Rahmen war kreuzverstrebt. Die frühen Karosserien hatten den flachen Hecktank, später wurden diese durch solche mit dem klassischen «Bordino»-Rennspitz, wie er auch beim Vierzylinder Typ Q verwendet wurde, ersetzt.

Ein normal für den Straßenverkehr zugelassener K3 wog 920 kg und erreichte mit der Hinterachsuntersetzung von 4,89:1 eine Spitzengeschwindigkeit von 170 km/h. Wenn er rennmäßig eingesetzt wurde, konnte man im Bereich von 200 km/h denken. Der Wagen machte einen hervorragenden Eindruck, als damit die ersten Plätze der 1100-$cm^3$-Klasse an der Mille Miglia von 1933 gewonnen wurden – und dies gegen die wild ankämpfende Konkurrenz der Maserati. Doch der Markt für Rennwagen «von der Stange» war bescheiden, und insgesamt konnten nur 33 Exemplare verkauft werden.

Mit einer so ausgezeichneten Erfolgsliste – die auch internationale Klassenrekorde mit den spezialisierten «Magic Midget» und «Magic Magnette» umfaßte – schien eine blühende Zukunft gesichert. So war es denn auch, allerdings nicht in der Richtung, die man 1934/35 erwartet hätte.

An diesem Wegkreuz verkaufte Lord Nuffield (der frühere W.R. Morris) die MG Car Company, die sein persönlicher Besitz gewesen war, an die Morris Motors Ltd, und damit wurde ein Rationalisierungsprozeß eingeführt. Als erstes mußte das Werksrennprogramm dranglauben. Im Sommer 1935 war diese Aktivität eingestellt, und damit wurden auch die Modelle K3, Q und R beiseite gestellt. Schlimmer noch, ein Jahr später wurden alle Modelle mit obenliegenden Nockenwellen gestrichen.

Der Typ-SA-Zweiliterwagen (sein wirklicher Hubraum betrug 2,3 Liter) war typisch für die neue Linie. Dieser lange, niedrige Sports-Saloon – er maß 4,9 m von Stoßstange zu Stoßstange – behielt das gute Aussehen der früheren geschlossenen MG-Wagen bei, doch unter der Haut war es eigentlich ein Wolseley. Sein Motor mit den Abmessungen 69,5 × 102 mm, der vierfach gelagerten Kurbelwelle und der Ventilbetätigung über Stoßstangen und Kipphebel sowie der Pumpenkühlung war eine Schöpfung von Wolseley. Die zwei SU-Vergaser wurden durch doppelte elektrische SU-Benzinpumpen versorgt. Man kehrte zurück zu der alten Morris-Plattenkupplung im Ölbad. Das Vierganggetriebe hatte immer noch den nach rückwärts versetzten Ganghebel, aber nun waren die drei obersten Gänge synchronisiert. Die hydraulischen Lockheed-Bremsen waren sehr wirksam. Der Wagen erhielt vorne und hinten hydraulische Stoßdämpfer und das Morris-Fingerlenkgetriebe. Mit 3,125 m besaß dieser Wagen den längsten von MG bislang gebauten Radstand. Neben dem eleganten viertürigen Sports-Saloon gab es bald ein Cabriolet von Salmons-Tickford und einen viertürigen Tourenwagen von Charlesworth.

Der SA war leise, geschmeidig und schnell. Die Spitzengeschwindigkeit belief sich auf 130 bis 135 km/h, was eine mühelose Reisegeschwindigkeit von 110 km/h ergab. Daneben war seine Eleganz nicht nur äußerlich, wie das polierte Kupferarmaturenbrett bewies. Der Wagen erhielt eingebaute Wagenheber und doppelte Überholscheinwerfer. Er war mit seinen 1500 kg auch nicht so fürchterlich schwer, aber leider infolge der Getriebeabstufung nicht besonders sportlich. Wegen Verzögerungen in der Produktion war der rivalisierende 2½-Liter-SS-Jaguar schon fest auf dem Markt eingeführt, als die ersten MG SA im Frühling 1936 aus dem Werk in Abingdon tröpfelten. Unter diesen Umständen war der Gesamtverkauf von 2738 Wagen dieses Typs bis Ende 1939 recht bemerkenswert.

Der Zweiliter-MG ebnete den Weg für das Schwestermodell VA mit dem 1½-Liter-Vierzylinder-Motor (69,5 × 102 mm, 1548 $cm^3$) und schließlich auch für den 1939 lancierten 2,6-Liter-WA mit Sechszylindermotor (73 × 102 mm). Dieser besaß eine Trockenscheibenkupplung, Kolbenstoßdämpfer, zwei Bremshauptzylinder und einen kreuzverstrebten Rahmen. Hier wurde auch erstmals der leichte Spitzkühler, den man nach dem Krieg beim Typ YA mit 1½-Liter-Motor wiederfinden sollte, eingeführt. Der MG WA hatte eine verbesserte Getriebeabstufung und war ein ganz ausgezeichnetes Auto, das 145 km/h lief. Trotz allem war das Erzeugnis schließlich nichts anderes als ein frisierter Wolseley, und dies in einem Umfang, daß in dem von der Fabrik für die Verkäufer herausgegebenen Katalog genaue Erklärungen gedruckt werden mußten, wie man mit einem Kunden zu verfahren hatte, der diese Einstellung annahm! Infolge Kriegsausbruchs wurden vom WA nicht mehr als 369 Wagen verkauft, doch der VA war mit 2407 verkauften Exemplaren in drei Jahren ein verhältnismäßig guter Erfolg, wenn man berücksichtigt, daß der Saloon 27 Pfund mehr kostete als der OHV-SS-Jaguar. Dazu trug sicherlich auch bei, daß MG einen offenen Tourenwagen anbot, während SS-Jaguar kein solches Modell im Programm hatte.

Es war natürlich unvermeidlich, daß auch ein Midget mit OHV-Motor folgen würde, und dies passierte im Juni 1936. Der Typ TA wurde mit Schreien der Entrüstung begrüßt, die in seltsamem Widerspruch stehen zu der Wertschätzung nach dem Weltkrieg und den gegenwärtigen hohen Preisen, die für den TA und seine Nachfolger bezahlt werden. Der Radstand wurde auf 2,4 m verlängert, und der neue Wagen erhielt alle Verbesserungen des Modells SA, eingeschlossen die hydraulischen Bremsen und das Synchrongetriebe. (Einige der frühesten Wagen hatten allerdings noch unsynchronisierte Getriebe.) Der Motor war eine Zweivergaserausführung des langhubigen 10/40-Wolseley ($63{,}5 \times 102$ mm, 1292 $cm^3$), der recht ordentliche 50 PS bei 4500 U/min leistete. Der Wagen war glücklicherweise nicht viel schwerer als seine Vorgänger, und so betrug die erreichbare Spitzengeschwindigkeit gesunde 125 km/h. Eine ganze Sekunde schneller beschleunigte der neue Wagen von 0 auf 80 km/h als der Midget PA. Noch wichtiger war der Umstand, daß der neue Wagen immer noch 222 Pfund wie der PA kostete. Die Bruderschaft der Sport-Trials zog nach wie vor den MG mit obenliegender Nockenwelle vor, da dieser auch kürzer untersetzt war, aber der TA fand bald viele Freunde.

Knapp vor dem Kriegsausbruch erhielt er einen neuen, kurzhubigen 1250-$cm^3$-Motor, der auf dem Morris Ten der M-Serie basierte und eine völlig ausgewuchtete Kurbelwelle besaß. Die höchstzulässige Drehzahl stieg auf 5200 U/min, und gleichzeitig wurde ein neues Getriebe mit synchronisiertem 2. Gang eingebaut. Es wurden nur 379 von diesen MG TB gebaut, zusätzlich zu den 3003 TA, die schon produziert worden waren, aber das Modell sollte nach dem Krieg wiederauferstehen, und zwar als weltberühmter MG TC.

# Railton *Der erste der sportlichen Euro-Amerikaner*

Der Railton ist ein besonderes Phänomen. Viele Großbritannier stellen seinen klassischen Status in Frage, indem sie darauf hinweisen, daß unter dem eleganten und aristokratischen Äußern «ein Klumpen Detroit-Eisen» verborgen sei. Was noch schlimmer ist, nicht nur der Motor, sondern auch die übrigen mechanischen Elemente sind, mit nur geringfügigen Änderungen, von Hudson. Der Wagen hat jedoch eine historische Bedeutung als Vorläufer, und zwar nicht nur der ersten Generation von Anglo-Amerikanern (Brough, Lammas, Allard) in der zweiten Hälfte der dreißiger Jahre, sondern auch der fabelhaften «Grandes Routières» der sechziger Jahre – dem schweizerischen Monteverdi, den Italienern de Tomaso und Iso, dem französischen Facel und den britischen Jensen und Gordon-Keebles.
Sir Oliver Lyle, berühmt geworden durch seine Invicta, hat einmal bemerkt, daß «der Railton ein viel besserer Invicta sei, als es der Invicta je war». Wenn er dabei die Fahrleistungen im obersten Gang meinte, so hatte er recht. Die indirekten Gänge waren fast gänzlich überflüssig. Ein früherer Kritiker sprach davon, den Londoner Stoßzeitverkehr ohne Gangwechsel geschafft zu haben, und die Zahlen des durchgeführten Straßentests zeigten, daß die Verwendung des 2. Ganges nur eine einzige Sekunde für die Beschleunigung von 50 auf 80 km/h einbrachte.
Der Railton war auch viel billiger. Sogar der bereits stark zurückgesetzte Preis des Invicta Typ A von 1931 war immer noch 795 Pfund, während der Listenpreis

1

**1** Railton mit der vielleicht beliebtesten Karosserie, dem Fairmile-Cabriolet (1934–35).

**2** Railton Serie I mit Achtzylindermotor und Saloon-Karosserie (1935).

des Railton-Tourenwagens im Jahr 1933 nur 499 Pfund betrug. Dazu kam, daß seine technische Primitivität so gut wie keine Schwierigkeiten brachte. Der mit Tauchschleuderschmierung arbeitende Hudson-Reihen-Achtzylinder-Motor war bei anhaltend geforderten 4500 U/min und mehr ganz zufrieden. Nicht daß solche Drehzahlen oft benötigt wurden. Das gute Leistung/Gewicht-Verhältnis war ebenfalls ein Vorzug, und der leichte Hudson-Rahmen besaß Vorteile gegenüber der traditionellen britischen «Schlachtschiff»-Bauweise, die bestens dafür geeignet war, jede normalerweise aufgestellte Lebenserwartung bei weitem zu übertreffen.

Railton führte das weiter, was Invicta aufgeben mußte. Die Geldgeber waren Noel Macklin und L. A. Cushman mit dem berühmten Konstrukteur Reid Railton als Berater. Die Montage erfolgte in den alten Invicta-Werkstätten in Cobham. Der Name Railton gab übrigens dem Wagen nicht nur ein gewisses «Cachet», sondern er erlaubte auch eines der Wortspiele, für die sich die Engländer so begeistern können. 1934 förderte die National Railway (Staatliche Eisenbahn) den Verkauf mit dem Slogan «It's Quicker By Rail» (Es ist schneller auf der Schiene), auf den Cobham erwiderte: «It's quick-EST by Rail-TON» (Es ist am schnellsten mit dem Railton). Mit einer Spitzengeschwindigkeit von 145 km/h und einer Beschleunigung von 0 auf 100 km/h in weniger als 10 Sekunden stimmte das wahrhaftig! Das Aussehen war klassisch und britisch. Der Wagen besaß die lange, kantige Motorhaube mit den von Invicta her bekannten Nieten, ein längliches Markenschild wie der Invicta und einen Kühler im Stil des Invicta – allerdings nun mit leichter Keilform. Das Armaturenbrett war ebenfalls im Stil britischer Wagen angefertigt, und das gleiche galt für die Karosserien. Taktvoll mußte man die mit Muttern befestigten Drahtspeichen- oder Scheibenräder ignorieren. Darunter wurde sehr wenig getan. Der Rahmen war um 5 cm tiefer gelegt, die halbelliptischen Federn wurden verstärkt, und André-Stoßdämpfer mit Fernverstellung kamen zum Einbau. Die Spritzwandlinie war dem Bo-

2

den etwa 11 cm nähergerückt – und das bedeutete bereits alles.

Die ersten Railton waren natürlich nicht auf dem Hudson Eight mit 4168 $cm^3$ Hubraum aufgebaut, sondern auf dem kleineren und weniger bekannten Terraplane (Essex) von 1933. Dieser Wagen besaß ebenfalls einen Reihen-Achtzylinder-Motor, aber mit einem Hubraum von 4 Litern und einer Leistung von 94 PS. Wie der Hudson hatte auch dieses Triebwerk stehende Ventile, fünf Kurbelwellenlager und Tauchschleuderschmierung. Es wurde eine zweite Zündspule beigefügt, aber man ließ das Dreigang-Synchrongetriebe und die dauerhafte nasse Hudson-Plattenkupplung unverändert. Die Bendix-Bremsen wurden über Kabelzüge betätigt. Alles in allem keine gerade sehr aufregende Sache. Immerhin war der Achtzylinder-Terraplane einer der wenigen billigen Amerikaner Wagen, die in Sichtweite zu einem der frühen Ford V8 bleiben konnten.

Das geringe Gewicht bedeutete Erfolg für den Railton. Der ursprüngliche Tourenwagen von 1933 wog nur 1020 kg gegenüber den 1189 kg des serienmäßigen Terraplane 8, sogar wenn dieser mit englischer Spezialtourenkarosserie versehen war. Die Karosserien ähnelten jenen von Invicta. Dem offenen Tourenwagen wurde ein etwas kantiger, viertüriger Saloon mit gewebebezogenem Dach und vorstehendem Koffer und später ein viersitziges Cabriolet, der Fairmile, beigefügt. Nur

3

sechs auf dem Terraplane basierende Wagen wurden gebaut.
Ab 1934 wurde der 4,2-Liter-Hudson-Motor serienmäßig eingebaut, und der Radstand erfuhr eine Verlängerung von 2,87 auf 2,946 m. Ebenfalls erhältlich für diese Wagen der ersten Serie war Hudsons nicht besonders erfolgreiche unabhängige «Axle-Flex»-Vorderradaufhängung mit geteilter Achse. Allerdings wurde sie nicht zu oft eingebaut, weil die kleine Firma sich mit dem zufriedengeben mußte, was Detroit erübrigen konnte. Der Listenpreis von 499 Pfund für einen Railton-Tourenwagen war recht attraktiv im Vergleich zu jenem von 795 Pfund für den neuen Lagonda M45 oder 875 Pfund für den immer noch erhältlichen Typ S Invicta und 1380 Pfund für den 3½-Liter-Bentley-Viersitzer aus Derby. Wenn auch auf einem geraden Straßenstück nicht ganz so schnell wie der Invicta und der Lagonda und bestimmt etwas durstiger als der Bentley (17,5 l/100 km), bot der Railton eine hervorragende Beschleunigung: aus dem Stillstand auf 80 km/h in 7,2 Sekunden und von 80 auf 100 km/h in 5 Sekunden unter Verwendung des 4. Ganges. Der lange und an eine Weidenrute erinnernde Hudson-Schalthebel mochte nicht gefallen, aber der Railton sah blendend aus und hatte «Dampf».

Die Jahre 1935 und 1936 bedeuteten den Zenit der Marke, und es wurden denn auch 377 respektive 308 Wagen ausgeliefert. Die Verbesserungen umfaßten eine 12-Volt-Anlage sowie das normale Extrazubehör, wie eingebaute Wagenheber, seitlich montierte Reserveräder, Nebellampen und Doppelhorn. Im Spätjahr 1935 wurden der Reihe eine Version mit langem Radstand (die «Country-Club»-Serie von Hudson) beigefügt und verschiedene Limousinen gebaut. University Motors, der Londoner Vertreter der Marke (sie verkauften auch MG), offerierte einen ausgewachsenen Siebensitzer. Der Schauspieler Jack Hulbert besaß ein Landaulett, und Oberst Rippon von der Karosseriefirma in Yorkshire gewann mit einer prachtvollen und aufwendig ausgerüsteten Tourenlimousine in Metallic-Blau den «Concours d'Elégance» des Jahres. Dieser Wagen existiert immer noch.

Wie Invicta ließ auch Railton ihre Karosserien auswärts bauen. Darunter waren die Firmen Coachcraft (eine Abteilung von University Motors), Carbodies und REAL. Der Cobham Sports-Saloon war der beliebteste Stil der im Katalog gezeigten Karosserien. Anfänglich

**3** Die bauchigeren Linien kennzeichneten den Cobham Saloon von 1936. Es war dies das erste Jahr, daß die Railton-Wagen hydraulische Bremsen erhielten.

**4** Railton Eight Sandown Saloon. Dieses Modell wurde auch von den Flying Squads von Scotland Yard eingesetzt (1937–38).

4

wurde dieser Aufbau durch Carbodies hergestellt, später übergab man die Aufträge dafür Coachcraft. Wie die Park-Ward-Karosserie für den Bentley wurde auch diese mehrmals überarbeitet. Die erste Ausführung 1934 war noch kantig und wurde nach einem Jahr durch eine kurvenreichere Version mit seitlich montierten Reserverädern ersetzt. Die Karosserie für 1936 erhielt ein Blechdach und eine geschwungene Dachlinie mit völlig einbezogenem Kofferraum. Mitte 1937 kamen die modischen Rasiermesserkanten zum Zug.

Im Jahre 1935 erschien ein wirklich aufregender Railton, nämlich der offene Light Sport mit knapper und einfacher Viersitzer-Tourenkarosserie. Magnetzündung, sonst ein Extrazubehör, wurde serienmäßig eingebaut, und das Gewicht war auf nur noch 950 kg zusammengeschrumpft. Mit einer Hinterachsuntersetzung von 3,3:1 erreichte dieses Modell eine Spitzengeschwindigkeit von 171 km/h. Auf 80 km/h beschleunigte der Wagen in etwas über 6 Sekunden, und auf 160 km/h benötigte er 41 Sekunden. Ohne Kotflügel und Scheinwerfer umrundete er die Brooklands-Piste mit 179,472 km/h, aber er war sehr teuer, und es wurden nur vier Exemplare gebaut.

1936 begann die Zersetzung. Railton-Limousinen waren an sich schon ein Widerspruch. Zwar leisteten die normalen Hudson-Serientriebwerke nun 124 PS, und hydraulische Bremsen gehörten zur Normalausrüstung, aber das Gewicht war angestiegen, was sich auch auf die Preise auswirkte. Ein Cobham Saloon der Serie II kostete 645 Pfund. Das Gewicht war der Schlüssel zu der ganzen Geschichte. Die Hersteller von Spezialautomobilen auf der Basis von amerikanischen Großserienwagen hatten keine von dem Lieferwerk angebotene «Hochleistungspakete» wie in den sechziger Jahren zur Verfügung. So mußten sie die von Detroit im betreffenden Jahr gelieferten Motoren bestmöglich für die gesuchten Fahrleistungen einsetzen. Gewisse mechanische Anpassungen wurden durch die Notwendigkeit diktiert. Nachdem die Exportmodelle von Hudson für das Jahr 1936 das «electric-hand»-Halbautomatengetriebe serienmäßig eingebaut erhielten, sproß aus dem Wagenboden des Railton (natürlich immer noch mit normalem Getriebe versehen) ein wenig präziser fernbedienter Schalthebel.

Solche improvisierten Automobile waren jedenfalls keine gültige Antwort auf die Anstrengungen von William Lyons von SS. Im Oktober 1935 lancierte Lyons den ersten Jaguar mit hängenden Ventilen. Der 2,7-Liter-Motor leistete 104 PS. Dieser Wagen besaß die gleiche Spitzengeschwindigkeit wie der Railton, wenn auch nicht dessen Beschleunigungsvermögen. Dazu kam ein gutes Vierganggetriebe, und das alles für viel weniger Geld. Auch die Steuern waren in Großbritannien günstiger, war doch der Jaguar als 20 HP eingestuft, während der Railton 29 Steuer-PS aufwies. Als Lyons für das Jahr 1938 mit einem 3½-Liter-Modell aufrückte, war das Schicksal von Railton, Lammas und Brough Superior besiegelt.

Railton strengte sich sehr an. Der Radstand wurde 1937 um 4 cm verlängert. Ein neuer Carter-Doppelvergaser steigerte die Motorleistung etwas, aber leider nicht genügend, um das Mehrgewicht von 146 kg, das die Wagen seit 1935 angesetzt hatten, auszugleichen. Railton konterte mit einigen billigeren Claremont-Cabriolets und Sandown-Saloons auf dem kurzen Chassis. Obgleich diese Saloons zahlreich bei der London Metropolitan Police im Einsatz standen, machte dies auch nicht mehr viel aus. Nach 1937 waren offene Tourenwagen nur noch auf spezielle Bestellung erhältlich.

Es wurden verschiedene Versuche unternommen, sowohl die Steuer-PS als auch die Jaguar anzugreifen. 1938 gab es einen billigeren Sandown mit 2,972 m Radstand und dem 2,7-Liter-Sechszylinder-Motor des billigsten Exportmodells von Hudson Terraplane. Leider war seine Leistung von nur 76 PS nicht gerade aufsehenerregend, und der Wagen kostete nur 50 Pfund weniger als der 3½-Liter-Jaguar. Einige späte Cochams mit Rasiermesserkanten, ausgerüstet mit dem 3,3-Liter-Sechszylinder-Motor von 101 PS, wurden 1939 noch gebaut. Die Lieferungen waren jedoch um diese Zeit nur noch sehr spärlich. Eine Ausgefallenheit waren die Railton Ten. Es handelte sich dabei um maßstabgetreu verkleinerte Cobhams und Fairmiles auf einem nicht veränderten 10-HP-Standard-Fahrgestell. Sie wurden in den Jahren 1938 und 1939 angeboten. Angeblich wurde dieses Modell entwickelt in einem Versuch, die Töchter von Macklin von ihren Fiat Topolino wegzulocken. Insgesamt wurden nur 50 Exemplare verkauft.

# Rolls-Royce *Der beste Wagen der Welt verkaufte sich auch in schwierigen Zeiten*

Die betrübliche Sache an Rolls-Royce ist, daß kaum eine der Legenden wahr ist. Die «Spirit-of-Ecstasy»-Kühlerfigur, geschaffen von Charles Sykes auf Bitte von John Lord Montagu of Beaulieu, wurde nicht ausgesprochen nach Eleanore Thornton, der Privatsekretärin des Barons, modelliert. Die Farbe des Kühlerabzeichens wechselte im Jahre 1933 von Rot auf Schwarz – doch nicht aus Trauer über den Tod von Sir Henry Royce, der Wechsel fiel bloß mit seinem Ableben zusammen. Es ließ sich auch nicht nachweisen, ob ein älteres Mitglied der Direktion wirklich gesagt hatte «Sogar unsere Fehler sind wunderschön», obzwar diese Anekdote wenigstens einen Hauch von Wahrheit in sich birgt. Man sollte auch die letzten Silver Ghost der klassischen Periode nicht als prachtvolle Dinosaurier vom Kaliber der amerikanischen Locomobile-48-Wagen abtun.

Zugegeben, was man im Jahre 1925 kaufen konnte, war bereits seit 1906 da. In den dazwischenliegenden Jahren waren aber sorgfältige Neuerungen und Anpassungen vorgenommen worden. Einmal wurde der Hubraum vergrößert (1909), zweimal das Getriebe geändert (zuletzt im Jahre 1913) und einmal eine neue Hinterachsaufhängung geschaffen (1911). Andere Verbesserungen betrafen die Kurbelwelle, das Brennstoffsystem, die Zündung und die elektrische Anlage, aber das ist nur die Spitze des Eisbergs.

8000 Silver Ghost zu verkaufen ist schon an sich eine eindrückliche Leistung. Ehe die Version der zwanziger Jahre als eine Antiquität lächerlich gemacht wird, ist es wohl am Platz, sich daran zu erinnern, daß dieser Wagen genau der Idee von Luxusfahrzeugen im Jahre 1906 entsprach. Damals war die Fahrleistung im obersten Gang zu einer Besessenheit geworden, und dieser Faktor sollte bis zum Ende der Produktion vorherrschen. Qualität hatte absoluten Vorrang, auch wenn der Versuch von Claude Johnson, eine fortwährende Garantie einzuführen (*alle* nachträglichen Änderungen sollten *gratis* ausgeführt werden, solange der Wagen im Erstbesitz verblieb), energisch durch seine Direktionskollegen unterdrückt wurde. Sogar das Konservative des Modells muß unter dem Blickwinkel betrachtet werden, daß Royce es ablehnte, irgendwelche Neuerungen einzuführen, die nicht bereits gründlich im Einsatz erprobt worden waren. So kam es, daß elektrische Anlasser in Derby nicht vor 1919 serienmäßig eingebaut wurden. Nicht daß dies eine Rolle gespielt hätte, denn ein guter Ghost konnte zuverlässig «auf den Schalter» angelassen werden, außer wenn es Stein und Bein gefroren war.

Was 1919 angeboten wurde, verkörperte das Beste, was man 1914 erhielt, und dazu einige Gewichtseinsparungen innerhalb des Triebwerks (z. B. Aluminiumkolben), die Früchte der Erfahrungen während der Kriegszeit mit Flugzeugmotoren und von der Fabrik eingebaute elektrische Beleuchtung und Anlasser.

Das Triebwerk war ein klar konzipierter seitengesteuerter Sechszylinder-Reihenmotor mit den Abmessungen

von 114 × 121 mm, entsprechend einem Hubraum von 7428 cm³. Die sechs Zylinder waren in zwei Blöcken gegossen, und die Köpfe waren nicht abnehmbar. Die siebenfach gelagerte Kurbelwelle war druckumlaufgeschmiert und besaß einen Schwingungsdämpfer. Ein Watford-Magnet und eine Spule schafften die Funken für zwölf Zündkerzen. Das Benzin wurde dem Zweidüsen-Rolls-Royce-Vergaser immer noch mittels Luftdrucks zugeführt, die Vakuumförderung wurde nicht vor 1924 eingeführt. Das Kühlsystem besaß eine Wasserpumpe und einen Ventilator. Die vier Gänge des separat montierten Getriebes wurden mittels rechts angeordneten Kulissenschalthebels gewählt. Daneben umfaßte die Kraftübertragung eine Konuskupplung, die im Schubrohr geführte Kardanwelle und den gradverzahnten Hinterachsantrieb. Allerdings wurden bereits kurz nach dem Krieg spiralverzahnte Antriebskegel- und Tellerräder eingeführt. Beide Bremsen wirkten auf die Hinterräder, und während vorne Halbelliptikfedern verwendet wurden, gelangten hinten Cantilever-Federn zum Einbau. Vorläufig baute man nur vorne ein

1 Amerikanischer Rolls-Royce Silver Ghost aus dem Jahre 1923 mit Salamanca-Permanent-Town-Car-Karosserie.
Zu beachten: der Wagen hat noch Rechtslenkung.

2 Nicht gerade der aufgeräumteste Motorraum. Silver Ghost (1923).

3 Dieser frühe Rolls-Royce 20 HP besitzt nur Hinterradbremsen und trägt eine Zweisitzerkarosserie von Cockshoot, Manchester.

3

Paar Reibungsstoßdämpfer ein. Der Radstand betrug 3,64 m, wobei eine längere Version mit 3,82 m auf Wunsch ab 1923 geliefert werden konnte. Durch die Inflation der Jahre 1919 bis 1920 schwankten die Preise, aber ein ausgewogener Preis von etwa 3000 bis 3400 Pfund für einen kompletten Wagen dürfte der Zeit angemessen gewesen sein. Rolls-Royce baute natürlich keine Karosserien, sie würden dies auch weiterhin – bis 1946 – nicht tun, und die Bilder in ihren Katalogen waren nichts anderes als allgemeine Richtlinien. Mit einer vernünftigen Karosserie erreichte ein Silver Ghost etwa 115 km/h, und recht häufig betrug der Brennstoffverbrauch nur 17,5 l/100 km. In den frühen zwanziger Jahren war der Kauf eines solchen Wagens eine sichere, wenn auch nicht spektakuläre Investition.

Ab 1920 wurden Silver Ghost auch in Springfield in den USA gebaut, und diese waren wirklich echte amerikanische Erzeugnisse. Nur die Kurbelwellen wurden bis zuletzt eingeführt. Bei den frühen Modellen fand man auch britische Räder und elektrische Anlagen. Die Springfield-Wagen wurden nach den gleichen hohen Maßstäben hergestellt. Von 1924 an begannen sie sich jedoch von den englischen Modellen zu unterscheiden. Es wurden eine 6-Volt-Anlage sowie doppelte Spulenzündung ohne Magnet eingebaut. Am wichtigsten jedoch war der Einsatz eines Dreiganggetriebes mit Mittelschalthebel, der durch die gleichzeitige Einführung der Linkslenkung erforderlich geworden war.

Bei den britischen Silver Ghost gab es zwischen 1919 und 1923 keine wesentlichen Änderungen, aber im Spätjahr 1922 brach Rolls-Royce mit ihrer Einmodellpolitik, die schon seit 1907 verfolgt worden war.

Die Gründe waren wirtschaftlicher Natur. In der Krise von 1921 schmolz der Markt für wirklich große Wagen dahin. Obgleich Derby den Sturm besser überstand als ihre Rivalen, gibt es Anzeichen dafür, daß eine Anzahl unverkaufter Fahrgestelle in der Fabrik verblieben und verschrottet werden mußten. Man hatte das Gefühl, es bestehe ein Markt für einen Wagen in Rolls-Royce-Qualität in der halben Größe und zum halben Preis des großen 40/50 HP. So wurde der Twenty geboren, Vorfahre der heutigen Rolls-Royce- und Bentley-Wagen.

4

Hier war also ein modernes Automobil mit einem Monoblock-OHV-Motor mit abnehmbaren Zylinderkopf, Vakuum-Brennstoffförderung, Einscheiben-Trockenkupplung und Hotchkiss-Hinterachsantrieb auf einem Fahrgestell mit 3,275 m Radstand, das komplett zu einem Preis von ungefähr 1600 Pfund verkauft werden sollte. Beibehalten wurden die siebenfach gelagerte Kurbelwelle sowie die von Rolls-Royce gebauten Vergaser und elektrischen Anlagen. Der Hubraum des neuen Motors betrug 3127 $cm^3$, und die Leistung wurde mit etwa 53 PS veranschlagt. Das war im Jahre 1922 nicht schlecht, denn damals leisteten die amerikanischen Sechszylindermotoren mit 4 Liter Inhalt in der Regel nur etwa 60 PS.
Der Rolls-Royce Twenty zog allerdings ein beträchtliches Maß an Schimpf und Schande auf sich. Das mit dem Motor verblockte Getriebe mit nur drei Vorwärtsgängen war nach Meinung der Fanatiker eine Ketzerei – schlimmer noch, eine solche im Stile von Detroit –, was auch für die einfache Spulenzündung zutraf. Andere beklagten das Fallenlassen des Rolls-Royce-Reglers, der auf eine vorausbestimmte Reisegeschwindigkeit eingestellt werden konnte. (Er war eigentlich dem «Cruise Control» von Cadillac ähnlich, nur daß er etwa ein halbes Jahrhundert früher erschien!) Dieser Regler sollte bei den späteren Phantom-Modellen bis 1933 überleben. Moderne Kritiker haben den Twenty als blutarm abgetan, dies aufgrund seiner Spitzengeschwindigkeit von 95 km/h und seiner sehr bescheidenen Beschleunigungswerte.
Was oft vergessen wird, ist, daß damals die Besessenheit nach Leistung im obersten Gang immer noch vorhanden war. Der Twenty konnte alle seine Aufgaben erfüllen, ohne daß, von seltenen Ausnahmen abgesehen, hinuntergeschaltet werden mußte. Er verbrauchte sehr wenig Benzin: etwa 13,6 l/100 km. Verständlicherweise wurde in Springfield keiner dieser Wagen gebaut, die Amerikaner liebten ihre Klassiker im Großformat. Versuche von Firmen wie Leon Rubay und Brewster, kompaktere Stadtwagen für die Elite anzubieten, fanden keinen Anklang.
Im Jahre 1924 entschloß sich Henry Royce schließlich, Vierradbremsen einzuführen. Er wählte dafür die von Hispano-Suiza geschaffene Ausführung mit Servounterstützung, angetrieben durch das Getriebe. Diese Bremsen sollten ohne wesentliche Änderungen bis ins Jahr 1939 verwendet werden. (Sogar dann traute die Firma den hydraulischen Anlagen nicht ganz, weshalb der Silver Wraith die hydraulisch-mechanische Ausführung von 1946 erhielt.) Dieses neue Bremssystem wurde beim Twenty im Jahre 1925 eingebaut, und gleichzeitig paßte man ihn dem großen Bruder an, indem er Doppelzündung, einen zusätzlichen Vorwärtsgang und rechtsliegende Schaltung erhielt.
Die 40/50-HP-Reihe anderseits erhielt 1925 hängende Ventile, und zwar im «New Phantom» (Phantom I). Im wesentlichen war dies ein Silver Ghost mit einem neuen 7,7-Liter-Motor mit abnehmbaren Zylinderköpfen. Unterscheidbar war das neue Modell durch die senkrechten Kühlerjalousiestäbe, die beim Twenty erst 1928 eingesetzt wurden. Das Fahrgestell blieb praktisch unverändert, und der Phantom I erhielt bald den unglücklichen Ruf für schlechtes Fahrverhalten, da die Cantilever-Federn allerhand merkwürdige Dinge machten, wenn der Wagen schnell gefahren wurde. Es ist ebenfalls unglücklich, daß dieses Modell zeitlich mit einer Periode zusammenfiel, in welcher die britischen Spezialkarosseriefirmen «häßliche» Aufbauten herstellten. Die hydraulischen Stoßdämpfer, die 1927 ringsum montiert wurden, trugen nämlich viel dazu bei, daß die Fehler in der Straßenhaltung ausgemerzt werden konnten. Mit den 1928 eingeführten Motoren mit Aluminiumzylinderköpfen war es möglich, mit offenen Wagen eine Höchstgeschwindigkeit von 145 km/h zu erreichen. Der Verkauf von 2212 Wagen – dazu noch 1241 weitere in Springfield – war nichtsdestoweniger sehr eindrücklich.
Alle Rolls-Royce-Wagen, die im Oktober 1929 an der Olympia-Show in London gezeigt wurden, waren neu, wenn auch nicht in überragender Weise. Unter dem Zwang zunehmenden Gewichts mußte Royce den Motor des Twenty auf 3,7 Liter Hubraum (82,55 × 114,3 mm) vergrößern. Sein Radstand dagegen

4 Aus dem Stratford Motor Museum: ein Rolls-Royce Phantom I mit Tourenkarosserie von Barker in unlackierter Aluminiumausführung. Der ursprüngliche Besitzer war der frühere Premierminister des indischen Fürstentums Hyderabad (1926).

5

6

7

wurde erst 1930 von 3,275 auf 3,38 m verlängert. Das daraus resultierende Modell 20/25 war indessen nicht nur von großer Bedeutung als Basis für die künftige Bentley-Erneuerung im Jahre 1933, sondern es war der meistverkaufte Rolls-Royce der Zwischenkriegszeit. Die Ablieferungen betrugen 3827 Fahrgestelle zwischen 1929 und 1936. Im Vergleich dazu wurden in einer ungefähr vergleichbaren Zeitspanne vom Twenty 2940 Chassis produziert.

Sogar in den siebziger Jahren bleibt der 20/25 ein gebrauchstüchtiges Selbstfahrerautomobil oder eine kleine Luxuslimousine für Gesellschaftsanlässe. Bei einem Gewicht von etwa 1800 kg erreicht man damit unter günstigen Umständen 115 km/h bei einer Reisegeschwindigkeit von 95 bis 100 km/h, und der Brennstoffverbrauch liegt bei 14 l/100 km. Die bei diesem Modell im Verlaufe seiner Produktionszeit von sechs Jahren realisierten Verbesserungen betrafen unter anderem die Synchronisation der beiden oberen Gänge im Jahre 1932. Damit war es der erste vollständig in Großbritannien hergestellte Wagen, der mit einem solchen Getriebe ausgerüstet war. Gleichzeitig wurden thermostatisch kontrollierte Kühlerjalousien und eine Zentralchassisschmierung beigefügt – letztere war wieder so eine Einrichtung und Neuerung, der man bei Rolls-Royce nicht ganz traute, weshalb man 1930 ein Gruppenschmiersystem einführte. Die letzten 20/25 erhielten einen hypoidverzahnten Hinterachsantrieb und eine Borg & Beck-Kupplung. Der Rolls-Royce-Vergaser jedoch blieb bis zum Ende der Produktion erhalten. Der Wechsel zu einem Fallstrom-Stromberg-Vergaser folgte zusammen mit der zweiten Vergrößerung des Zylinderinhalts (Bohrung 88,9 mm, 4,25-Liter) im Januar 1936. Dieses Modell erhielt die Bezeichnung 25/30, und insgesamt wurden davon 1201 Exemplare fertiggestellt.

5 Rolls-Royce Phantom I mit Landaulett-de-Ville-Karosserie von Nordbers Vagnfabrik, Stockholm (1928).

6 Derby Speedster auf dem amerikanischen Rolls-Royce-Phantom-I-Chassis — eine der schönsten Schöpfungen von Brewster (1929).

7 Der überraschende zweitürige Sports Saloon «Windswept» von Brewster auf einem amerikanischen Rolls-Royce-Phantom-I-Fahrgestell (1930).

Ebenfalls im Jahre 1929 traten die großen Sechszylindermodelle in die letzte Phase ihrer Karriere, und zwar als prachtvolle Phantom II – und dies mit einer neuen Herrlichkeit von Karosserien. Für diesen neuen Wagen wurde der Zweiblockmotor mit 7,7 Liter Hubraum und hängenden, über Stoßstangen und Kipphebel gesteuerten Ventilen beibehalten. Die Leistung blieb mit geschätzten 120 bis 140 PS oder lediglich 16 PS pro Liter Hubraum recht bescheiden. Der 8-Liter-Bentley brachte es auf 28 PS und der Duesenberg J gar auf 39 PS pro Liter. Das Vierganggetriebe wie auch die vom Phantom I ererbte Einscheibenkupplung wurden nun mit dem Motor verblockt. Ebenfalls abgelöst wurde der alte Rahmen vom Typ der Silver Ghost, und zwar durch eine neue und niedrigere Konstruktion mit halbelliptischen Federn hinten und vorne und einen hypoidverzahnten Hinterachsantrieb. Die Geschwindigkeitsuntersetzungen waren enger gestuft, und – das war vorauszusehen – das Fahrverhalten war wesentlich verbessert. Die Phantom II sind vielleicht nicht ganz so leise wie die Phantom I, aber sogar Limousinen überschreiten 130 km/h, und die berühmten Continental-Wagen waren gut für 155 bis 160 km/h Spitzengeschwindigkeit.

Die Continental-Entwicklungen eines Wagens, der von H. I. F. Evernden für Henry Royce selber konstruiert worden war, sind erkennbar an ihren niedrigeren Lenksäulen, der besseren Aufhängung und Hartford-Stoßdämpfern mit Fernverstellung. Üblicherweise findet man auch Nockenwellen mit höherem Hub, aber die Fortsetzung der seitlichen Entlüftungsschlitze der Motorhaube in die Seitenteile hinter der Spritzwand ist an sich kein Merkmal eines Continental, obgleich fast alle so verziert wurden. Für diese Wagen wurde das kurze Fahrgestell mit einem Radstand von 3,658 m verwendet. Die Phantom II wurden in gleicher Weise wie die 20/25 geändert. 1934 figurierten thermostatisch betätigte Kühlerjalousien, fernverstellbare Stoßdämpfer und die Einführung der Synchronisation unter den beigefügten Verfeinerungen. Die letzten Phantom II hatten auch einen 2. Gang mit Synchronisation.

Der Phantom II wurde nie in Springfield, wo die Wirtschaftskrise verhängnisvolle Folgen hatte, hergestellt. Obgleich die amerikanische Firma im Jahre 1925 einen

Gewinn von 519 000 Dollar auswies und der jährliche Ausstoß vier Jahre später mit 350 Wagen seinen Höhepunkt erreichte, war die Unternehmung nie lebensfähig. Es gibt einen scharfen Unterschied zwischen dem Verkauf eines teuren ausländischen Importwagens in den USA und dessen Herstellung (komplett mit den grundsätzlichen fremden Spezifikationen) im Lande selber. Die in Springfield hergestellten Silver-Ghost-Wagen waren nicht nur sehr teuer, sie waren den örtlichen Gegebenheiten auch nicht angepaßt. Die Aufhängung erwies sich als für die schlechteren amerikanischen Straßen ungeeignet, und das gleiche galt auch für den Rolls-Royce-Thermostat, der mit den extremen Temperaturen Amerikas nicht zurecht kam. Vor den Tagen der Hispano-Servobremsen war die Zweiradausführung des Ghost den Bremsanlagen seiner Rivalen unterlegen. Allein die Qualität war keine Versicherung gegen Mißgeschicke, und die Serviceeinrichtungen waren sowohl kostspielig als auch beschränkt – ganz im Gegensatz zu jenen von Cadillac, Lincoln oder Packard. Der Erwerb von Brewster & Co. im Jahre 1926 garantierte Springfield die feinsten Karosserien, aber mit dem Einsetzen der Krise hatte die Beschaffung neuer Werkzeuge, Vorrichtungen und Lehren für den Phantom II keine Zukunft mehr. Phantom I tröpfelten bis 1931 immer noch aus der amerikanischen Fabrik, anschließend mußte Brewster jedoch sein Können an zwei speziellen Serien von Phantom II (AJS und AMS), die in Derby hergestellt worden waren, beweisen. Diese hatten Linkslenkung und den Mittelschalthebel – allerdings natürlich mit dem normalen Vierganggetriebe.

Um 1935 hatte der 40/50-Sechszylinder-Rolls-Royce die Grenzen seiner Möglichkeiten erreicht, und die Firma kündigte den Phantom III an, der mit einem Miniaturflugzeugtriebwerk bestückt wurde. Es war dies ein V12-Motor mit hängenden, über Stoßstangen und Kipphebel betätigten Ventilen mit den Abmessungen 82,55 × 114,3 mm (7,3-Liter), der etwa 165 PS leistete. Die beiden Blöcke standen in einem Gabelwinkel von 60 ° zueinander und besaßen Leichtmetallköpfe und hydraulische Ventilanpasser – also keine eigentlichen hydraulischen Stößel. Der Motor war mit Doppelspulenzündung und einem Doppelvergaser mit zwei elektrischen Benzinpumpen ausgerüstet. Das Vierganggetriebe war nun wieder separat eingebaut, um die Gewichtsverteilung zu verbessern und die Kardanwelle kurz zu halten. Der Hypoidantrieb und hinten die Halbelliptikfedern des Phantom II wurden beibehalten. Das Fahrgestell war jedoch mit einer kreuzverstrebten Konstruktion und einer unabhängigen Vorderradaufhängung mit eingekapselten, im Ölbad laufenden Schraubenfedern völlig neu konzipiert. Auch die vorderen Teleskopstoßdämpfer waren umschlossen.

Der Radstand des Phantom III maß 3,658 m, und das Chassis wog 1822 kg. Komplett aufgebaute Wagen brachten rund 2,6 Tonnen auf die Waage. Wie beim früheren Bentley-8-Liter war auch der neue Wagen gegen das Gewicht der Karosserien nahezu immun. Eine siebensitzige Limousine, die der Presse zur Würdigung überlassen wurde, erwies sich als in der Lage, 145 km/h zu erreichen, und die Beschleunigung von 0 auf 80 km/h wurde mit 12,6 Sekunden gemessen. Die Geschmeidigkeit und Geräuschlosigkeit war in höchstem Maße vorhanden, und die Lenkung war leichtgängig ohne die übermäßig niedrige Übersetzung, die man bei so vielen amerikanischen Klassikern vorfindet.

**8** Frühes Phantom-II-Coupé de Ville von Gangloff, Genf.

**9** Rolls-Royce Phantom II mit Weymann-Coupé-Karosserie (1931).

**10** Die Stromlinienform machte sich 1934 bemerkbar. Zu beachten sind die Abdeckschürzen der hinteren Räder bei diesem Sports-Saloon von Barker auf einem Rolls-Royce-20/25-HP-Chassis.

**11** Rolls-Royce Phantom II mit Torpedo-Cabriolet-Karosserie von Thrupp and Maberly für Seine Hoheit von Rajkot, Indien. Der Wagen ist mit insgesamt 14 nach vorne gerichteten Lampen ausgestattet, wovon zwei sich mit den Vorderrädern drehen, wie dies bei einigen Citroën-DS-Modellen der Fall ist. Das prachtvolle Gefährt ist in poliertem Aluminium und Safrangelb gehalten und mit dem Continental-Motor mit Spezialnockenwelle ausgerüstet. Wie man bei einem ausgesprochenen Repräsentationswagen dazu kam, muss man sich fragen. Jedenfalls wurde der Double-Six-Daimler des Königs von England nicht mit einem Kompressor ausgerüstet!

**12** Dieser «schockierende» Rolls-Royce wurde vom Karossier Henri Binder am Pariser Salon von 1936 ausgestellt. Überraschenderweise hatte er diese Karosserie auf einem älteren Phantom-II-Fahrgestell und nicht auf dem neuen Zwölfzylinder-Phantom-III-Chassis aufgebaut.

**13** Einzelausführung eines Cabriolets von Barker auf einem Rolls-Royce-25/30-HP-Chassis (1937).

8

CARROSSERIE
G.GANGLOFF S.A.
GENEVE

9

10

BY APPOINTMENT
BARKER
COACHWORK

11

12

4964YB4

13

BY APPOINTMENT
BARKER
COACHWORK

Was den Phantom III zu Fall brachte, war seine Komplexität. Ein Rolls-Royce-Spezialist sagte einmal: «Das Entfernen eines Zylinderkopfes kostet 1000 Pfund. Wenn Sie den andern entfernen, können Sie bloß beten.» Besonders die hydraulischen Stößel forderten regelmäßige Pflege, andernfalls wurden ihre Kolben durch den Ölschlamm blockiert. (Spätere Wagen hatten «feste» Stößel, und viele der frühen Motoren wurden im nachhinein durch die Fabrik umgebaut.) Etwa 710 Phantom III wurden hergestellt, die letzten besaßen die gleichen Schnellganggetriebe, wie sie bei den 4¹/₄-Liter-Bentley von 1939 eingebaut wurden.
Das letzte neue Vorkriegsmodell von Rolls-Royce war der Wraith von 1938 mit einem überarbeiteten 25/30-Motor und -Getriebe in einem maßstabgetreu verkleinerten Phantom-III-Fahrgestell mit der gleichen unabhängigen Vorderradaufhängung. Der längere Radstand von 3,48 m trug dazu bei, daß der Wagen etwas schwerfällig wirkte. Allerdings gaben die zusätzlichen Zentimeter den Karossiers genügend Spielraum, um das neue Rasiermesserkantenthema zu entwickeln, das von Freestone and Webb im Jahre 1935 lanciert worden war. Das Wraith-Chassis diente als Basis für die Nachkriegsmodelle Silver Wraith.

Ein interessanter Aspekt der Rolls-Royce-Szene in den späten dreißiger Jahren waren die «Rolls-Royce-Replikas», wie sie durch Londoner Firmen wie Compton und Southern Motor Company angeboten wurden. Dies waren keineswegs Replikas im modernen Sinne des Begriffs. Die Fahrgestelle waren Exemplare mit geringer Kilometerleistung aus den Jahren 1925 bis 1930 (normalerweise des Modells 20, doch wurden auch einige Phantom und frühe 20/25 so behandelt). Da ihr Marktwert durch schwerfällige und überholte Herrschaftskarosserien verdorben war, wurden diese weggeworfen. Die Chassis jedoch wurden mittels moderner Kühlerjalousien und 19-Zoll-Rädern im damals üblichen 25/30-Stil verjüngt. Aufgebaut wurden sodann Sports-Saloon oder Cabrioletkarosserien in bester 1937/38-Ausgabe, und solche Wagen konnten nur mit Mühe von den neuesten Schöpfungen von Park Ward oder H. J. Mulliner unterschieden werden. Dabei kosteten sie nur etwa einen Viertel des Preises jener Wagen. Springfield hatte übrigens Mitte der zwanziger Jahre ein ähnliches Vorgehen gewählt. Ein Brewster-Aufbau – der Playboy-Roadster – wurde in der Tat entwickelt, um auf diese Weise verwendet zu werden, und er wurde für gewöhnlich nicht auf neue Chassis montiert!

**14** Sedanca de Ville für den Maharadscha von Jaipur auf einem Rolls-Royce-Phantom-III-Zwölfzylinder-Fahrgestell. Dieser Wagen kehrte Anfang der siebziger Jahre nach England zurück, nachdem weniger als 40 000 km damit gefahren worden waren (1937).

14

**15** Rolls-Royce 25/30 HP Sports Saloon (1938).

**16** Während des Zweiten Weltkrieges wurden die Rolls-Royce-Wraith-Limousinen häufig vom britischen Generalstab gefahren. Der abgebildete Wagen hat eine Park-Ward-Karosserie (1939).

**17** Die spezialisierten Karosseriefirmen unterstützen die Schönheitswettbewerbe. Ein Rolls-Royce Wraith mit Messerkantenkarosserie von Young, hier in Brighton (1939).

15

16

17

# **SS** *Wofür die Initialen standen, wurde nie entschieden ... aber der SS schuf eine der Erfolgsgeschichten seines Jahrzehnts*

Nur wenige neue Marken wurden während der großen Wirtschaftskrise von 1929 bis 1933 lanciert. Noch weniger wurden weltberühmt, und unter diesen war der SS von William Lyons die bedeutendste und größte Marke.

Lyons, der Sohn eines Klavierhändlers aus dem Meerbadeort Blackpool in Lancashire, spannte mit William Walmsley, dessen Vater ein Kohlenkaufmann war, zusammen. (Er löste sich im Jahre 1935 aus der Partnerschaft.) Gemeinsam lancierten sie eine Reihe zeppelinförmiger Motorrad-Seitenwagen, deren Karosserie aus poliertem Aluminium bestand. 1927 hatte Lyons sein Tätigkeitsfeld auf Automobile ausgeweitet und offerierte einen kurvenreichen Zweisitzer-Sportwagen auf dem Austin-Seven-Chassis. Dieser Wagen zeichnete sich durch einen rundnasigen Kühler aus, der ein wenig an jenen des eben eingestellten Morris-Bullnose-Modells erinnerte. 1928 folgte ein noch hübscherer zweitüriger Saloon. Lyons ging dabei, für femininen Geschmack, aufs Ganze. Er benutzte dazu solch stilistische Tricks wie die dem Auburn ähnliche «Federspitzen»-Farbtrennung (sie wurde schon von Carbodies bei einigen zweitürigen Sports-Saloon auf Alvis-Fahrgestellen verwendet) und leuchtende Farbtöne (Hell- und Dunkelblau; cremefarbig und Grün), die in lebhaftem Gegensatz zu den Braun-, Marineblau- und Kastanienbrauntönen standen, wie sie von den meisten britischen Massenproduzenten bevorzugt wurden. Ein Jahr später hatte er die gleiche Behandlung solch billigen Wagen wie dem Fiat 509 A, dem Standard Big 9 und dem Swift 10 angedeihen lassen. Mit der Einführung von Wolseleys Miniatur-Sechszylinder-Modell im Jahre 1930, dem Hornet, sollte er sportliche offene Zwei- und Viersitzerkarosserien auf diesem Chassis in seine Angebotsreihe aufnehmen. Bis zum Jahre 1928 waren die Swallow-Geschäfte (dies war der Name, den man den Seitenwagen und den nachfolgenden Erzeugnissen gab) so erfolgreich, daß ein Umzug nach Coventry gewagt werden konnte. Gleichzeitig wurde auch der Firmenname in «Swallow Sidecar and Coachbuilding Co. Ltd» geändert. Das Wort «Sidecar» wurde 1931 aus der Firmenanschrift völlig fallengelassen, obgleich die Herstellung von Seitenwagen noch bis 1939 fortgesetzt wurde. Lyons exportierte sogar Seitenwagen. Eine ganze Anzahl wurde in der Schweiz dank der Verwendung des Hayward-Universal-Chassis, welches eine Montage rechts oder links vom Motorrad erlaubte, durch Emil Frey (später Jaguar-Importeur) verkauft.

Lyons gefiel der traditionelle Standard-Kühler mit seinen Schultern nicht, und so stellte er eine stärker gerundete Ausführung mit einer Mittelrippe her. Dieser neue Kühler wurde in etwas geänderter Form auch von Standard selber bei ihren normalen Wagen des Jahres 1931 verwendet. Diese Firma sollte dem jungen Karossier auch den Start für eine ernsthafte Automobilproduktion ermöglichen.

Am oberen Modellende hatte Standard im Jahre 1931 ein Paar vielversprechender Sechszylinderwagen. Diese

1 SS I Sports Saloon (1934).

Motoren hatten die Abmessungen 65,5 × 101,6 mm, (2054 cm³) und 73 × 101,6 mm (2554 cm³), eine siebenfach gelagerte Kurbelwelle und stehende Ventile. Während die technischen Eigenheiten nicht besonders auffielen, erwarben sie bald den guten Ruf hoher Zuverlässigkeit. Schon offerierte Avon von Warwick attraktive sportliche Coupés und eine offene Zweisitzerversion. Diese Karosserien waren von zwei zukünftigen Automobilherstellern, den Gebrüdern Richard und Alan Jensen, entworfen worden. Lyons Angebot im Jahre 1931 bestand im Gegensatz dazu aus einem ausgewachsenen Viersitzer-Saloon auf dem 2,1-Liter-Standard-Fahrgestell. Der Stil ähnelte den früheren Ausführungen auf den Austin- und Fiat-Chassis. Diese Standard Swallow von 1931/32 wurden als solche angeboten und sollten nicht mit der eigentlichen SS-Wagen-Reihe verwechselt werden. Diese begann an der London Show 1931 mit den gezeigten Modellen für 1932.

Es wurde schon viel spekuliert über den Ursprung der Initialen SS: «Standard Special», «Standard Swallow», «Swallow Sports» und andere, weniger schmeichelhafte Vorschläge wurden gemacht. Tatsache ist, daß Sir William Lyons sich zu diesem Thema nie bestimmt geäußert hat, und sicher ist auch, daß es in den Tagen vor Hitler treffende Initialen waren. Schließlich hatte Cecil Kimber einen ausgezeichneten Ruf um das MG-Achteck herum aufgebaut...

In den Vorankündigungen versprach Lyons etwas «völlig Neues... Anderes... Besseres, etwas Langes... Langes... sehr Niedriges und sehr Schnelles». Doch niemand war wirklich bereit für das blendende Zweisitzercoupé auf dem Swallow-Ausstellungsstand in Olympia. Inspiriert war der neue Wagen mit seinem kleinen, sauberen, keilförmigen Kühlergrill am vorderen Ende der sehr langen Motorhaube ganz klar durch den L29 von Cord. Hinten thronte über der Achse das kleine Hundehäuschen von einem Sportcoupé mit Landauer-Sturmstangen und Gewebedach, und zuhinterst fand sich ein kleiner Kofferraum. Motorradkotflügel und das Fehlen von Trittbrettern verschafften dem Ganzen einen noch sportlicheren Hauch. Zum erstenmal schnappten die Besucher beim Anblick des Preises von 310 Pfund nach Luft. «Wie zum Teufel», so fragten sie sich, «bringt das Bill Lyons fertig?» (Sie würden die gleiche Frage in der Zukunft noch oft stellen, über die ersten Jaguar-Modelle, die XK 120, den Mk VII und die Sechs- und Zwölfzylinder-E-Typen.)

Wie die Jensen-Gebrüder hatte auch Lyons ein Standard-16-Chassis genommen, jedoch mit einem wichtigen Unterschied: Der unter den Achsen hindurch ge-

2

3

führte Rahmen mit doppelter Kröpfung und mit der außerhalb den Längsträgern liegenden vorderen Aufhängung wurde zwar durch Standard hergestellt, exklusiv aber nur an Swallow geliefert. Diese Abmachung sollte schließlich dazu führen, daß alle Anstrengungen von Avon abgewehrt werden konnten. Nachdem sich die Gebrüder Jensen selbständig gemacht hatten, engagierten sie den Franzosen C. F. Beauvais. Seine Avon-Standard-Wagen waren sogar noch attraktiver, aber er mußte immer noch die normalen, serienmäßigen Standard-Rahmen verwenden, und das «lange, niedrige Aussehen» konnte nur angedeutet werden. Im weiteren besaß Avon keine mechanische Werkstätte (wie sie bei SS ab 1935 vorhanden war) und konnte deshalb auch keine zusätzlichen PS aus dem Standard-Serienmotor herauslocken.

Nicht daß der SS I in seiner ursprünglichen Form stark frisiert gewesen wäre: der Zweilitermotor mit seiner 12-Volt-Spulenzündung und Thermosyphonkühlung entwickelte nur 48 PS, und das verblockte Vierganggetriebe war ein normaler Standard-Bauteil. Der kurze Schalthebel war indessen nach hinten versetzt. Es wurden die üblichen Bendix-Kabelzugbremsen eingesetzt. Das Triebwerk war etwa 15 cm weiter hinten im Rahmen gelagert, und an Stelle der serienmäßigen Standard-Räder mit Mutternbefestigung traten Drahtspeichenräder mit Zentralverschluß. Weit wichtiger war jedoch, daß der neue Wagen um 33 cm tiefer auf dem Boden stand als der 16 HP Standard Saloon.

Der SS I war auch nicht «sehr schnell», ausgenommen wenn man ihn mit zeitgenössischen 2-Liter-Familienkutschen verglich, die man schon ordentlich schinden mußte, um 100 km/h zu erreichen. Das neue Modell dagegen lief 115 km/h, und mit dem 20-HP-Motor von 2554 cm³ Hubraum, der ab Anfang 1932 auf Wunsch eingebaut werden konnte, war er noch schneller. Nach den Maßstäben der damaligen Zeit (und nicht mit heutigen Augen betrachtet) waren die Straßenhaltung und die Kurvenfestigkeit «bewundernswert». Der Verkauf von 776 Wagen im ersten Jahr war ermutigend.

Neben dem SS I offerierte Swallow natürlich eine Miniaturversion mit Vierzylindermotor, den SS II, der ein ähnliches Chassis, basierend auf dem Standard Little Nine, mit 1052 cm³ Hubraum erhielt. So wie die Dinge lagen, mußte sich dieser Wagen der Konkurrenz von Triumph, Riley und Hillman mit ihrem ebenso aufsehenerregenden Aero Minx stellen. Der SS II war nie so überragend in seiner Klasse, wie dies bei den Sechszylindermodellen der Fall war. Trotz anschließender Weiterentwicklung mit 10- und 12-HP-Mechanik von Standard (1,3- resp. 1,6-Liter) und des Vorzugs einer günstigen Steuerklasse wurde daraus nie ein Bestseller. Das Modell wurde bis 1936 weitergebaut. In vier Jahren konnten insgesamt 1796 Exemplare verkauft werden – in der gleichen Zeit fanden 4255 SS I ihre Kunden.

Mit den SS-Modellen des Jahres 1933 tauchten einige wichtige Stiländerungen auf. Die Dachlinie wurde niedriger gestaltet, um den Eindruck eines Hundehüttchens zu vermeiden, unterstützt durch lange, geschweifte Kotflügel und ordentliche Trittbretter. Auf der mechanischen Seite gab es gleichfalls einige Änderungen: Leichtmetall-Zylinderköpfe wurden eingeführt, SU- oder RAG-Vergaser ersetzten die ursprünglichen Solex-Geräte, und größere Kühlkörper wurden eingebaut, um den Gefahren der Überhitzung entgegenzuwirken. Die Armaturenbretter wurden verstärkt und der Rahmen kreuzverstrebt. Die neuen Wagen waren nun auch ausgewachsene Viersitzer, wobei hinten armsesselähnliche Sitze das Problem des störenden Kardantunnels bei einem so niedrigen Chassis meisterten. Der Radstand wurde von 2,845 auf 3,023 m verlängert, und die niedrigere Schwerpunktlage verbesserte die Straßenhaltung.

Schon fand der SS seinen Weg ins Ausland: in acht europäischen Ländern, eingeschlossen die Schweiz, gab es Vertretungen. Er wurde zusehends zum Liebling in der Welt der Bühne und der Leinwand und gewann Schönheitswettbewerbe in verschiedenen Ländern. Ein wichtiger Mann vom Radio trieb die Fabrik schier zur

2 Der Rennfahrer Brian Lewis am Steuer des Prototyps SS 90 im Jahre 1935. Die Serienausführung erhielt dann den außenliegenden Benzintank.

3 2½-Liter-SS-Jaguar-Tourenwagen. Hier wurden die gleichen Karosserien und Kotflügel verwendet wie beim vorhergehenden Modell mit seitengesteuertem Motor. Es handelt sich um einen Wagen, der nach Amerika exportiert wurde. Damals wurde natürlich noch keine Linkslenkung angeboten (1936).

Verzweiflung mit seinem weißen Coupé, welches er nach jedem Sieg ins Werk zurücksandte, um es (unter Garantie) neu spritzen zu lassen. (Die Fabrik antwortete darauf, indem sie jedem Kunden, der einen weißen oder cremefarbenen Wagen haben wollte, 10 Pfund extra abnahm!)

Obgleich ein attraktiver Sporttourenwagen auf dem SS-I-Fahrgestell vom Frühjahr 1933 an in der Liste aufgeführt war, mußte das Resultat immer noch als «Promenadewagen» bezeichnet werden. Es war demzufolge eine mutige Geste von seiten Lyons, ein Werksteam von SS I in der Internationalen Alpenfahrt des Jahres zu nennen. Die Kühlsysteme, die bei englischen Straßenverhältnissen genügten, erwiesen sich als ungeeignet für die Alpenpässe, und defekte Zylinderkopfdichtungen plagten die Wagen vom Start bis zum Ziel. Nur einer der drei Wagen erreichte das Ziel, und dies im Klassement der Dreiliterkategorie mit seinem 8. Platz recht weit hinten. Der SS des schweizerischen Privatfahrers Koch beendigte die Prüfung auf dem 6. Platz. Unerschrocken waren die SS 1934 wiederum am Start, und trotz erneuter Kühlerprobleme und verzogener Zylinderköpfe schafften sie einen 3. Mannschaftsplatz und wurden nur durch die Adler und die englischen Talbot geschlagen.

Die Standard-Modelle des Jahres 1934 hatten ein Synchrongetriebe, das auch für die SS verwendet wurde. Die neuen Motoren besaßen Pumpenkühlung und einen auf 106 mm vergrößerten Kolbenhub, woraus ein Hubraum von 2143 und 2664 cm³ resultierte. Größere Bremstrommeln waren eine ebenso wichtige Verbesserung. Die neuen Karosserien waren als Sports-Saloon mit vier Seitenfenstern ausgebildet, immer noch mit zwei Türen, womit die Vorwürfe der Platzangst, welche dem Coupé gegenüber laut geworden waren, beseitigt werden konnten. Das Coupé selber wurde noch während eines weiteren Jahres gebaut. SS borgte ein Blatt aus dem MG-Buch, indem das Sechseckmotiv sowohl für die Armaturen als auch für das Kühlerabzeichen eingeführt wurde. Die Produktion, die sich im Jahre 1933 fast verdoppelt hatte und 1525 Wagen betrug, stieg erneut auf 1793 Exemplare.

1935 gab es keine dramatischen Anderungen. Allerdings wurde die Firmenbezeichnung erneut gewechselt, und zwar in S.S. Cars Ltd. Anläßlich der Automobilausstellung von 1934 war die Marke befördert worden, indem sie nicht mehr in der Abteilung für Spezialkarosserien, sondern in derjenigen für komplette Automobile einen Stand zugewiesen erhielt. Im übrigen wurde dem Werk eine mechanische Werkstätte beigefügt unter der Leitung von William M. Heynes von Humber. Dieser konnte auch auf die Ratschläge von Harry Weslake, den Experten für Zylinderköpfe, zurückgreifen. Die Wirkung machte sich rasch spürbar durch einen neuen Zylinderkopf, eine neue Nockenwelle mit höherem Hub und ein serienmäßig montiertes Zweivergaser-Ansaugrohr. Trotzdem wurden sogar dem 2,7-Liter-Motor nur bescheidene 68 PS zugebilligt. Die Liste des Zubehörs ging mit der Zeit: fest eingebaute Wagenheber, Radio und metallisierte Farbtöne. Ansprechende neue Karosserien umfaßten ein vierplätziges Cabriolet, das im Laufe des Jahres eingeführt wurde, und einen zweitürigen Fließheck-Airline-Saloon. Die Airline-Modelle mit ihren waagrechten Entlüftungsschlitzen in der Motorhaube und den beidseitig angebrachten Reserverädern in gespritzten Hüllen waren ohne Zweifel die schönsten der frühen SS-Wagen. Allerdings litten sie unter den ins Cockpit eindringenden Abgasen – ein Fehler, der (allerdings in geringerem Maße) bis in die Tage der Jaguar-Modelle auftreten sollte.

Immer noch waren diese Modelle «Promenadewagen», obgleich die Erfolge in der Alpenfahrt durch ebenso ausgezeichnete Leistungen in den nationalen Rallyes (allein sieben Auszeichnungen erster Klasse im RAC-Rallye von 1935) unterstrichen wurden. Lyons Ehrgeiz ging in die Richtung eines Tourenwagens mit einer Spitzengeschwindigkeit von 145 km/h.

Im Frühling 1935 kam der SS-90-Zweisitzer heraus. Motor und Getriebe waren gleich wie bisher. Zwar hatten Heynes und Weslake etwa 90 PS aus dem alten seitengesteuerten 20-HP-Motor herausgelockt, und die Getriebestufen waren höher und enger als bei den Saloon und Tourenwagen, aber das neue Spezialchassis mit einem Radstand von 2,641 m trug jetzt eine perfekt geformte Karosserie, für die Lyons mit Recht so be-

4 SS 100 3½-Liter Roadster (1938).

5 SS Jaguar 2½-Liter Saloon (1936).

4

5

rühmt war. Der Prototyp hatte noch ein abfallendes Heck und ein darin versenkt angebrachtes Reserverad. Was dann allerdings dem Publikum gezeigt wurde, war ein prachtvolles Beispiel einer «Le-Mans»-Karosserie mit flachem, hochgestelltem Tank, gebuckelter Stirnwand, herunterklappbarer Windschutzscheibe und langen, fließenden Kotflügeln. Fernverstellbare Stoßdämpfer wurden serienmäßig eingebaut, und der niedrige, breite Kühler mit seinem SS-90-Abzeichen war eine Vorahnung der Dinge, die da kommen sollten. Es wurden nur 23 Exemplare gebaut.

Die SS hatten bei ihren von Standard gebauten Sechszylindermotoren einen robusten und unverwüstlichen Unterteil. Die seitengesteuerten Ventile waren jedoch nichts für die Zukunft. Der nächste Schritt von Heynes-Weslake, nämlich eine Entwicklung von hängenden Ventilen und Betätigung über Stoßstangen und Kipphebel, war deshalb nur logisch. Diese Neuerung wurde mit dem Programm für 1936 eingeführt. Die Brennräume des Motors waren rautenförmig, und es wurden zwei SU-Vergaser montiert. Die Leistung stieg damit auf 104 PS bei 4500 U/min, was einen bedeutenden Schritt vorwärts bedeutete. Dieser Motor sollte die Basis für die SS-Jaguar-Motoren bis 1948 bleiben und unter den Motorhauben der Übergangstypen Mk V bis ins Jahr 1951 hinein überleben. Das Triebwerk war gleichzeitig einfach und anspruchslos, es überstand unsagbare Strapazen und viel Mißbrauch. Einige Jaguar-Wagen überlebten, zwischen großen Überholarbeiten, im Polizeidienst bis zu 400 000 km. Es hieß, die Pleuelstangen aus Dural würden bei ständig geforderten hohen Drehzahlen «verwelken», aber das passierte selten, ehe der Wagen seine 200 000 km auf dem Buckel hatte.

Dieser Motor und sein Viergang-Synchrongetriebe mit nach hinten versetztem Schalthebel waren nun die einzigen Bauteile, die von Standard für den Sechszylinder-SS hergestellt wurden. Rubery Owen lieferte die neuesten kreuzverstrebten Rahmen, und die stangenbetätigten Bremsen waren von Girling. Elektrische SU-Benzinpumpen (die beim Einsatz in den Bergen für die früheren SS I empfohlen worden waren) gehörten nun bei den OHV-Modellen zur Normalausrüstung.

Auf dieses Fahrgestell baute Lyons einen viertürigen Sports-Saloon mit vier Seitenfenstern und einbezogenem Kofferraum auf, dessen Proportionen unendlich viel besser waren als jene des SS I, der immer eine zu lange Motorhaube zu haben schien. Sein Aussehen erinnerte an den 3½-Liter-Bentley mit Park-Ward-Karosserie, und der Wagen trug nicht nur ein neues Kühlerabzeichen (kein Sechseck mehr), sondern auch einen neuen Namen: Jaguar. Die Jaguar-Kühlerfigur erschien allerdings erst ein Jahr später. Sie war die gemeinsame Arbeit des Pressechefs von SS, E. W. Ranklin, und des Künstlers Gordon-Crosby und entstand, nachdem Lyons über ein Stück Metallskulptur, das von einer Zubehörfirma angeboten worden war, recht ungehalten war.

Der Jaguar war ein Volltreffer. Wenn ihm auch die ausgezeichneten hydraulischen Bremsen des MG Typ SA fehlten, so hatte er dafür enger gestufte und bessere Untersetzungen und war schon Wochen nach seiner Einführung erhältlich, was man vom MG nicht sagen konnte. Die Spitzengeschwindigkeit lag ganz knapp unter 145 km/h, und für die Beschleunigung von 0 auf 80 km/h wurden 12 Sekunden benötigt. Auch der Brennstoffverbrauch war mit 13,6 l/100 km recht mäßig. Was noch wichtiger war, diese dem Bentley ähnliche Eleganz konnte man für 385 Pfund kaufen. Im Vergleich dazu kostete der Railton Serie II 645 Pfund und der von Bentley verbesserte Lagonda 4½-Liter über 1000 Pfund – beide mit der Saloon-Karosserie. Die Verkäufe schossen wieder auf 2469 Wagen hoch. Die SS-I-Reihe wurde noch während eines weiteren Jahres fortgesetzt, und zwar mit einem neuen, dem Jaguar ähnlichen Kühler. Die im alten Stil gehaltene Tourenkarosserie war auf Wunsch auch auf dem 2½-Liter-Jaguar-Chassis erhältlich. Daneben gab es noch einen nicht sonderlich bemerkenswerten Baby-Jaguar-Saloon mit dem seitengesteuerten Vierzylindermotor des Standard 12.

Auch der SS 90 wurde mit dem 104-PS-Motor mit hängenden Ventilen modernisiert. So entstand der legendäre SS 100, einer der meistgesuchten Sammlerwagen moderner Zeiten und ein Modell, von dem sowohl in Großbritannien wie auch in den USA Replikas auf den Markt gebracht wurden. Dies war ein Rallyesiegerwagen. Seine Karriere begann mit einem Gletscherpokal in der Alpenfahrt von 1936. Zu einem Preis, der weni-

6

7

8

ger als die Hälfte desjenigen seiner Konkurrenten – mit Ausnahme des BMW 328 – betrug, offerierte der SS 100 eine Spitzengeschwindigkeit von weit über 145 km/h und entsprechend gute Beschleunigungswerte, nicht zu sprechen von der selbstverständlichen Zuverlässigkeit des Jaguar-Motors. Unter den zufriedenen Kunden fand sich auch König Michael von Rumänien, der eines der ersten 3½-Liter-Modelle erwarb. Sonderbarerweise war er aber nur einer der 309 Erstkäufer – diese Gesamtzahl umfaßt sowohl die 2½- wie die 3½-Liter-Modelle.

Das Fahrverhalten des kurzen Fahrgestells war ein wenig unbestimmt, und Versuche, den SS 100 in Rennen einzusetzen, endeten oft mit den wunderlichsten Drehern, besonders bei nassen Straßen, aber der Wagen sah von allem Anfang an gut aus. Offiziell wurde der SS 100 mit völlig serienmäßigen Motoren ausgerüstet, doch zeigte die Firma auch ohne eine eigentliche Werkmannschaft viel Sympathien für die Rallyefahrer, und die Motorleistung wurde im Mittel mit 115 PS für das 2664-$cm^3$-Triebwerk in der SS-100-Ausführung angegeben.

Kleine Änderungen, wie größere Bremstrommeln, Kühler und Stoßdämpfer, P-100-Scheinwerfer sowie eine Verbreiterung des Fahrgestells hinten, um beim Saloon die Platzverhältnisse zu verbessern, genügten für die Saison 1937. Die Produktion stieg erneut auf 3554 Wagen. Der 2½-Liter-SS-Jaguar war Großbritanniens meistverkaufter Wagen in der 20-HP-Steuerklasse und rangierte vor seinem Ahnen, dem Standard Twenty, und der kleinkalibrigen englischen Version des Plymouth.

Auch im Jahre 1938 blieben die Jaguar-Modelle unverwechselbar. Der auffallendste Unterschied war, daß das Reserverad vom vorderen Kotflügel verschwand und in einem Fach unter dem Kofferraum einen neuen Platz fand. Versuche, dieses auf der Innenseite des Kofferdeckels zu montieren, waren nicht besonders erfolg-

**6** Das als Einzelanfertigung entstandene SS-100-3½-Liter-Coupé. Dieser Wagen wurde im Oktober 1938 auf der Automobilausstellung von Earls Court ausgestellt. Er existiert heute noch in England.

**7** SS Jaguar 3½-Liter-Cabriolet (1939).

**8** SS Jaguar 3½-Liter Saloon vor der SS-Fabrik kurz vor Ausbruch des Zweiten Weltkriegs (1939).

reich. Das Chassis war um 11 cm länger, die Karosserien wurden nochmals breiter, und das viersitzige Cabriolet, das nach 1935 fallengelassen worden war, erschien wieder in der Reihe. Noch wichtiger war, daß die Karosseriebauweise aus Holzrahmen und Blech einer Ganzmetallausführung Platz machte. Diese Umstellung verursachte einige Verzögerungen, was zur Folge hatte, daß die Jahreslieferung nur enttäuschende 2209 Wagen erreichte.

Das war jedoch der einzige enttäuschende Punkt in der ganzen Geschichte. Am unteren Ende der Reihe teilte der sogenannte $1\frac{1}{2}$-Liter die Karosserien der Sechszylindermodelle. In Wirklichkeit wurde hier eine OHV-Version des 14-HP-Standard-Motors mit einem Hubraum von 1776 cm$^3$ eingesetzt. Es war kein Leistungsriese, aber mit seinem günstigen Preis von 298 Pfund wurden damit alle vorherigen Verkaufsrekorde für ein einzelnes SS-Modell übertroffen. Bis zur Einstellung der Produktion Anfang 1949 wurden davon fast 13 000 Wagen verkauft. Der $2\frac{1}{2}$-Liter wurde weitergebaut, aber Lyons war nun zum Kampf mit den echten Klassikern bereit, und dies mit einem Modell, das mit Saloon-Karosserie in der Lage war, 150 km/h zu erreichen. Mehr noch: er offerierte diesen $3\frac{1}{2}$-Liter zu 445 Pfund und gab damit den Railton und deren Nachahmern den Gnadenstoß.

Im wesentlichen war der siebenfach gelagerte OHV-Motor mit den Abmessungen $82 \times 110$ mm (3485 cm$^3$) nichts anderes als ein vergrößerter $2\frac{1}{2}$-Liter, der bescheiden mit 125 PS gewertet wurde. Im übrigen erhielt der neue Motor einen Vergaser mit automatischem Choke. Eine besonders präparierte Ausführung für das SS-100-Rennsportmodell von T. H. Wisdom leistete allerdings mit Hilfe eines Verdichtungsverhältnisses von 12,5:1 seine 160 PS.

Der $3\frac{1}{2}$-Liter SS 100 war einer der schnellsten kompressorlosen Wagen, die man 1938 kaufen konnte. Die Spitzengeschwindigkeit betrug 160 km/h, und für die Beschleunigung von 0 auf 100 km/h benötigte man etwa 10 Sekunden. Trotzdem kostete der Wagen bedeutend weniger als 500 Pfund. Es wurden nur 117 Exemplare gebaut, darunter ein prachtvolles Coupé als Prototyp. Dieser dem Bugatti Atalante nicht ganz unähnliche Wagen wurde 1938 im Earls Court gezeigt. Dann gab es noch ein halbes Dutzend zweisitzige Cabriolets mit Spezialkarosserien von Newsome von Coventry. Das Coupé, das übrigens immer noch existiert, ist offensichtlich der Urahne des XK-120-Coupés, das 1951 in Genf anläßlich des Automobilsalons enthüllt wurde.

Mit ihrem Stand auf der Ausstellung in Belgrad im Jahre 1939 drang die Marke in den Balkan ein. Die letzten Spezialkarosserien auf fremden Chassis (Wolseley) waren 1933 ausgeliefert worden, und die Epoche Swallow war endgültig und wirklich vergessen. Demgegenüber nahmen sich jetzt einige Karosseriefirmen des SS-Jaguar-Fahrgestells an. Nur wenige dieser Sonderaufbauten konnten sich mit der Eleganz der im Werk gebauten Originalkarosserien messen. Es gab Cabriolets von Maltby in England und Langenthal in der Schweiz und sogar eine einzige Limousine mit Rasiermesserkanten auf dem $3\frac{1}{2}$-Liter-Chassis von Mulliner aus Birmingham für den Verwaltungsrat John P. Black von Standard sowie eine weitere von Freestone & Webb aus London.

Verständlicherweise war das Jahr 1939 für die meisten britischen Hersteller ein schlechtes Jahr, aber SS brachte es fertig, mit 5378 Wagen ein neues Rekordergebnis zu erzielen, das erst 1950 übertroffen werden sollte. Es gab sogar ein paar Jaguar Modell 1940. Diese waren erkennbar an ihren Kolbenstoßdämpfern, den Heizungs- und Defrosteranlagen bei den Sonderausrüstungsversionen, den glatten Lederpolstern und den Armaturen mit schwarzen Zifferblättern. Letztere konnte man zwar bereits bei einigen Wagen seit dem Spätjahr 1938 vorfinden.

Der SS 100 überlebte den Krieg nicht, aber die $1\frac{1}{2}$-, $2\frac{1}{2}$- und $3\frac{1}{2}$-Liter-Modelle tauchten im September 1945 wieder auf. Diese Modelle besaßen nun einen hypoidverzahnten Hinterachsantrieb, und die Sechszylindermotoren wurden im eigenen Betrieb hergestellt und nicht mehr durch Standard. Aus allerbesten Gründen hatte man die Initialen SS fallengelassen, und die letzte der Sechseckmarken – auf der hinteren Stoßstange – erhielt das Monogramm «J». Der eigentliche Jaguar war bei uns ...

# Sunbeam *Sie trugen Britanniens grüne Rennfarbe, doch gab es nur selten einen Sportwagen*

In der Schweiz – und in der Tat auch in anderen europäischen Ländern – zierte das Sunbeam-Markenzeichen zu lange Wagen, die nichts anderes als linksgelenkte Hillman mit metrischen Instrumenten waren, wie sie in Coventry hergestellt wurden. Der «pursang»-Sunbeam dagegen stammte aus Wolverhampton, der «Hauptstadt der verschwundenen Marken». Er hat eine lange und hervorragende Reihe von Rennerfolgen aufzuweisen, angefangen mit dem Sieg im «Coupe-de-l'Auto-Voiturette»-Rennen von 1912 in Dieppe bis zu Großbritanniens letztem Grand-Prix-Sieg für viele Jahre in der Saison 1923. Sunbeam machte zwischen 1920 und 1927 fünf erfolgreiche Angriffe auf den Weltgeschwindigkeitsrekord. Was mit einem geradezu schmerzlichen Grad von stockenglischer Bauweise endete, hatte mit kräftigen französischen Einflüssen begonnen. Der erste erfolgreiche Personenwagen der Firma, der 1903 erschien, lehnte sich stark an den Berliet an. In der erfolgreichsten Periode der Marke aus Wolverhampton stand die Konstruktionsabteilung unter der Leitung des Bretonen Louis Coatalen. Sogar der überragende Sieg im Jahre 1923 ging, wie sich unfreundliche Leute auszudrücken pflegten, «an einen Fiat, der grüne Farbe trug». Der GP-Rennwagen war durch den früheren Fiat-Ingenieur Bertarione nach dem Vorbild der Fiat-Renner des Vorjahres entwickelt worden.

Merkwürdigerweise brachte Sunbeam trotz der Tatsache, daß in den zwanziger und frühen dreißiger Jahren einige bewundernswerte Tourenwagen gebaut wurden, nur einen einzigen reinrassigen Sportwagen auf den Markt: den selten gesehenen 3-Liter aus den Jahren 1925 bis 1930. Als Zweig des neulich gegründeten anglofranzösischen STD-Reichs (Sunbeam-Talbot-Darracq) besaß die Fabrik in Wolverhampton Anfang der zwanziger Jahre einen ausgezeichneten Ruf und begann mit einem erprobten 16-HP-Wagen mit seitengesteuertem Motor von 80 × 150 mm, entsprechend 3016 $cm^3$ Hubraum. Dieser Wagen war auch während der Kriegsjahre für die Armee in Produktion geblieben. Zwar sah sich Sunbeam infolge ihrer Verpflichtungen, Flugzeugmotoren zu fabrizieren, gezwungen, die Herstellung des Wagens teilweise der Firma Rover anzuvertrauen. Das Programm von 1919 umfaßte neben dem 16-HP-Wagen noch einen soliden Sechszylinder mit einem 4,5-Liter-Zweiblockmotor ähnlicher Bauweise, der mit zwei verschiedenen Radständen (3,47 oder 3,658 m) lieferbar war. Die Gerüchte, wonach Sunbeam einen «Super-Sportwagen mit einem Motor, der sich stark an das Sechszylinder-Triebwerk für Dyak-Luftschiffe anlehnen sollte», zu bauen gedenke, bewahrheiteten sich nie. Dies, obgleich die britischen Steuern vor 1921 nicht drastisch erhöht wurden.

Die ersten Nachkriegs-Sunbeam waren konventionell und entsprachen fast der Bauweise von 1914. Die Motoren besaßen druckumlaufgeschmierte Kurbelwellen, kettenangetriebene Nockenwellen, gußeiserne Kolben, Magnetzündung, Pumpen- und Ventilatorkühlung und

SU-Vergaser. Die Kraftübertragung umfaßte eine Lederkonuskupplung, ein separat montiertes Vierganggetriebe mit rechtsliegender Kulissenschaltung, eine offene Kardanwelle und einen spiralverzahnten Hinterachsantrieb. Der Rahmen aus U-Längsträgern war vorne eingezogen und hinten hochgekröpft, und die altmodische Getriebefußbremse wurde beibehalten.

Hängende Ventile (zwei pro Zylinder, in der üblichen Art) kamen im Jahre 1922 zusammen mit dem Monoblock für den Sechszylinder und Aluminiumkolben für beide Modelle. Der neue und nichtklassische 14-HP-Vierzylinderwagen jedoch wies den Weg in die Zukunft. Als erstes einer Reihe ähnlicher Modelle, die bis 1926 produziert werden sollten, wies dieses nicht nur über Stoßstangen und Kipphebel betätigte hängende Ventile auf, sondern auch Spulenzündung sowie einen Block und ein Kurbelgehäuse aus einem einzigen Leichtmetall-Gußstück. Die hintere Aufhängung bestand aus Cantilever-Federn, und beide Bremsen wirkten auf die Aluminiumtrommeln der Hinterräder. Im Jahre 1923 waren die großen Wagen mit servounterstützten Vierradbremsen erhältlich.

Das Jahr 1924 brachte einen Wendepunkt in bezug auf die Konstruktion. In diesem Jahr kamen zwei neue Sechszylindermodelle mit siebenfach gelagerten OHV-Motoren mit abnehmbaren Köpfen, Leichtmetallkolben mit drei Kolbenringen, Autovac-Brennstofförderung und Einscheibenkupplungen heraus. Vierradbremsen ohne Servounterstützung wurden nun serienmäßig eingebaut, und die Cantilever-Federn wurden beibehalten. Der 16/50 mit einem Hubraum von 2540 $cm^3$ und einem Dreiganggetriebe war eine recht bescheidene Maschine, aber der 20/60 erhielt einen Motor von 3181 $cm^3$ (75 × 120 mm) sowie ein Viergang-

1

2

3

getriebe und war mit einem Achsuntersetzungsverhältnis von 4,5:1 recht leistungsfähig. Das Schrauben/Muttern-Lenkgetriebe, das schon lange von Sunbeam verwendet worden war, arbeitete mit bewundernswerter Präzision.

1925 war so etwas wie ein Flaggenjahr, bedeutete es doch Sunbeams einziger Ausfall in das Feld der wirklichen und echten Sportwagen. Früher gab es das sportliche Modell 16, basierend auf den «Coupe-de-l'Auto»-Wagen (1913 bis 1914), wobei der alte, seitengesteuerte 4,5-Liter-24/60-Motor in einem ansprechenden sportlichen Torpedo mit Drahtspeichenrädern und einem erhöhten Achsuntersetzungsverhältnis auf den Markt gebracht wurde. Im Jahre 1922 entstanden sogar einige der kurzlebigen OHC-Typen (die OV-Serie), diese wurden als Vier- und Sechszylindermodelle mit vier Ventilen und zwei Kerzen pro Zylinder gebaut, aber sie ließen sich fast nicht verkaufen.

Der neue 3-Liter war etwas wirklich anderes. Erstmals wurde der neue Wagen in Le Mans im Sommer 1925 gesehen. Im 24-Stunden-Rennen konnte mit ihm die Scharte des Bentley-Debakels ausgewetzt werden, indem der neue Sunbeam einen Lorraine-Dietrich jagte und den zweiten Platz belegte. Der Motor war ein im Renneinsatz bewährtes Triebwerk mit zwei schräghängenden Ventilen pro Zylinder, die durch zwei obenliegende, zahnradangetriebene Nockenwellen betätigt wurden. Der Brennraum war halbkugelförmig. Die Zylinderabmessungen betrugen 75 × 110 mm, was einen Hubraum von 2916 cm³ ausmachte. Der Zylinderkopf war nicht abnehmbar, und die Kurbelwelle war achtfach gelagert, spätere Ausführungen waren aus Chrom-Nickel-Stahl. Pumpenkühlung und Magnetzündung entsprachen normaler Sunbeam-Bauweise, doch wurde für die Motorschmierung das Trockensumpfprinzip mit zwei Ölpumpen gewählt. Die beiden Claudel-Vergaser wurden durch Autovac gespeist, und die Leistung betrug 90 PS bei 3800 U/min. Mit dem Motor verblockt waren eine Einscheiben-Trockenkupplung und ein Vierganggetriebe mit den Untersetzungen 4,5, 6,0, 7,43 und 14,32:1. Es wurden Perrot-Bremsen mit selbstverstärkender Wirkung eingebaut, und ab 1928 erhielten diese eine Vakuum-Servounterstützung. Der neue Wagen sah sehr gut aus. Der neue, leicht keilförmige Kühler und die langgezogene viersitzige Tourenkarosserie mit den Motorradkotflügeln vorne, die mit dem Rad drehten, waren sehr attraktiv.

Auf dem Papier waren dies entzückende Spezifikationen, und sie entsprachen auch den tatsächlichen Leistungen. Der 3-Liter hatte die übliche vorzügliche Sunbeam-Lenkung, ein schnell schaltbares Getriebe und eine ungeheure Geschmeidigkeit. Und der Wagen war schnell: 145 km/h im obersten Gang und sehr nützliche 115 km/h im 3. Gang konnten erreicht werden. Die seltene Kompressorversion des Jahres 1928 sollte ohne große Anstrengungen über 160 km/h laufen.

Die STD-Gruppe war allerdings bereits in finanziellen Schwierigkeiten, und so erhielt dieser Motor leider nie

1 Sunbeam 14 HP mit zweisitziger Dropheadd-Coupé-Karosserie (1924).

2 Sunbeam 24/70 HP. Die Ausführung von 1924 war weniger sportlich als seine Vorläufer, aber wenigstens besaß der Wagen nun Vierradbremsen.

3 Ein Sunbeam 3-Liter mit zwei obenliegenden Nockenwellen aus den späten zwanziger Jahren. Hier von Kotflügeln, Lampen usw. befreit und einsatzfertig für ein Rennen.

das Fahrgestell, das ihm angemessen gewesen wäre. Der Rahmen, mit einem Radstand von 3,31 m, war jener der Tourenmodelle von 1924 mit den Cantilever-Federn und so weiter. Er neigte zum Reißen, und zwar in einem Maße, daß man nur selten einen 3-Liter-Sunbeam antrifft, dessen Chassis nicht mittels Platten repariert worden ist. (Den Angaben eines Händlers aus den frühen Tagen entsprechend waren solche Reparaturen jedoch ungewohnt, als das Modell seine große Zeit hatte!) Eine überarbeitete Querverstrebung vorne war nie mehr als eine Bemäntelung. Der 3-Liter war teuer herzustellen, und die meisten der bis 1930 verkauften 315 Wagen waren angeblich 1926 fabriziert worden. Im Gegensatz zu den meisten seiner Konkurrenten wurde der 3-Liter mit Fabrik-Saloon-Karosserie mit Gewebeüberzug angeboten, einem Aufbau, der dem Modell sehr gut stand. Der Zeitungsmagnat Lord Beaverbrock gab im Jahre 1926 sogar ein «Landaulett» in Auftrag. Dies war zwar keine formelle Luxuskarosserie, sondern vielmehr der normale Saloon mit herunterklappbarem Hinterteil des Verdecks.

Die große Neuheit im Jahre 1926 war ein Reihen-Achtzylinder-Modell, das jedoch das genaue Gegenteil eines sportlichen Wagens war, obgleich es vom 3-Liter den Spitzkühler und die Trockensumpfschmierung geerbt hatte. Im übrigen wies der neue Wagen exakt die übliche Sunbeam-Tourenwagen-Bauweise auf. Der neunfach gelagerte OHV-Motor erhielt anfänglich die Abmessungen 80 × 120 mm, entsprechend 4826 $cm^3$ Hubraum, und wurde später auf 85 mm Bohrung und 5,4 Liter vergrößert. Der Zylinderkopf war zweiteilig. Andere interessante Eigenheiten des 30/90-Modells waren seine Doppelplattenkupplung, die verstellbare Neigung der Lenksäule, die mechanischen Bremsen mit Getriebeservo (ähnlich wie beim Hispano-Suiza) und eine Kreuzverstrebung des Rahmens hinter dem Getriebe. Es gab zwei Radstandlängen, nämlich 3,49 m für die Fünfsitzer und 3,75 m für die Siebensitzer, und auch mit Tourenwagenkarosserien brachte der 30/90 über 2 Tonnen auf die Waage. Die Verkäufe waren immer recht bescheiden, und an den Reihen-Achtzylinder-Sunbeam erinnert man sich als einen Wagen, der «schwer in der Hand und für die Füße» war. Unter den berühmten Kunden war auch Seine Königliche Hoheit der Herzog von Gloucester (der Bruder von Eduard VIII. und George VI.), der zwei solche Wagen besaß, einen mit formeller Luxuskarosserie aus dem Jahre 1926 und eine Weymann-Limousine mit Gewebeüberzug von 1929. Letztere besaß orthodoxe Vakuumservobremsen.

1927 war vermutlich das letzte Jahr, in dem echt progressive Gedanken in Wolverhampton Eingang fanden. Obgleich Sunbeam auch in den Jahren des Niedergangs einige hervorragende Wagen baute, war es doch hauptsächlich so, daß aus den noch zur Verfügung stehenden Teilen das Beste gemacht wurde. Die Wagen wurden mit einer Reihe von attraktiven Karosserien ausgerüstet, die sich vom Zweisitzer bis zur Limousine erstreckten. Besonders gefällig war ein viersitziges Coupé, das ab 1930 angeboten wurde. Wie Stutz in Amerika war Sunbeam auch einige Zeit besonders dem Weymann-System der Karosseriebauweise mit einem flexiblen Gewebeüberzug zugetan. In solcher Ausführung entstanden einige schöne Saloon mit vier oder sechs Seitenfenstern und sogar Limousinen auf dem 25-HP- und 30/90-HP-Chassis. Das Schlagwort «The Making of a Vintage Car» (Die Herstellung eines Wagens besonderer Güte) entbehrte nicht einer gewissen Ironie, als es im Vorwort des Katalogs von 1934 gedruckt wurde, indem um diese Zeit die gute Nachfrage nach einwandfreien gebrauchten Sunbeam-Wagen durch nachlassende Verkäufe der letzten Modelle aufgewogen wurde. (Übrigens veröffentlichte Sunbeam diesen Slogan mindestens sechs Monate bevor der Vintage Sports Car Club in Großbritannien gegründet wurde!)

Erstmals im Jahre 1927 waren alle Modelle mit dem Spitzkühler ausgestattet. Abgesehen von den spezialisierten 3-Litern und den 30/90-Modellen bestand die Angebotspalette aus drei gebrauchstüchtigen OHV-Sechszylinder-Typen mit Aluminiumkolben, Pumpenkühlung, Vakuum-Brennstofförderung, verblocktem Vierganggetriebe und natürlich Cantilever-Hinterachsfedern.

Das Modell 16 war sehr preiswert, sein Motor von 2040 $cm^3$ leistete 44 PS, und die Kurbelwelle war vierfach gelagert. Es besaß Spulenzündung, und als weitere Sparmaßnahme wurden Stahl-Artillerie-Speichenräder montiert. Es war ein großer und geräumiger Wagen mit

4

4 Sunbeam 25 mit teilweise blechverkleideter Sports-Saloon-Karosserie von Weymann (1931).

einem Radstand von 3,14 m, und er benötigte eine Hinterachsuntersetzung von 5,17:1. (Sein hauptsächlichster Konkurrent war vermutlich ein anderes STD-Produkt, nämlich der neu angekündigte Typ AD Talbot von Georges Roesch, der etwa 180 Pfund weniger kostete.) Die Modelle 20 (2,9-Liter) und 25 (3,6-Liter) hatten Magnetzündung und Drahtspeichenräder. Der größere Wagen konnte auch mit langem Chassis als Limousine bestellt werden. Kleinere Verbesserungen ließen diese drei Grundmodelle mit dem Strom bis ins Jahr 1930 mitschwimmen. Vakuumservobremsen wurden dem Typ 25 im Jahre 1928 beigefügt, und ein Jahr später erhielt auch der kleinere Typ 20 solche. Gleichzeitig wurden alle Modelle mit Zentralchassisschmierung mit Pedalbetätigung ausgerüstet. 1930 erhielten die beiden größeren Sechszylinder und auch die letzten Dreiliterwagen Doppelzündung, während der Typ 16 schließlich doch mit Halbelliptikfedern für die Hinterachse ausgerüstet wurde. Ein Jahr später erfuhr auch die Aufhängung des Typs 20 in gleicher Weise eine Änderung, doch der große Typ 25 behielt seine Cantilever-Federn bis zum Produktionsende im Jahre 1932 bei. Nach 1929 wurden keine Reihen-Achtzylinder-Modelle mehr angeboten.

Steigendes Gewicht forderte seinen Tribut, und so mußten größere Motoren eingebaut werden. 1931 erhielt der Typ 16 ein Triebwerk von 2,2 Litern und der Typ 20 ein solches von 3,3 Litern. Andere Verbesserungen betrafen eine mechanische Benzinpumpe anstelle des Autovac-Geräts, hydraulische Bremsen und thermostatisch betätigte Kühlerjalousien. Neu waren auch die Bimetallkolben. Mit dem bezeichnenden Fehlen einer Rationalisierung zeigten die neuen Sunbeam-Konstruktionen keinerlei Verwandtschaft mit Georges Roeschs parallel verlaufenden Entwicklungen neuer Kolben in der Londoner Talbot-Fabrik. Während Talbot dank den Sporterfolgen aufblühte, welkte Sunbeam still dahin. Nicht einmal das ehrgeizige Programm, Busfahrgestelle herzustellen, führte zu etwas.

Die Chassis von 1933 hatten hydraulische Stoßdämpfer, und bei den Modellen 16 und 20 wurden Synchrongetriebe serienmäßig eingebaut, nicht aber bei den langen Typ-20-Limousinen. Vermutlich lagen damals am Lager immer noch eine Anzahl der älteren Getriebeausführungen. Ohne Zweifel waren auch noch einige 2,9-Liter-OHV-Motoren mit vierfach gelagerter Kurbelwelle vom Typ 1927 vorrätig, und das führte zum neuen Speed Model Sunbeam.

Einmal mehr kämpfte Wolverhampton gegen ihre Kollegen in Kensington und deren ansprechenden Talbot 105 an. Der neue Wagen war ein ganz erfreuliches Fahrzeug. Der Motor leistete nach den gemachten Angaben 72 PS bei 3600 U/min. Er erhielt einen Zenith-Fallstromvergaser und Spulenzündung und wurde mit einem nichtsynchronisierten Vierganggetriebe verbunden. Der in Y-Form verstrebte Rahmen wies einen Radstand von 3,048 m auf, und neu waren die hydraulischen Bremsen. Es waren noch genügend Mittel vorhanden, um eine ungewöhnliche, zweitürige Sports-Saloon-Karosserie mit einem bauchigen Heck, welches das Reserverad aufnahm, zu entwickeln. Die Spitzengeschwindigkeit des Wagens betrug 131 km/h, und er wurde bis ins Jahr 1934 gebaut. Während man noch den alten Kühler verwendete, wurde eine schöne, viertürige Karosserie aufgebaut.

Andere Modelle des Jahres 1934 dagegen erhielten die neuen und gefälligen Kühler und überarbeitete Karosserien. Der Typ 16 (der jedenfalls seit 1931 der Steuerformel entsprechend ein 19-HP-Modell geworden war) wurde in ein 2,8-Liter-Modell aufgewertet und als Typ 20 bezeichnet.

Das Spitzenmodell der Reihe war der neue Typ 25 – ein prachtvolles Gefährt auf einem neuen, niedrigeren und kreuzverstrebten Rahmen mit halbelliptischen Federn vorne und hinten. Der 3,3-Liter-Sechszylinder-Motor (80 × 110 mm) besaß eine siebenfach gelagerte Kurbelwelle und leistete 74 PS bei 3600 U/min. Sogar mit einer Achsuntersetzung von 4,9:1 erreichte der Wagen fast die 130-km/h-Marke. Das Eigengewicht allerdings betrug furchterregende 2066 kg, und der Benzinverbrauch war mit 19 l/100 km ähnlich erschreckend. Auch hier wurde eine mit langem Chassis versehene Limousine im Katalog aufgeführt. Der Herzog von Gloucester kaufte eine solche und ließ sie 1937 mit einer neuen Karosserie ausrüsten, wobei ein neuer Kühler, der jenem des totgeborenen Modells 30 von 1936 – über das noch zu berichten ist – glich, Verwendung fand. Für Leute, die 825 Pfund ausgeben konnten, bedeutete der Sunbeam 25 ein Wagen von höchster Qualität und bester Handwerksarbeit, aber einmal mehr war der Talbot aus London bei gleichen Vorzügen preiswerter.

Über den 1,6-Liter-Vierzylinder-Dawn, der ebenfalls 1934 eingeführt wurde, sagt man vielleicht am besten nicht zuviel. Dieses Modell erhielt eine unabhängige Vorderradaufhängung und ein Wilson-Viergang-Vorwählgetriebe. Der Wagen hatte Übergewicht und litt unter unzähligen Kinderkrankheiten. Auf jeden Fall konnte ein Engländer, der für einen mittelgroßen Familienwagen 495 Pfund ausgeben wollte, einen Sechszylinder mit Vorwählgetriebe und erprobten mechanischen Bauteilen von Armstrong Siddeley oder Daimler kaufen.

Ende 1934 kam Sunbeam unter Konkursverwaltung, und jene Wagen, die 1935 produziert wurden, entstanden offensichtlich aus den noch übriggebliebenen Teilen. Als die Bestände an 2,9-Liter-Motoren aufgebraucht waren, wurden Motoren des Modells 25 in die Speed Models eingebaut, und einige Sechszylinderwagen erhielten Wilson-Vorwählgetriebe. Als abschließende Ketzerei wurden Schalthebel und Handbremse bei den mit Normalgetrieben ausgerüsteten Wagen in die Mitte gerückt. Bis zum Sommer des Jahres 1935 war alles vorbei – aber es sollte noch einen letzten Versuch geben, den klassischen Sunbeam zu neuem Leben zu erwecken.

Allerdings nicht unter H.C. Stevens, der für die Baureihen der Jahre 1934 und 1935 verantwortlich gewesen war. Auch nicht in Wolverhampton, denn die Roots-Gruppe hatte als neue Besitzerin der STD-Verbindung entschieden, alle ihre Prestigewagen durch die Talbot-Fabrik in London bauen zu lassen. Dort wurde Georges Roesch damit beauftragt, die Renaissance von Sunbeam in die Wege zu leiten. Gerüchte wollten wissen, daß William Roots entschlossen gewesen sei, der Hersteller von Wagen für den neuen König, Edward VIII., zu werden.

5

6

5 Einer der letzten der echten Sunbeam: ein Modell 25 HP mit Sechszylindermotor und Saloon-Karosserie (1934).

6 Sunbeam 25 HP aus dem Jahre 1934, der für den Herzog von Gloucester 1937 durch Thrupp und Maberly neu karossiert wurde. Der Kühler ähnelt stark jenem, der für das totgeborene Projekt des Reihenachtzylinders Modell 30 geplant war.

Ein neuer Reihen-Achtzylinder-Sunbeam 30 wurde auch wirklich an der London Show enthüllt. Unter seiner Motorhaube fand sich Georges Roeschs letztes Meisterwerk. Eigentlich war es ein OHV-Talbot-110-Motor mit den Abmessungen 80 × 112 mm und zwei zusätzlichen Zylindern, wodurch der Hubraum 4,5 Liter betrug. Natürlich wurde der vorbildliche leichte Ventiltrieb von Roesch verwendet, und die dauerhafte Kurbelwelle war zehnfach gelagert. Zur Kühlung wurden Pumpe und Ventilator eingesetzt, während zur Brennstofförderung eine mechanische Pumpe diente. Dieses Triebwerk besaß ein auffallend klares und sauberes Aussehen, wobei alle Kerzen und Kabel abgedeckt waren. Unglücklicherweise forderte ein sehr knappes Budget die Verwendung des Humber-Pullman-Fahrgestells mit Bendix-Bremsen und der berüchtigten «Evenkeel»-Einzelradaufhängung mit Querblattfeder vorne. Diese war ursprünglich von Barney Roos für Studebaker entwickelt worden. Ein vernünftiges Viergang-Synchrongetriebe wurde eingebaut, und der Kunde konnte zwischen einem Radstand von 3,149 und 3,47 m wählen. Damit hatte es sich. Die Wagen in der Olympia-Ausstellung wurden bewundert, aber man sah sie nie mehr. Angeblich sollen alle sieben verschrottet worden sein. Nachher wurden nur noch Talbot in Kensington gebaut, bis die Firma 1938 als Sunbeam-Talbot Ltd. neu formiert wurde. Von da an erschienen die beiden Namen auf den Kühlern einer buntscheckigen Reihe von leicht veränderten Hillman- und Humber-Wagen. Diese sollten nach 1954 zu «Sunbeam» werden und als solche überleben, bis die Marke unter der Axt von Chrysler im Jahre 1976 endgültig verschwand. Die Linie der Sunbeam-Autobusse, die sich um diese Zeit auf Trolleybusse beschränkte, ging an Guy Motors in Wolverhampton, später auf diese Weise an Jaguar, obgleich dann der Trolleybus bereits weitgehend ein Ding der Vergangenheit geworden war.
William Roots sah übrigens tatsächlich einen seiner Wagen in den königlichen Stallungen des Buckingham-Palasts, und dies auch auf Befehl König Edwards VIII. Es war jedoch ein Humber-Pullman.

# **Talbot** *Schweizerische Konstruktion und «Made in England»*

Die Existenz von zwei Klassikermarken des gleichen Namens – Talbot –, eine in Frankreich und die andere in England, hat schon endlose Verwechslungen verursacht, und dies noch ehe die zur Rootes-Gruppe gehörende Sunbeam-Talbot Ltd sich dazu entschied, ihre Erzeugnisse in Europa unter dem Namen Sunbeam zu verkaufen. Es hilft der Sache auch nicht im geringsten, wenn man erklärt, daß die sogenannten englischen Talbot ursprünglich eine auf den englischen Geschmack abgewandelte Version eines französischen Wagens waren, nämlich des Clément-Bayard. Der Name aber, der so oft *à la française* (Talbooh) ausgesprochen wird, stammte vom Earl of Shrewsbury and Talbot, einem englischen Nobelmann, der die ursprüngliche Firma Clément-Talbot Ltd in London finanzierte!

Es ist allerdings fair zu sagen, daß die englischen Talbot des Zeitabschnitts 1910 bis 1938 von ihrem Konzept und ihrem Gehalt her völlig britische Wagen waren, obgleich die Firma von 1919 bis 1935 finanziell mit der französischen Fabrik Automobiles Talbot (Darracq) von Suresnes liiert war. Es gab im Jahre 1922 sogar einen kurzlebigen «französischen» Talbot mit einem 970-cm³-Motor und einer Hinterachse ohne Differentialgetriebe, der vollständig in England produziert, aber in beiden Ländern unter dem Namen Talbot (Darracq) verkauft wurde. Es gibt aber auch verwirrende Hinweise, wonach «Darracq» die Karosserien für die in London gebauten Talbot geliefert haben soll. Die Fakten sind einfach: STD (Sunbeam-Talbot-Darracq) verwandelte das frühere Darracq-Depot in Acton, London, in eine Produktionsstätte für die serienmäßigen Karosserien, und Suresnes hatte folglich mit dieser Sache nichts zu tun.

Schon 1914 besaß Talbot von London eine ausgezeichnete Liste von Erfolgen in Kurzstrecken- und Bergrennen, und dies dank ihrem Vierzylindermodell 25/50, das das Werk von G.W.A. Brown war. Dieser Wagen erschien 1919 wieder und wurde als Personenwagen bis 1923 und als Ambulanz gar bis 1926 gebaut. Es war eine klare und gradlinige «Edwardian»-Konstruktion. Die vier Zylinder waren in zwei Paaren gegossen, die Ventile waren stehend auf der gleichen Seite angeordnet, Graugußkolben wurden eingesetzt, und für die Zündung sorgte ein Magnet. Das Vierganggetriebe war separat montiert, und für den Motor und das Getriebe wurde ein Hilfsrahmen verwendet. Der Hinterachsantrieb war gradverzahnt.

Um 1926 allerdings verzeichnete Talbot einen Niedergang. Der Typ Z10, ein leichter Wagen, war zu teuer und veraltet. Ein Versuch mit einem 1½-Liter-OHV-Sechszylinder-Modell im Jahre 1923 fiel ins Wasser, und der größere 18-HP-Wagen stand in direkter Konkurrenz zu den Parallelmodellen von Sunbeam und wurde nur selten gesehen. Die Fabrik, die 1903 als eine der modernsten galt, war gründlich heruntergewirtschaftet.

Doch all das änderte sich mit der Berufung des Genfers Georges Roesch als Chefkonstrukteur, Roesch hatte be-

1

1 Der berühmte Vierzylinder-Talbot 25/50 HP, der sich kurz vor und nach dem Ersten Weltkrieg einen Namen in Kurzstreckenrennen gemacht hatte. Hier mit einer schweren Cabrioletkarosserie von Bristol Wagon and Carriage Works (1919).

reits für Berliet und Renault in Frankreich und für Daimler in England gearbeitet, bevor er eine Stelle bei den Darracq-Werken in Suresnes angenommen hatte. Von dort wurde er dann nach Kensington geschickt, um zu retten, was bei dem Scherbenhaufen noch möglich war.

Bei seiner Arbeit im Rahmen der alten, kleinen Fabrik wußte Roesch ganz genau, was er im Sinn hatte. Die erste AD-Serie des 14/45-Talbot wurde direkt vom Zeichenbrett ohne Prototypen in Auftrag gegeben. Allerdings wurden sowohl das Basismodell wie auch alle späteren Talbot sehr intensiv auf den Straßen seines Geburtslandes, der Schweiz, geprüft. Der Plan war einfach: es sollte ein Automobil gebaut werden, das halb so groß und halb so schwer wie der Rolls-Royce Twenty war, dabei aber vergleichbare Leistungen und Qualität aufweisen und nur die Hälfte des Preises kosten sollte. Tatsächlich gelang es Roesch, diese Zielsetzung noch beträchtlich zu übertreffen. Der 14/45-Tourenwagen kostete 395 Pfund zu einer Zeit, als der Rolls Twenty mindestens mit 1600 Pfund angeschrieben wurde.

Der kleine 14-HP-Wagen, der in verschiedenen Ausführungen von 1927 bis 1935 gebaut wurde, war kaum ein Klassiker, weder von der Größe noch vom Preis her. Insgesamt wurden in der langen Produktionsperiode 9752 Wagen hergestellt. Allerdings wurden hier die Prinzipien, die alle von Roesch entwickelten Wagen auszeichnen sollten, erstmals festgelegt. Grundsätzlich fürchtete Roesch hohe Drehzahlen überhaupt nicht.

2

3

4

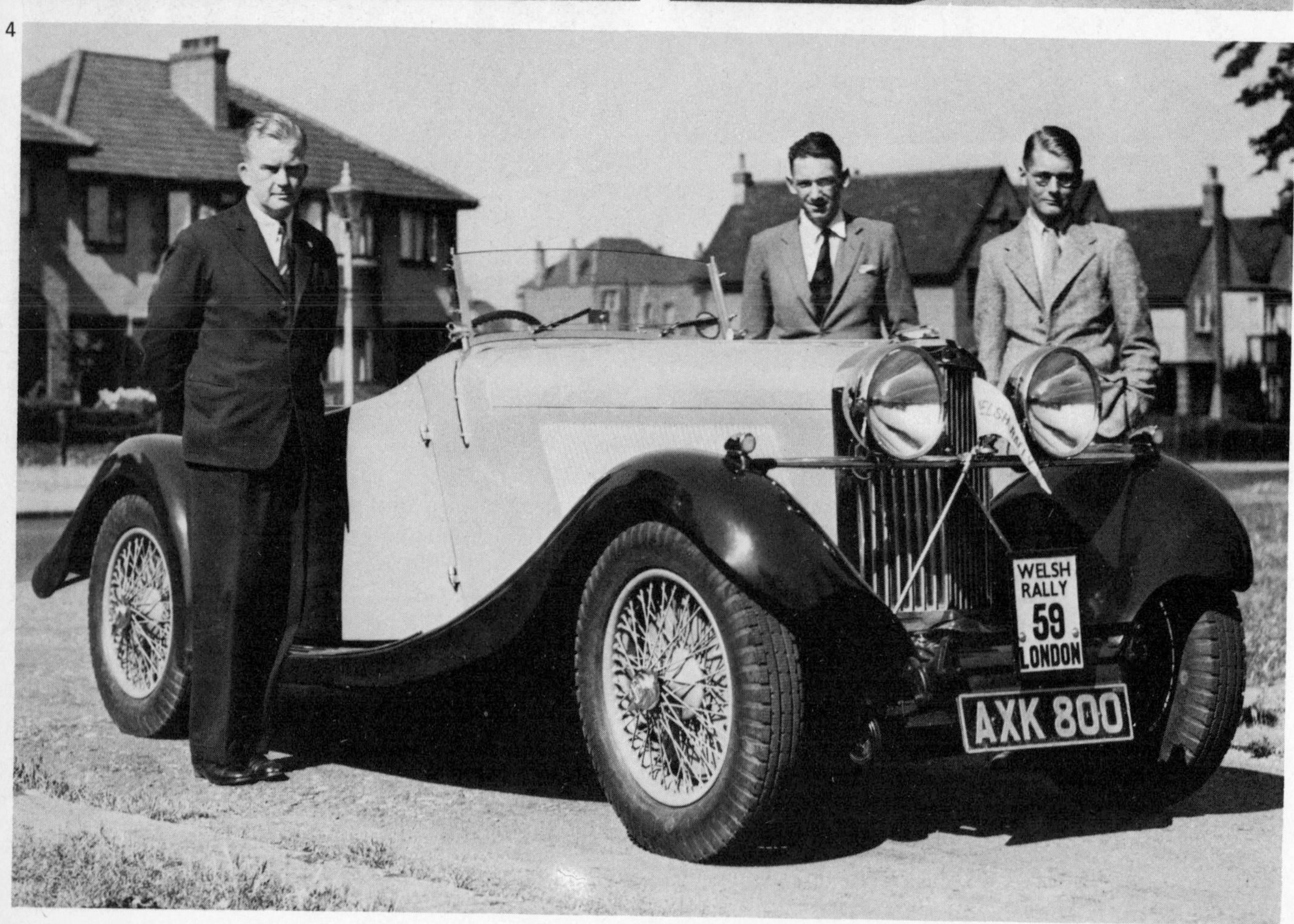

Der ursprüngliche AD entwickelte seine 41 PS bei 4500 U/min. Er ließ sich aber auch durch hohe Verdichtungsverhältnisse nicht schrecken. Seine späteren Wettbewerbsfahrzeuge liefen erfolgreich und zuverlässig mit einem Kompressionsverhältnis von 10:1. Während er ein Verfechter der konventionellen Ventilbetätigung mittels Stoßstangen und Kipphebel war, war sein Ventiltrieb mit den «Stricknadel»-Stoßstangen bemerkenswert leicht. Seine Kolben besaßen Aluminiumköpfe und Gußeisenkörper, und die vierfach gelagerte Kurbelwelle war aus dem vollen gearbeitet. Die Thermosyphonkühlung wurde durch einen Schwungradventilator unterstützt, und die Zündung besorgte eine Spule. Zum Anlassen diente ein geräuschloser, direkt an der Nase der Kurbelwelle angeflanschter Dyna-Motor. Der einzelne Vergaser wurde mittels Autovac gespeist. Das Vierganggetriebe mit seinem rechtsliegenden Kulissenschalthebel wurde durch warmes Motoröl geschmiert. Das steife Fahrgestell hatte eine Kreuzverstrebung. Andere interessante Eigenheiten waren die dauergeschmierten Lenkgelenke, der fest auf dem Kurbelgehäuse montierte Kühler (auf diese Weise wurden die schadenanfälligen Schlauchverbindungen überflüssig) und eine Ölwarnlampe anstelle des Öldruckmeters. Daß einige von Roeschs Methoden Unterhaltsarbeiten zu Hause erschwerten, spielte vielleicht keine große Rolle, wenn man die gesamthafte Vorzüglichkeit der Konstruktion in Betracht zieht.

Für seinen Hubraum von nur 1,7 Litern war der 14/45-Talbot ein recht schwerer Wagen, der einen Radstand von 3,048 m besaß und eine Hinterachsuntersetzung von 5,875:1 erforderte. Die Spitzengeschwindigkeit lag im Bereich von 95 km/h. Das Modell wurde bis 1931 mit verhältnismäßig geringfügigen Änderungen gebaut. Die wichtigste war die Einführung von Bremstrommeln mit 406 mm Durchmesser bei der AG-Serie von 1929, welche die früheren von 356 mm Durchmesser ersetzten. Die Bremsen wurden mittels Stangen betätigt. Noch 1930 zählten die Artillerieräder zur Normalausrüstung, und bei den weniger sportlichen Modellen blieben sie bis 1934 auf Bestellung erhältlich. Das breite Sortiment von Karosserien enthielt auch ein reizendes, gewebebezogenes Sportsman-Coupé und sogar eine Limousine.

1930 wurde ein größerer Wagen eingeführt. Es war dies die AO-Serie Typ 70, und bald sollte sich daraus der Typ 75 ergeben. Von da an sollten die verschiedenen Talbot-Modelle Bezeichnungen erhalten, welche ihre jeweilige Leistung in PS anzeigte. Die späteren 14/45 wurden deshalb unter dem Namen Typ 65 angeboten. Der Hubraum des neuesten Triebwerks betrug 2276 cm³, und die mit Ausgleichsgewichten versehene Kurbelwelle war siebenfach gelagert. An die Stelle des Thermosyphonprinzips war eine Pumpenkühlung getreten. Der Kühler war mit thermostatisch kontrollierten Jalousien ausgerüstet, und das Vierganggetriebe besaß einen geräuscharmen 3. Gang. Für die damalige Zeit sehr bemerkenswert war der Umstand, daß das Kühlsystem unter Druck stand. Der Radstand blieb unverändert bei 3,048 m Länge, und das gleiche galt auch für die Aufhängung, welche vorne aus halbelliptischen und hinten aus viertelelliptischen Federn bestand. Allerdings erhielten die Talbot 75 hinten hydraulische Stoßdämpfer. Auch dieses Modell war, genau wie der 14/45, auf den Mittelklassemarkt ausgerichtet, und sein Preis betrug etwa 550 bis 650 Pfund. Insgesamt wurden rund 3300 Wagen dieses Typs gebaut, die letzten bereits

5

2 Der Talbot 14/45 war ein bescheidener Wagen, aber mit einer Spezialcabrioletkarosserie sah er recht gut aus (1929).

3 Die bauchigen Hecks wurden meistens auch bei den Spezialkarosserien auf dem Talbot-90-Chassis beibehalten. Dieses Sportcoupé stammt von Grose, Northampton (1930—31).

4 Gunnar Poppe mit dem Talbot 105 Sport-Tourer (die Karosserie wurde von Vanden Plas, London, aufgebaut), den er im Welsh Rallye von 1934 fuhr.

5 Ein Convertible Saloon von Offord auf dem Tourenwagen-Fahrgestell des Talbot 95 3-Liter (1933).

unter der Direktion von Rootes im Jahre 1937. Eine sonderbare Entwicklung der 75er Reihe war ein Spezialfahrgestell mit Niederrahmen und einer doppelten Untersetzung der Hinterachse. Diese Version wurde als Standardkrankenwagen in London eingeführt und fand auch in einigen Provinzdienststellen Verwendung. Spätere Ausführungen erhielten gedrosselte 3- oder 3,4-Liter-Motoren. Roesch paßte das Chassis sogar für eine Luxuslimousine mit einem Radstand von 3,46 m an. Zwischen 1934 und 1936 wurden davon 57 Exemplare gebaut. Wie Alvis konnte sich aber auch Talbot in diesem beschränkten Markt nie wirklich etablieren.

Bald nach dem ersten Talbot 75 kam der Typ 90. Er platzte in eine überrumpelte Welt, indem er den dritten und vierten Platz – in einer Geräuschlosigkeit, die Erwähnung fand – im Rennen von Le Mans 1930 belegte. Nicht zu reden von den Klassensiegen sowohl in der Tourist Trophy als auch im 500-Meilen-Rennen von Brooklands. Bei letzterem wurde für den schnellsten Talbot, nämlich jenen der Mannschaft Lewis und Howe, ein Rennschnitt von 166 km/h errechnet, eine bemerkenswerte Leistung für einen grundsätzlich als Tourenwagen gedachten Konkurrenten. Alle Rennsport-Talbot waren natürlich durch Arthur Fox vorbereitet und gemeldet worden. Zwar arbeitete die Firma Fox and Nicholl von Tolworth mit enger Unterstützung des Werks.

Im wesentlichen bestand der Talbot 90 aus einem verkürzten Typ-75-Chassis. Der Radstand betrug in der Regel 2,83 m, doch wurde auch eine Version mit 3,048 m aufgeführt. Die Hinterachsuntersetzung war auf ein Verhältnis von 4,5:1 erhöht worden, und auch das Kompressionsverhältnis des Motors wurde vergrößert, was zusammen mit dem Zenith-Vergaser mit größerem Durchlaß die Leistung der Wettbewerbsmotoren auf 93 PS ansteigen ließ. Der serienmäßige Talbot 90 wurde mit einem gewebebespannten Tourenwagenaufbau mit bauchigem Heck verkauft. In dieser Ausführung wog der Wagen etwa 1300 kg, und seine Spitzengeschwindigkeit belief sich auf 135 bis 140 km/h. Es wurden aber durch die Firmen Grose, Martin Walter, Offord und Wylder auch einige geschmackvolle Spezialkarosserien für dieses Chassis gebaut. Insgesamt wurden 216 Talbot 90 ausgeliefert.

Rennen, so heißt es, verbessere die Zucht. Mit dem Talbot 105 von 1931 hatte Georges Roesch ein Sportmodell, das sich mit den besten Europas messen konnte. Tatsächlich konnten die 100 Meilen pro Stunde (160 km/h) mit dem Serienwagen nicht ganz erreicht werden. Seine Höchstgeschwindigkeit betrug etwa 150 km/h. Den neuen Motor könnte man als Vergrößerung des Typ-75/90-Triebwerks beschreiben. Seine Abmessungen betrugen 75 × 112 mm für einen Hubraum von 2960 cm³, doch verfügte der neue Motor im Gegensatz zum Typ 90 über einen Fallstromvergaser. Die normale Straßenversion leistete 100 bis 105 PS, und die Rennsportausführungen brachten es auf 140 PS. Diese zusätzliche Kraft erlaubte es, das Hinterachs-Untersetzungsverhältnis auf 4,363:1 zu erhöhen. Verstellbare hydraulische Stoßdämpfer wurden rundherum eingebaut. Beim Dreilitermotor wurden für den geräuschlosen Dyna-Motor-Anlasser zwei 12-Volt-Batterien in Serie geschaltet. Trotzdem war es manchmal bei kaltem Wetter schwierig, die großen Talbot zu starten.

Beim Talbot-Programm des Jahres 1932 wurden mechanische Benzinpumpen, Zentralchassisschmierung und die hydraulischen Stoßdämpfer des 105 serienmäßig bei allen Modellen eingebaut. Bei der Alpenfahrt des gleichen Jahres feierte der vielleicht schönste Wagen, der je von Clément Talbot Ltd angeboten wurde, nämlich der Talbot 105 mit der zweitürigen Spezialtourenkarosserie von Vanden Plas, sein Debüt. Die Alpenfahrt gab Georges Roesch auch Gelegenheit, das Wilson-Vorwählgetriebe bei seinen Wagen gründlich auszuprobieren. Die Versuche verliefen zu seiner vollen Zufriedenheit, und das Getriebe wurde 1933 serienmäßig eingebaut. Kensington hatte jedoch, genau wie Sunbeam in Wolverhampton, noch alte Lagerbestände abzubauen, und so blieb das Normalgetriebe mit geräuschlosem 3. Gang auf Wunsch lieferbar. Ja bei einem Modell waren diese sogar vorgeschrieben, nämlich beim langen Typ 75.

Im Gegensatz zu Cecil Kimber war Roesch damit einverstanden, den Gangwählhebel an der Lenksäule zu belassen, aber er hatte seine eigenen Ideen, wie das Vorwählgetriebe perfektioniert werden könnte. Das Resultat konnte man bei den Talbot des Jahrgangs 1935 sehen, und zwar in der Form des «Beschleunigungs-

6

7

8

getriebes mit Verkehrskupplung». Bei diesen Wagen verschob sich der Gangwählhebel automatisch um eine Stufe nach oben, und zwar jedesmal, wenn das Gangwechselpedal hinuntergedrückt wurde. Dem schaltfaulen Fahrer wurde damit ermöglicht, das Getriebe nur für das Hinunterschalten zu benutzen. Gleichzeitig konnte in jeder erforderlichen Situation von Hand der gewünschte Gang gewählt werden.

**6** Das Werksteam der Dreiliter-Talbot 105, das für die Internationale Alpenfahrt von 1934 gemeldet wurde. Hier vor den Ausstellungsräumen der Firma in London.

**7** Talbot 75 Sport mit dem Tiefbett-Fahrgestell, hier mit einem Cabriolet von Offord. Einer der letzten echten Roesch-Wagen, ehe der Verbilligungsprozeß von Rootes einsetzte (1935).

**8** Talbot-110-Sport-Tourenwagen wartet auf die Fertigstellung der Einzelheiten im Werk (1935).

Die Talbot 90 und 105 wurden nun mit einer neuen Reihe von blechüberzogenen Spezialkarosserien aufgelistet. Neben dem Tourenwagen von Vanden Plas gab es Cabriolets von Lancefield und Offord und den neuen schönen Ulster-Saloon mit zwei Türen und fließendem Heck von Vanden Plas – wie er übrigens auch auf dem Alvis-Speed-20-Fahrgestell erhältlich war. Die Modelle 65 und 75 waren auf dem Markt gut eingeführt, und Talbot konnte in die größere Luxusklasse vorstoßen. Dies geschah mit dem Dreilitermodell 95, das einen gedrosselten Typ-105-Motor und den hohen Kühler erhielt. Die frühen Wagen besaßen noch ein bauchiges Heck in der Art des Speed Model 1933 von Sunbeam, aber in den Jahren 1934 und 1935 wurde dann eine elegantere Fließheckausführung gewählt. In dieser Kategorie, die in England durch den Buick 8 beherrscht wurde, erging es Talbot besser als Alvis mit ihrem Crested Eagle, konnte die Firma doch in drei Jahren über 700 Modelle 95 absetzen.

Um 1934 hatte Talbot die Renntätigkeit aufgegeben, abgesehen von einem letzten Wurf mit einem Team von Spezialwagen des Modells 105 an der Internationalen Alpenfahrt, wo sie sich zusammen mit der deutschen Marke Adler in den ersten Platz der Dreiliterklasse teilten. Die Spezialkarosserien des 105 waren jedoch noch attraktiver geworden, und es kamen noch zwei- und viertürige Saloons von Young in Bromley dazu. Doch die Geschäfte der STD-Mutter-Gruppe näherten sich der Krise. Sunbeam in Wolverhampton war unwiderruflich in den roten Zahlen, und die Finanzen in Suresnes standen genauso schlecht. Talbot allerdings warf immer noch Gewinn ab, und die verbesserten Modelle 1935 waren sehr ansprechend. Neu war der in der Mitte gesenkte Fahrgestellrahmen mit rohrförmigen Querstreben, um die Schwerpunktlage niedriger zu gestalten. Dieses neue Chassis mit einem Radstand von 2,896 m wurde für den kurzen Talbot 75 Sports-Saloon verwendet, der zum Preis von 525 Pfund ein sehr attraktives

9

Angebot bedeutete. Ebenfalls eingesetzt wurde es für den überarbeiteten Talbot 105 mit dem Fabrik-Saloon-Aufbau. An der Automobilausstellung von 1934 wurde aber auch der Spitzenwagen der Roesch-Talbot-Reihe, der 3½-Liter, manchmal auch als Typ 110 bekannt, vorgestellt. Die Motorleistung betrug allerdings nicht 110, sondern 123 PS bei 4500 U/min.

Das Triebwerk war eine Weiterentwicklung des Modells 105, wobei die Zylinderbohrung auf 80 mm vergrößert worden war, was einen Hubraum von 3,4 Litern ergab. Der neue Wagen besaß ebenfalls den in der Mitte heruntergesetzten Rahmen und mit dem Modell 95 zusammen den gleichen Radstand von 3,048 m. Sowohl das halbautomatische Beschleunigungsgetriebe als auch ein 24-Volt-Dyna-Motor-Anlasser wurden eingebaut, und den hydraulischen wurden noch Reibungsstoßdämpfer beigefügt. Während die geringeren Talbot sich immer noch mit einer Ölwarnlampe zufriedengeben mußten, besaß der 3½-Liter ein ordentliches Öldruck-Meßgerät. Eingebaute Wagenheber gehörten zur normalen Serienausrüstung. Von Darracq, London, wurde der Wagen mit einer Airline-Saloon-Karosserie mit Fließheck eingekleidet. Er kostete 850 Pfund und war damit der teuerste je im Katalog aufgeführte englische Talbot. Seine Spitzengeschwindigkeit betrug 150 bis 155 km/h. Ein 3,4-Liter-Triebwerk wurde später in einen der Alpenfahrtwagen Typ 105 des Jahres 1934 eingebaut. In dieser Form und mit dem auf 164 PS frisierten Motor erreichte der von Kotflügeln usw. befreite Wagen Spitzengeschwindigkeiten von über 205 km/h.

Rootes erwarb den bankrotten englischen Teil des STD-Reichs im Jahre 1935, und die Roesch-Talbot überlebten den Besitzerwechsel noch zwei Jahre. Sowohl der 3½-Liter als auch die großen Limousinen auf dem Krankenwagenfahrgestell waren in der Ausgabe 1937 des Katalogs noch enthalten. Der Typ 105 des Jahres 1935, jetzt auch erhältlich als Airline Saloon, wies nur wenige Änderungen auf, doch wurde er neuerdings unter der Bezeichnung 105 Speed angeboten. Verbilligungen machten sich jedoch bemerkbar. Der 24-Volt-Dyna-Motor wurde fallengelassen und machte einem gewöhnlichen 12-Volt-Anlasser Platz. Der Talbot 75 erhielt ein von Humber gebautes Viergang-Synchrongetriebe mit Mittelschalthebel anstelle des Vorwählgetriebes. Ein sehr ähnlicher Wagen mit einem gedrosselten Dreilitermotor und (normalerweise) dem Vorwählgetriebe trug nun den einst stolzen Namen 105. Am unteren Ende des Sortiments räumte der alte, treue Typ 65 (14/45), der alle späteren Verbesserungen bis 1935 erhalten hatte, dem Talbot Ten – «Britain's Most Exclusive Light Car» (Großbritanniens exklusivster Wagen der leichten Klasse) – das Feld. Kühler und Zubehör waren authentische Talbot-Teile, aber unter der Oberfläche hauste ein unverfälschter Hillman Minx –, sogar die ovale Armatur war übernommen worden. Er besaß nicht eine einzige Klassikerqualität.

Der Katalog für 1938 war noch bedrückender, und dies, obgleich noch genügend unverkaufte 3½-Liter-Wagen in North-Kensington herumstanden, daß es sich lohnte, dieses Modell weiterhin im Katalog zu behalten. Den Talbot-Liebhabern wurde zugegebenermaßen immer noch ein Dreiliterwagen mit der Auswahl von vier verschiedenen Karosserien, eingeschlossen ein offener Tourenwagen, angeboten. Auf eine Entfernung von hundert Meter konnte man dieses Modell für einen modernisierten Talbot 75 halten, aber die Radscheiben verdeckten gepreßte Stahlspeichenräder, und die übrige Mechanik war jene des seitengesteuerten 3,2-Liter-Humber-Snipe. Dieser Wagen – dem ein Vierlitermodell, basierend auf dem Super Snipe von 1939, beigefügt wurde – blieb bis zum Ausbruch des Krieges lieferbar unter dem Namen Sunbeam-Talbot. Moderne Fanfaren und metallisierte Lackierungen waren aber leider kein Ausgleich für die begeisternde Arbeit und Konstruktion von Georges Roesch.

9 Talbot-3-Liter-Sports-Tourenwagen, die 1938 an die Polizei von Edingburgh geliefert wurden. Trotz ihres Aussehens sind es keine Klassiker, haben sie doch grundsätzlich das Chassis und die mechanischen Elemente des Humber Snipes!

# Vauxhall *Die Auskehlungen an der Motorhaube bedeuteten einst «The Car Superexcellent» (Der supervortreffliche Wagen)*

Während vieler Jahre war der Vauxhall das englische Äquivalent von Marken wie Opel, Chevrolet, Holden oder Isuzu. Sogar die berühmten Auskehlungen an der Motorhaube, die einst schamlos durch Chrysler «gemaust» worden waren, verschwanden mit der Serie F des Victor im Jahre 1961. Zwar hielten sich einige Spuren davon noch ein bißchen länger bei dem Sechszylindermodell PA. Es ist in der Tat schwer zu erkennen, daß der Vauxhall, «The Car Superexcellent», der frühen zwanziger Jahre sich unter die Wagen von Delage, Mercedes und Alfa Romeo einreihte, wenn er auch nicht ganz in die Klasse von Hispano-Suiza oder Isotta Fraschini gehörte.

Die Vauxhall Iron Works stellten ursprünglich Marinemotoren in der gleichnamigen Londoner Vorstadt an der Themse her. 1905 zog der Betrieb nach Luton um, und zwei Jahre später wurde der erste Wagen, ein leichter Runabout mit liegendem Einzylindermotor, auf den Markt gebracht. Die Geschichte beginnt aber eigentlich im Jahre 1908. In diesem Jahr konstruierte der junge Laurence H. Pomeroy während der Ferienabwesenheit des Chefkonstrukteurs einen sehr fortschrittlichen 3-Liter-Monoblock-Vierzylinder-Motor, der bei der damals hohen Drehzahl von 2000 U/min 40 PS leistete und für die 2000-Meilen-Zuverlässigkeitsfahrt des Royal Automobile Club gedacht war. Daraus entstand der erste «Prince-Henry»-Wagen mit einem Motor gleichen Hubraums. Pomeroy wie auch Ferdinand Porsche pilotierte seine eigene Schöpfung selber in der Prinz-Heinrich-Fahrt von 1910. Der C-Type Prince Henry Vauxhall von 1913 leistete 70 bis 75 PS bei einem Hubraum von 4 Litern. Die Ausrüstung umfaßte abnehmbare Drahtspeichenräder und elektrische Beleuchtung. Wagen dieses Typs fanden ihren Weg in die weite Welt bis nach Australien und Rußland. Die Vertretung in St. Petersburg war bis unmittelbar zur Oktoberrevolution im Jahre 1917 aktiv. Mit vollständiger Straßenausrüstung erreichte der C-Typ-Vauxhall eine Spitzengeschwindigkeit von 115 bis 120 km/h. Ein überlebender Wagen aus dem Jahre 1914 wurde auf der Straße mit einer Spitze von 139 km/h gemessen.

1913 folgte der ursprüngliche 30/98 HP Typ E, der von Joseph Higginson, dem Erfinder und Hersteller des Autovac-Systems, in Auftrag gegeben worden war. Während einiger Jahre war Higginsons großer 80 HP La Buire in den britischen Sprint- und Bergrennen nahezu unschlagbar gewesen. Nun wollte er etwas Moderneres. Weitere zwölf gleichartige Wagen wurden hergestellt, ehe die Umstellung auf die Kriegsproduktion eine weitere Fabrikation und Entwicklung «auf Zeit» aufhielt.

Der Vauxhall Typ E verkörpert den Sportwagen aus der Zeit vor 1914 auf seinem Zenit. Moderne Eigenheiten umfaßten eine robuste, druckumlaufgeschmierte Kurbelwelle mit fünf Lagern. Der seitengesteuerte Vierzylindermotor mit den Abmessungen 98 × 150 mm und einem Hubraum von 4,5 Litern leistete 90 PS bei der hohen Drehzahl von 3000 U/min. Die Rennerfahrungen, welche Vauxhall in Brooklands und in dem Coupe-de-l'Auto-Rennen gemacht hatte, wurden wohl genutzt. Der Zylinderkopf war nicht abnehmbar, die Nockenwelle wurde mittels Kette angetrieben, und das Benzin gelangte mittels Luftdruck zum White-and-Poppe-Vergaser. Nach dem Krieg nahm ein SU-Vergaser diesen Platz ein. Für die Zündung wurde ein Magnet eingesetzt und für die Kühlung eine Wasserpumpe, unterstützt durch einen Ventilator. Über eine von Vauxhall nach Konstruktion von Hele-Shaw gebaute trockene Mehrscheibenkupplung wurde die Kraft auf ein separat montiertes Vierganggetriebe mit rechtsliegendem Schalthebel übertragen. Die normalen Untersetzungen waren 3,08, 4,7, 7,21 und 11,18:1. Der Hinterachsantrieb war gradverzahnt. Der konventionelle Rahmen aus U-förmigen Längsträgern wies einen Radstand von 2,946 m und Halbelliptikfedern auf. Die Bremsen waren für die damalige Zeit typisch, indem die Fußbremse auf das Getriebe und die Handbremse auf die Hinterräder wirkte.

Der Vauxhall 30/98 wurde stets als «schneller Tourenwagen» und nie als Sportwagen verkauft, als solcher hatte er 1920 keine ernsthaften Rivalen. Die Hersteller empfahlen die Verwendung des 4. Ganges bei Motordrehzahlen über 250 U/min. Der Wagen lief seine Reisegeschwindigkeit von 100 km/h und zeigte dabei nur

1 Vauxhall Typ OD 23/60 HP mit Landaulettkarosserie, der als «Motor Carriage» (Motor-Kutsche) angepriesen wurde (1924).

1800 U/min auf dem Tachometer. Die Lenkung war präzise, und die Spitzengeschwindigkeit lag bei etwa 135 bis 140 km/h. Der Wagen beschleunigte im 4. Gang in 11 Sekunden von 65 auf 100 km/h. Alle 30/98 liefen auf der Brooklands-Bahn garantiert 160 km/h, wenn überflüssiges Straßenzubehör, wie Kotflügel, Lampen usw., entfernt wurde.

Zum Glück für Vauxhall hatte die Firma große Aufträge vom Kriegsdepartement für den D-Typ – einen 4-Liter-Tourenwagen – erhalten. Dieses Modell blieb ohne Unterbrechung bis 1918 in Produktion. Die für den zivilen Markt bestimmten Vauxhall Typ D und E wurden früh im Jahre 1919 wieder verfügbar. Die Nachkriegs-30/98-HP besaßen eine vollständige elektrische Ausrüstung und Leichtmetallkolben.

Der Typ E war ein sehr ansprechender Wagen, ganz besonders mit den «Velox»-Viersitzer-Werkskarosserien mit Motorhauben aus poliertem Aluminium. Spezialaufbauten waren selten auch nur annähernd so erfolgreich. Obgleich der 30/98 nie offiziell vom Werk bei Rennen eingesetzt wurde, beherrschte er die Wettbewerbsszene in den Clubs. Allein im Jahre 1920 wurden damit in Großbritannien 75 erste, 52 zweite und 35 dritte Plätze errungen.

Für Vauxhall war der Weggang von Pomeroy im Jahre 1919 bedauerlich. Er nahm eine Berufung bei der Aluminium Corporation of America an. Seine Nachkriegskonstruktionen waren nie über die Stufe der Prototypen hinausgekommen. Von diesen war eines ein Luxuswagen mit einem seitengesteuerten V12-Motor von nur 3,5 Litern Hubraum, während der Vierzylinder Typ H ganz aus Aluminium und mit obenliegender Nockenwelle als Ersatz für den 30/98 gedacht war. Vauxhall hatte eine vorsichtige und konservative Einstellung. Beide Entwürfe wurden schubladisiert, und C. E. King wurde statt dessen damit beauftragt, die bestehenden Modelle D und E zu überarbeiten.

In anderer Hinsicht war die Firma jedoch weniger vorsichtig. Die Fabrik war ständig unterbeschäftigt. Im Jahre 1920 wurden mit 1400 Mitarbeitern lediglich 780 Automobile produziert, und sogar 1923, als der preisgünstige 14/40 HP Typ M in der Fabrikation voll lief,

2

3

2 Vauxhall 30/98 Typ OE mit Velox-Viersitzer-Karosserie. Dieser Wagen blieb erhalten und befindet sich im Besitz von Vauxhall Motors Ltd.

3 Vauxhall Typ LM 14/40 HP mit Cabrioletkarosserie von Grosvenor. Durch das Fehlen der Vorderradbremsen kann auf eine Herstellung des Wagens um 1924–25 geschlossen werden.

betrugen die Auslieferungen nur 1462 Wagen. Es gab auch noch andere unglückliche Abschweifungen. Bemerkenswert ist in diesem Zusammenhang ein brillanter Rennwagen aus dem Jahre 1922, der einen 3-Liter-Vierzylinder-Motor mit zwei obenliegenden Nockenwellen und einer in fünf Rollenlagern laufenden Kurbelwelle sowie Servobremsen besaß. Dieser Wagen hatte nicht weniger als 129 PS unter der Motorhaube. Aber o weh! Dieser Wagen war unter dem Eindruck entstanden, daß die 3-Liter-Grand-Prix-Formel noch ein weiteres Jahr Gültigkeit behalten würde. Sein einziger Einsatz in der Tourist Trophy war ein Fehlschlag. Schließlich gab es da noch ein sehr interessantes Motorrad mit Vierzylindermotor und Kardanwellenantrieb. Dieses war auf dem Zeichenbrett von Frank Halford, der später für die De-Havilland-Flugzeugmotoren verantwortlich sein sollte, entstanden und hatte das Unternehmen eine ordentliche Stange Geld gekostet, ohne daß es je in Produktion genommen wurde.

Die Vauxhall Typ D und E wurden bis 1922 weitergebaut. In diesem Jahr wurde ihnen der neue 14/40 HP beigefügt, der mit dem gleich eingestuften Wagen von Sunbeam vergleichbar war. Dieser Typ M war kaum ein Klassiker. Die mit Muttern befestigten Scheibenräder gaben ihm ein nicht besonders spritziges Aussehen. Der neue Wagen besaß indessen einige fortschrittliche Neuerungen, wie abnehmbarer Zylinderkopf, verblocktes Dreiganggetriebe, Fuß- und Handbremse (beide wirkten auf die Hinterräder), spiralverzahnter Hinterachsantrieb und Autovac-Brennstofförderung von Higginson. Sein 2,3-Liter-Vierzylinder-Motor mit seitlich stehenden Ventilen leistete 43,5 PS. Der Preis von 750 Pfund für einen Tourenwagen war um 350 Pfund niedriger als für den vergleichbaren Typ D. Die Wagen des Jahres 1925, Typ LM, erhielten ein Vierganggetriebe, Drahtspeichenräder und Balloon-Reifen. Ein Jahr später wurden Vierradbremsen serienmäßig eingeführt, und ein paar wenige der letzten Vauxhall Typ LM wurden versuchsweise mit Wilson-Vorwählgetrieben ausgerüstet. Dies ein Jahr bevor Armstrong-Siddeley erstmals solche Getriebe serienmäßig bei ihren großen Modellen offerierte.

Mitten in der Saison 1922 kamen die Typen OD und OE. Dabei handelte es sich im wesentlichen um die Modelle vor 1919, jedoch mit OHV-Motoren mit abnehmbaren Zylinderköpfen ausgerüstet. Beim Typ OE 30/98 mit den Abmessungen 98 × 140 mm und einem Hubraum von 4,2 Litern stieg die Leistung auf 112 PS. Der OD, immer noch mit einem Hubraum von 4 Litern (95 × 140 mm), leistete 60 PS.

Der Typ OE erhielt aber noch weitere Verbesserungen: An der Stelle von Stahl- wurden Dural-Pleuel verwendet, die Achsuntersetzung wurde leicht auf 3,3:1 gekürzt und ein spiralverzahnter Antrieb eingeführt. Ferner wurden Hartford-Reibungsstoßdämpfer eingebaut. Das bestehende Bremssystem wurde bis 1923 beibehalten, und die Velox-Karosserie blieb ebenfalls unverändert. Anfänglich war dies die einzige im Katalog aufgeführte Karosserievariante. Später wurden jedoch eine elegante Wensum-Karosserie mit keilförmiger Windschutzscheibe und ein gewebebespannter Saloon beigefügt. 1925 wurde die Druckluft-Brennstofförderung durch das Autovac-System ersetzt. Die Typen OE waren geringfügig schneller als die früheren Typen E, und ein Tourenwagen wog ungefähr 1520 kg.

Bedauerlicherweise waren die Ideen über die Verzögerung eines fahrenden Wagens seit 1914 weit vorangeschritten, und der Vauxhall war in dieser Hinsicht nun veraltet, vor allem im Vergleich mit den Vierradbremsen, wie sie z. B. von Hispano-Suiza und Delage angeboten wurden. Bis Ende 1923 sollten auch Rolls-Royce und Bentley wirksamere Systeme eingeführt haben, was auch für Napier zutraf, obgleich dort der große T75 zugunsten der Produktion von Flugzeugmotoren auslief. Vauxhall nahm die Herausforderung ohne Versäumnis an: Vorderradbremsen wurden beim Typ OE im Verlaufe des Jahres 1923 erhältlich. Es ist traurig, daß sie in die gleiche Falle tapsten wie Herbert Austin mit seinem Seven, indem sie sich für ein nichtverbundenes System entschieden. Der erste Versuch war die Verbindung der Vorderradtrommeln mit dem Fußbremspedal mittels einer durch Stangen und Kabel betätigten Kupplung, die ein T-förmiges Ausgleichsteil an der vorderen Querstrebe des Rahmens enthielt. Die Handbremse wirkte weiterhin auf die Hinterräder. Diese Einrichtung arbeitete recht ordentlich, benötigte jedoch ein ständiges Nachstellen. 1926 wurde das System durch eine selbstnachstellende hydraulische Bremse für die Vorderräder und eine (ungewöhnliche) hydraulische Betätigung der Getriebebremse ersetzt. Leider machte die Verwendung von Lederdichtungen die interessante Idee, welche auch bei den Wagen 25/70 HP Typ S eingeführt worden war, zunichte. Die OD-Typen hatten um 1925 ebenfalls Vorderradbremsen erhalten. Es wundert einen nicht besonders, daß viele 30/98-Vauxhall später Vorderachsen fremder Herkunft erhielten bei dem Versuch, diese Wagen ordentlich bremsen zu können!

Es waren nur 226 Typ-E-Wagen gebaut worden. Vom Typ OE gab es einige mehr, nämlich insgesamt 312 Wagen. Das Spitzenjahr 1924 sah die Auslieferung von 111 Einheiten, aber der 3-Liter-Bentley gewann dank des eben errungenen Sieges in Le Mans immer mehr die Oberhand. Abgesehen von den Bremsen betraf die Hauptverbesserung der späteren OE-Typen die Einführung einer Kurbelwelle mit Ausgleichsgewichten, wodurch der Motor für einen Vierzylinder erstaunlich weich und ruhig lief.

Der Typ OD stand immer etwas im Schatten seines sportlicheren Bruders, und seine Fahrleistungen waren «bummelhaft». Ein Tourenwagen wog 1707 kg, und eine Spitzengeschwindigkeit von 100 km/h wurde als ausreichend betrachtet. Zusätzlich zu den offenen Karosserien waren im Katalog von 1925 nicht weniger als acht verschiedene Cabriolets und geschlossene Wagen enthalten, darunter fünf- und siebensitzige Cabriolets, ein nach französischer Manier aufgebautes «Coupé-Chauffeur» und ein Innenlenker-Saloon. Die Preise bewegten sich zwischen 925 Pfund für einen Tourenwagen und 1300 Pfund für die aufwendigeren Stadtwagen. Der Markt für Luxuswagen verlangte nun jedoch Sechszylindermodelle, und nicht nur Daimler, sondern auch Sunbeam und Armstrong Siddeley konnten solche Angebote in der gleichen Preisklasse machen. Nach 1926 wurde der Typ OD nicht mehr geführt.

Trotz der guten Verkäufe des Typs LM betrugen die Auslieferungen 1925 weniger als 1400 Einheiten, und ungeachtet der Popularität des Typs OE in Australien wurden in diesem Jahr lediglich 95 Vauxhall exportiert. Im November nahmen die Direktoren ein Kaufangebot der General Motors an.

Es gab keinen sofortigen Richtungswechsel. Der 30/98 wurde das ganze Jahr 1927 hindurch weiterproduziert. Der Wagen wurde (in unbewußter Vorwegnahme der Jaguar-Werbung) als «The Car of Grace that sets the Pace» (Der Wagen der Anmut, der Schrittmacher) angepriesen. Im übrigen kam die Bewilligung, die Pläne für den sehr benötigten Sechszylinder-Luxuswagen voranzutreiben.

Dieser Typ S, der als 25/70 HP verkauft wurde, wies die gleichen Chassisdaten auf wie der 30/98, eingeschlossen die hydraulischen Vorderradbremsen und die Getriebebremse. Mit Rücksicht auf die größere Radstandlänge von 3,46 m und das erhöhte Gewicht (ein Fahrgestell war mit seinen 1587 kg schwerer als ein kompletter OE-Tourenwagen) wurde ein massiverer Rahmen mit 15,2 cm starken Längsträgern verwendet. Das Vierganggetriebe besaß verhältnismäßig enge Untersetzungsstufen, und der Motor war völlig neu. C. E. King hatte den Burt-McCollum-Einschieber-Motor eingeführt, wie er von Argyll seit 1912 und ebenfalls (unter der Lizenz von Argyll) von der schweizerischen Firma Piccard-Pictet verwendet worden war. Das Monoblock-Triebwerk, wie es von Vauxhall eingesetzt wurde, hatte die Abmessungen $81{,}5 \times 124$ mm, entsprechend einem Hubraum von 3881 $cm^3$, Leichtmetallkolben, Pumpen-

4

5

6

kühlung und einen abnehmbaren Zylinderkopf. Die ausgewuchtete Kurbelwelle lief in zehn Hauptlagern. Die Brennstofförderung zu dem SU-Vergaser erfolgte mittels Autovac.
Der Vauxhall Typ S erreichte eine Spitzengeschwindigkeit von 105 km/h, und mit seinem breiteren Kühler, wie er die späteren 30/98 zierte, sah er gut aus. Besonders die Sports-Saloon wußten sehr zu gefallen. Obgleich die Argyll-Wagen nie «Raucher» in der Art der Knight-Daimler gewesen waren, traf dieses Prädikat auf den neuen Vauxhall zu. Straßenversuchsberichte beklagten im übrigen einen deutlichen Shimmy der Vorderräder bei höheren Geschwindigkeiten. Wahrscheinlich wurden weniger als 100 Vauxhall Typ S gebaut. Anfang 1928 wurden die noch nicht verkauften Lager über den Handel verschleudert.
Um diese Zeit war natürlich die Produktion des Typs LM eingestellt worden, und auch der 30/98 wurde nicht mehr hergestellt. So konzentrierte sich Vauxhall 1928 voll und ganz auf den Typ R 20/60, den ersten Wagen der General-Motors-Reihe. Ungeachtet der dem Buick ähnlichen «Bedford»-Saloon-Karosserie, wie sie auf die ersten Fahrgestelle aufgebaut wurde, war der Wagen grundsätzlich englischen Ursprungs. Der Sechszylindermotor mit hängenden Ventilen, die über Stoßstangen und Kipphebel betätigt wurden, erhielt eine robuste und siebenfach gelagerte Kurbelwelle (keiner der von GM gebauten Sechszylindermotoren konnte sich mehr als vier Lager rühmen). Das Vierganggetriebe besaß sogar eine ordentliche Schaltkulisse, der kugelförmige Schalthebel erschien erst 1929. Die nun richtig verbundenen kabelbetätigten Vierradbremsen

4 Auf diesem Bild eines Vauxhall OE 30/98, das im Oktober 1925 aufgenommen wurde, ist die sonderbare Ausgleichseinrichtung für die Vorderradbremsen gut zu erkennen. Die Bateau-Karosserie von Grosvenor wurde aufgrund eines Sonderauftrags ausgeführt — möglicherweise für die Londoner Ausstellung.

5 Vauxhall Typ S 25/70 HP mit Einzelschiebermotor. Dieses Modell war vorgesehen für vornehme und steife Stadtwagen. Allerdings waren nicht alle Karosserien so häßlich wie die abgebildete halb offene Limousine (1926).

6 Klassiker auf dem Abstieg. Vauxhall Typ R 20/60 mit Sportsman-Coupé-Sonderkarosserie von Weymann. Diese Ausführung unterschied sich nicht stark von jener des Werks (1929).

verschafften dem Wagen eine Bremskapazität, die weit über jener der früheren Vauxhall-Wagen lag. Es wundert deshalb nicht, daß die ersten tausend Fahrgestelle innerhalb einiger weniger Monate verkauft waren. 1930 wurde der Hubraum von 2,7 auf 2,9 Liter erhöht und die T-Serie eingeführt. Ein attraktiver «Hurlingham»-Speedster mit Bootsheck, das einen winzigen Klappsitz enthielt, und Auburn-ähnlicher keilförmiger Windschutzscheibe wurde verfügbar. Mit seinen 120 km/h war dieser Wagen nicht viel langsamer als ein 30/98, aber das Fahrverhalten war mittelmäßig, und ganz allgemein vermißte man bei ihm Charakter. Ende 1931 verschwand der Hurlingham aus der Reihe. Die überzähligen Karosserien wurden zu Holden nach Australien geschickt, wo sie auf die dort verkauften Chevrolet-Fahrgestelle montiert wurden. Ein Jahr später wurde auch die Produktion des Typs T eingestellt, und das letzte Bindeglied zu den Tagen von Laurence Pomeroy und den «Prince-Henry»-Wagen verschwand.

7 Vauxhall Typ T Hurlingham Sports (1930).

7

# *Die häufigsten Karosserie-bezeichnungen*

**All-weather** Tourenwagen mit herabklappbarem Verdeck, einsteckbaren Seitenteilen oder Kurbelfenster. Frühe Ausführung des *Cabriolet* und des *Convertibles.*

**Brougham** Stadtwagen, meistens mit offenem Chauffeurabteil und geschlossenem Passagierraum.
*Club-Brougham: Victoria-Coach,* 4/5plätziger geschlossener Wagen.
*Coaching Brougham:* Stadtwagen in Reisekutschenform.

**Cabriolet** Zwei- oder viertüriger Wagen mit 2 bis 7 Plätzen und nach hinten herabklappbarem Verdeck. Die Seitenscheiben können in der Regel völlig versenkt werden.

**Convertible** Amerikanische Bezeichnung für *All-weather* und *Cabriolet.*
*Convertible Coupé:* 2/3plätziger Wagen, ähnlich dem *Roadster.*
*Convertible Sedan:* viertüriges *Cabriolet.*

**Coach** Zweitüriger geschlossener Wagen mit 4 bis 5 Plätzen.

**Coupé** Sportlicher, zweitüriger geschlossener Wagen mit 2 bis 4 Plätzen.

**Coupé de ville** Viertüriger Wagen mit offenem Chauffeur- und geschlossenem Passagierraum mit zwei Seitenfenstern. Auch *Brougham, Coupé chauffeur, Sedanca de ville* oder *Town Car* genannt.

**Coupé-Limousine** Wie *Coupé de ville,* jedoch mit zusätzlichen Klappsitzen und vier Seitenfenstern.

**Drophead Coupé** Englische Bezeichnung für das *Cabriolet.* Gelegentlich in drei Formen verwendbar: geschlossen; über der vorderen Sitzreihe offen und hinten geschlossen; ganz offen.

**Faux Cabriolet** Coupé mit festem Dach, das wie ein Cabriolet aussieht.

**Landau, Landaulett** Wie *Coupé de ville* oder *Limousine de ville,* hintere Hälfte des Passagierraumverdecks jedoch herabklappbar. Auch *Enclosed Drive Cabriolet* genannt, wenn Chauffeurraum mit festem Dach.

**Limousine** Viertüriger, geschlossener Wagen mit 4 bis 5 Plätzen, oft mit zwei zusätzlichen Klappsitzen, Trennscheibe zwischen Chauffeur- und Passagierraum.
*Sedan-Limousine* oder *Owner Driver Limousine:* Trennscheibe versenkbar.

**Phaeton** Offener, 4/5sitziger Tourenwagen mit herabklappbarem Verdeck, oft ohne Seitenteile. *Dual Cowl Phaeton:* Typisch amerikanische Karosserieform mit zweiter umklappbarer Windschutzscheibe für die Rücksitze, zwischen Vordersitzlehne und hinterer Windschutzscheibe befindet sich ein Abdeckblech.

**Roadster** Zweisitziger Sportwagen, meist ohne Seitenscheiben, gelegentlich mit tief ausgeschnittenen Türen. Nur leichtes Notverdeck. Auch *Sport-Phaeton* genannt.

**Runabout** Vor 1914 hauptsächlich in Amerika beliebte Sportwagen ohne eigentliche Karosserie. Kübelsitze praktisch auf dem nackten Fahrgestell, kein Verdeck, keine Windschutzscheibe oder runde «Monokelscheibe».

**Saloon** Viertüriger, geschlossener Wagen mit 4 bis 5 Plätzen (englische Bezeichnung).
*Sports-Saloon* und *Sportsman's Saloon:* kürzer, sportliche Ausführung.

**Sedan** Wie *Saloon* (amerikanische Bezeichnung).

**Sedanca-Coupé** Zweitüriger Reisewagen mit 4/5 Plätzen, bei dem der hintere Teil des Dachs fest, das Stoffverdeck über den Vordersitzen indessen geöffnet werden kann.

**Sedanca de ville** Siehe *Coupé de ville.*

**Shooting Break** Geschlossener Jagdwagen mit zwei Türen, Laderaum und Heckklappe. Auch *Estate Car* genannt.

**Speedster** Zweitüriger, sehr sportlicher Wagen mit 2/3 Plätzen. *Boattail Speedster.* Heckpartie des Wagens in eleganter Bootsheckform.

**Sport** Anfänglich vier-, später hauptsächlich zweisitziger offener Sportwagen mit oder ohne Verdeck.
Wenn in Verbindung mit anderer Karosseriebezeichnung verwendet, wird damit eine leistungsfähigere, leichtere und sportlichere Ausführung angezeigt.

**Tourenwagen** Zwei- oder viertüriger offener Wagen. *(Phaeton, All-weather)*

**Town Car** Stadtwagen *(Coupé de ville, Limousine* usw.)

**Victoria** Elegante Form einer 4/5sitzigen Coach mit eingebautem Kofferraum, auch *Club-Brougham* genannt.

# Literaturhinweis


Automobile Quarterly: The Classic Tradition of the Lincoln Motor Car, New York, 1968
Bailey L. Scott (ed.): The American Car since 1771, New York, 1971
Bentley John: The Old Car Book, New York, 1953
Bentley W. O.: Illustrated History of the Bentley Car 1919–1931, London, 1964
Bentley W. O.: My Life and My Cars, London, 1967
Berthon C. H. D.: The Technical Facts of the Vintage Bentley, London, 1955
Berthon C. H. D.: The 6½-litre Bentley (Profile 11), Leatherhead, 1966
Berthon C. H. D.: The 3-litre Bentley (Profile 56), Leatherhead, 1967
Betts C. L., Jr.: American Vintage Cars, New York, 1963
Betts C. L., Jr.: The Auburn Straight Eight (Profile 9), Leatherhead, 1966
Betts C. L., Jr.: The Duesenberg Model-A (Profile 57), Leatherhead, 1967
Bird A.: The Motor Car, 1765–1914, London, 1960
Bird A.: The Lanchester 38 and 40 h. p. (Profile 5), Leatherhead, 1966
Bird A.: The Rolls-Royce Silver Ghost (Profile 91), Leatherhead, 1967
Bird A. and Hallows I.: Rolls-Royce Motor Cars (2nd edition), London, 1970
Bird A. and Hutton-Stott F. W.: Lanchester Motor Cars, London, 1965
Blight A.: Georges Roesch and the Invincible Talbot, London, 1971
Boddy W.: The Sports Car Pocketbook, London, 1961
Boddy W.: The Daimler Double Six (Profile 40), Leatherhead, 1966
Bowman H. W.: Famous Old Cars, New York, 1957
Buckley J. R.: Cars of the Connoisseur, London, 1960
Buckley J. R.: The 4,5-litre S-type Invicta (Profile 19), Leatherhead, 1966
Buehrig G. and Jackson W. S.: Rolling Sculpture, New York, 1975
Chrysler Corporation (ed.): Pictorial History of Chrysler Corporation Cars, Detroit, 1975
Clutton C. and Stanford J.: The Vintage Motor Car, London, 1954
Clutton C., Harding A. and Bird P.: The Vintage Car Pocket Book, London, 1959
Clutton C, Harding A. and Bird P.: The Batsford Guide to Vintage Cars, London, 1976
Dalton L.: Those Elegant Rolls-Royce, London, 1967
Dalton L.: Coachwork on Rolls-Royce, 1906–1939, London, 1975
Dammann G. H.: 70 Years of Chrysler, Glen Ellyn, Illinois, 1974
Dawes N.: The Packard, 1942–1962, New York/London, 1975
Day K. R.: The Alvis Car, 1920–1966, London, 1966
Elbert J. L.: Duesenberg: The Mightiest American Motor Car, Arcadia, Calif., 1951
Frostick M.: Advertising and The Motor Car, London, 1969
Georgano G. N.: The History of Sports Cars, London, 1970
Georgano G. N. (ed.): Complete Encyclopaedia of Motor Cars, 2nd ed., London, 1973
Green J.: Bentley: Fifty Years of the Marque, London, 1969
Harding A. (ed.): Cars in Profile, Collection 2, Windsor/New York, 1974
Hendry M. D.: Cadillac: The Complete Seventy Year History, New York, 1973
Hendry M. D.: Lincoln: America's Car of State, New York, 1971
Hendry M. D.: Pierce Arrow: First among America's Finest, New York, 1971
Howell M.: The Stutz Vertical Eight (Profile 46), Leatherhead, 1967
Hull P. M. A.: The Front Wheel Drive Alvis (Profile 51), Leatherhead, 1967
Hull P. M. A. and Johnson N.: The Vintage Alvis, London, 1967
Jackson W. S.: The Lincoln Continental, 1940–1948 (Profile 88), Leatherhead, 1967
Jarman L. P. and Barraclough R. I.: The Bullnose and Flatnose Morris, 2nd ed., London, 1976.
Kimes B. R.: Automobile Quarterly's Great Cars and Great Marques, New York, 1976
Kinsman W. C.: The Cord Models 810 and 812 (Profile 35), Leatherhead, 1966
McComb F. W.: The MG Magnette K3 (Profile 15), Leatherhead, 1966
McComb F. W.: The MG Midget M-type (Profile 45), Leatherhead, 1966
McComb F. W.: The 18/80 MG (Profile 86), Leatherhead, 1967
McComb F. W.: The Story of the MG Sports Car, London, 1972
McPherson T.: American Funeral Cars and Ambulances Since 1900, Glen Ellyn, Illinois, 1974
Montagu, Lord: Lost Causes of Motoring, London, 1961
Montagu, Lord: Jaguar: A Biography, 3rd ed., London, 1967
Montagu, Lord: Jaguar: Britain's Fastest Export, New York, 1972
Nicholson T. R.: The Vintage Car, 1919–1930, London, 1966
Nicholson T. R.: The Duesenberg J and SJ (Profile 6), Leatherhead, 1966
Nickols I. H. and Karslake K.: Motoring Entente, London, 1966
Nockolds H.: The Magic of a Name, London, 1947
Oliver G. A.: The Rolls-Royce Phantom I (Profile 2), Leatherhead, 1966
Oliver G. A.: The Bentley 3½- and 4¼-litre (Profile 7), Leatherhead, 1966
Oliver G. A.: The 4½-litre Lagondas (Profile 29), Leatherhead, 1966
Oliver S. H.: The 8- and 12-cylinder Packards 1923–1942 (Profile 94), Leatherhead, 1967
Oldham W. J.: The Rolls-Royce, 40/50 h.p.: Phantoms, Ghosts and Spectres, Yeovil, 1974
Post D. R.: The Classic Cord, Arcadia, Calif., 1952
Post D. R. (ed.): The American Rolls-Royce, Arcadia, Calif., 1951
Post D. R. (ed.): The British Rolls-Royce, Arcadia, Calif., 1953
Purdy K. R.: The Kings of the Road, Boston, 1952
Ritch O.: The Lincoln Continental, Los Angeles, 1963
Scott-Moncrieff D.: The Throughbred Motor Car 1930–40, London, 1963
Sedgwick M.: Cars of the 1930s, London, 1970
Sedgwick M.: Passenger Cars 1924–1942, London, 1975
Smith B. E.: The Daimler Tradition, London, 1972
Smith B. E.: Royal Daimler, London, 1976
Stanford J.: The Sports Car, Development and Design, London, 1957
Stanford J.: The 30/98 h. p. Vauxhall (Profile 32), Leatherhead, 1966
Tubbs D. B.: The Talbots, 14/45-110 (Profile 27), Leatherhead, 1966
Turnquist R. E.: The Packard Story, New York, 1975
Webb de Campi J.: Rolls-Royce in America, London, 1975